Rudolf Klußmann

Psycho-therapie

Psychoanalytische Entwicklungspsychologie

Neurosenlehre

Behandlungsverfahren

Aus- und Weiterbildung

Zweite, völlig überarbeitete Auflage

Springer-Verlag
Berlin Heidelberg New York
London Paris Tokyo
Hong Kong Barcelona
Budapest

Professor Dr. med. Rudolf Klußmann
Leiter der Psychosomatischen Beratungsstelle
Medizinische Poliklinik der Universität München
Pettenkofer Straße 8 a, 80336 München

ISBN 3-540-56181-1 Springer-Verlag Berlin Heidelberg New York

Die Deutsche Bibliothek – CIP-Einheitsaufnahme
Klussmann, Rudolf:
Psychotherapie : psychoanalytische Entwicklungspsychologie,
Neurosenlehre, Behandlungsverfahren, Aus- und Weiterbildung
/ Rudolf Klussmann. – 2., völlig überarb. Aufl. – Berlin ;
Heidelberg ; New York ; London ; Paris ; Tokyo ; Hong Kong ;
Barcelona ; Budapest : Springer, 1993
  ISBN 3-540-56181-1 (Berlin ...) brosch.

Dieses Werk ist urheberrechtlich geschützt. Die dadurch begründeten Rechte, insbesondere die der Übersetzung, des Nachdrucks, des Vortrags, der Entnahme von Abbildungen und Tabellen, der Funksendung, der Mikroverfilmung oder der Vervielfältigung auf anderen Wegen und der Speicherung in Datenverarbeitungsanlagen, bleiben, auch bei nur auszugsweiser Verwertung, vorbehalten. Eine Vervielfältigung dieses Werkes oder von Teilen dieses Werkes ist auch im Einzelfall nur in den Grenzen der gesetzlichen Bestimmungen des Urheberrechtsgesetzes der Bundesrepublik Deutschland vom 9. September 1965 in der Fassung vom 24. Juni 1985 zulässig. Sie ist grundsätzlich vergütungspflichtig. Zuwiderhandlungen unterliegen den Strafbestimmungen des Urheberrechtsgesetzes.

© Springer-Verlag Berlin Heidelberg 1993
Printed in Germany

Die Wiedergabe von Gebrauchsnamen, Handelsnamen, Warenbezeichnungen usw. in diesem Werk berechtigt auch ohne besondere Kennzeichnung nicht zu der Annahme, daß solche Namen im Sinne der Warenzeichen- und Markenschutz-Gesetzgebung als frei zu betrachten wären und daher von jedermann benutzt werden dürften.

Produkthaftung: Für Angaben über Dosierungsanweisungen und Applikationsformen kann vom Verlag keine Gewähr übernommen werden. Derartige Angaben müssen vom jeweiligen Anwender im Einzelfall anhand anderer Literaturstellen auf ihre Richtigkeit überprüft werden.

Satz: Fotosatz-Service Köhler, Würzburg;
Druck: Saladruck, Berlin; Bindearbeiten: Lüderitz & Bauer, Berlin.
26/3020-5 4 3 2 1   – Gedruckt auf säurefreiem Papier.

Aus dem Unergründlichen steigt Leben auf,
erhalten wird es durch die Urkraft des Lebens,
offenbar wird es durch das Leibhafte,
vollendet durch den Zielwillen des Lebens.

Daher verehren die Lebenden das Unergründliche,
nicht, weil es die Pflicht geböte,
sondern, weil es ihr Inneres so will.

Denn das Unergründliche gibt allen das Leben,
   es läßt im Frühling alles werden und wachsen,
   ernährt und erhält es im Sommer,
   läßt es im Herbst reifen und vollenden,
   schützt es im Winter.

Erzeugen, ohne etwas dafür haben zu wollen,
dem Leben zu dienen, ohne etwas zu erwarten,
es zu fördern, ohne es beherrschen zu wollen;
Das ist das Geheimnis innerlich kraftvollen Lebens.

Laotse,
Tao-Te-King
(Nr. 51)

Die Psychoanalyse beabsichtigt und leistet nichts anderes
als die Aufdeckung des Unbewußten im Seelenleben.

Sigmund Freud

Vorwort zur zweiten Auflage

Die erste Auflage des vorliegenden Buches „Psychoanalytische Entwickungspsychologie – Neurosenlehre – Psychotherapie" erschien 1988; 5 Nachdrucke waren im Laufe der wenigen Jahre erforderlich geworden. Das Interesse für dieses Fachgebiet ist noch weiter gewachsen, die eigene Kompetenz zu verbessern ist das Bedürfnis vieler Kollegen. Auf dem Deutschen Ärztetag 1992 in Köln wurde die Ausbildungsordnung der Ärzte neu gestaltet. Eine wesentliche Veränderung betrifft die Gebietsbezeichnung „Facharzt für Psychotherapeutische Medizin", eine 5-Jahres-Curriculum-Ausbildung. Hinzu kommt, daß der „Facharzt für Psychiatrie" jetzt „Facharzt für Psychiatrie und Psychotherapie" heißt; auch der „Facharzt für Nervenheilkunde" und der „Facharzt für Kinder- und Jugendpsychiatrie" erfordern Ausbildungsinhalte, die die in diesem Buch dargelegten Zusammenhänge betreffen. Es wurde in der Zwischenzeit deutlich, daß an der ersten Auflage einiges geändert werden sollte: eine klarere Darstellung in einzelnen Punkten, eine Ergänzung zuvor unberücksichtigt gelassener Zusammenhänge (insbesondere das Kapitel „spezielle Neurosenlehre" betreffend), eine Herausstellung des einen oder anderen Punktes aufgrund einer Gewichtsverlagerung bei gewissen Anschauungen. Letzteres wurde z. B. mit dem Kapitel über die Säuglings- und Kleinkindforschung berücksichtigt, Erkenntnisse, die uns veranlassen, unsere psychoanalytisch-psychodynamischen Annahmen neu zu überdenken und zu ordnen. Das Borderline-Syndrom wird immer wieder neu diskutiert und klassifiziert, Behandlungsmöglichkeiten neu erwogen. So war es erforderlich, dieses Kapitel neu zu gestalten und zu ergänzen. Der Praxisbezug wurde durch die Ergänzung eines Kapitels über das Arbeitsbündnis weiter verbessert.
Die Anzahl psychisch Kranker ist groß, die Einsichtsfähigkeit bezüglich einer Verbindung zu der jeweiligen Lebensentwicklung und -gestaltung sehr unterschiedlich. Das erfordert eine stärkere Einbeziehung auch medikamentöser Therapieüberlegungen in den Behandlungsplan; das wurde insbesondere bei der Darstellung der Psychoneurosen berücksichtigt.
Die Änderungen, die sich bezüglich des Gutachterverfahrens ergeben haben, wurden auf den derzeit gültigen Stand gebracht. Die Literaturangaben wurden überprüft und ergänzt, ebenso die Adressen der Ausbildungsinstitute. Hinzugekommen sind Patientenanlaufstellen in den neuen Bundesländern. Ein Sach-

verzeichnis soll die Arbeit mit dem vorliegenden Buch erleichtern.

Aus- und Weiterbildungsinhalte für den Erwerb der Zusatzbezeichnungen „Psychotherapie" und „Psychoanalyse" als auch die aktuellen Entwürfe für die Gebietsbezeichnungen, insbesondere des kommenden „Facharztes für Psychotherapeutische Medizin" wurden ergänzt und ebenso auf den „neuesten Stand" gebracht wie die Adressen der Weiterbildungsinstitute und der Fachkliniken im deutschsprachigen Raum.

Mit dieser Überarbeitung und Ergänzung des Buches „Psychoanalytische Entwicklungspsychologie, Neurosenlehre, Psychotherapie" hoffe ich auf die wohlwollende Zustimmung der Leserschaft und bin wiederum dankbar für kritische Zuschriften, die ich bei einer weiteren Auflage berücksichtigen werde.

Wiederum gilt dem zuständigen Lektorat und den mit der Verwaltung beauftragten Mitarbeitern des Springer-Verlages mein herzlicher Dank.

Im Frühjahr 1993   Rudolf Klußmann

Vorwort zur ersten Auflage

Wie schon unsere Zusammenstellung *Psychosomatische Medizin: Eine Übersicht* (Springer-Verlag 1986)* ist auch die vorliegende Publikation aus Vorlesungen für Studenten entstanden.

Das Interesse an den tabellarischen Darstellungen war wiederum so groß, daß um eine Veröffentlichung gebeten wurde. Kritik und Gefahr wiederholen sich. Auch handelt es sich um einen Stoff, der aus Büchern nicht erlernbar ist. Dem Interessierten geht es so, wie es Freud bereits 1910 in seiner Arbeit „Über ‚wilde' Psychoanalyse" zu dem Thema geäußert hat:

... Wäre das Wissen des Unbewußten für den Kranken so wichtig wie der in der Psychoanalyse Unerfahrene glaubt, so müßte es zur Heilung hinreichen, wenn der Kranke Vorlesungen hört oder Bücher liest. Diese Maßnahmen haben aber ebensoviel Einfluß auf die nervösen Leidenssymptome wie die Verteilung von Menukarten zur Zeit einer Hungersnot auf den Hunger. Der Vergleich ist sogar über seine erste Verwendung hinaus brauchbar, denn die Mitteilung des Unbewußten an den Kranken hat regelmäßig die Folge, daß der Konflikt in ihm verschärft wird und die Beschwerden sich steigern ...
Es reicht also für den Arzt nicht hin, einige der Ergebnisse der Psychoanalyse zu kennen; man muß sich auch mit ihrer Technik vertraut gemacht haben, wenn man sein ärztliches Handeln durch die psychoanalytischen Gesichtspunkte leiten lassen will. Diese Technik ist heute noch nicht aus Büchern zu erlernen und gewiß nur mit großen Opfern an Zeit, Mühe und Erfolg selbst zu finden. Man erlernt sie wie andere ärztliche Techniken bei denen, die sie bereits beherrschen ... (GW Bd. 8, S. 123f.; Imago, London, 1950)

In den Vorlesungen haben wir versucht, die vorliegenden Tabellen – den Kern psychoanalytischen Wissens – mit „Fleisch" zu umgeben. Patientenvorstellungen, Kranken- und Behandlungsberichte, erweiterte Anamnesen, Erklärungen der oftmals mißverständlichen und allzu leicht als Eigengut angesehenen und verwendeten Begriffe waren der wesentliche Inhalt der Darlegungen im Auditorium, in den Seminaren und Kursen. Dennoch gilt die Mahnung Freuds in besonderem Maße; im Mittelpunkt der Ausbildung zum Psychoanalytiker steht ausbildungsbegleitend – also über Jahre hinweg – die psychoanalytische Selbsterfahrung vor allem in Einzel-, aber auch in Gruppen- und Kontrollsitzungen. Niemand wird Psychoanalyse richtig und erfolgreich betreiben können, der

---

* Aufgrund der thematischen Überschneidungen konnten aus diesem Buch (die 2. Auflage ist 1992 erschienen) die Seiten 17, 19–25, 51–54, 56–63 in die vorliegende Arbeit übernommen werden.

nicht seine eigene Persönlichkeit in seiner ganzen – besonders auch unbewußten – Dimension mit seinen unterdrückten (Trieb)wünschen, Abwehrkonstellationen und neurotischen Kompensationen kennengelernt und wenigstens teilweise korrigiert hat.

Das allgemeine Interesse an den Themen ist jedoch groß. Die Häufigkeit von Neurosen, insbesondere von Frühstörungen, nimmt weiterhin zu. Die psychosomatischen Störungen – häufig ein Ausdruck dieser frühen Schädigungen – nehmen inzwischen einen so breiten Raum ein, daß es nicht übertrieben ist festzuhalten, daß jeder zweite Patient, der einen Arzt aufsucht, auch psychotherapeutisch behandelt werden müßte. Das wird aber nur möglich sein mit Hilfe von fundierten Kenntnissen in der

- Organmedizin,
- psychosomatischen Medizin *und* der
- Entwicklungspsychologie und Neurosenlehre.

Dem Symptomangebot wie der Not der Patienten in der ärztlichen Praxis ist nicht mehr Herr zu werden ohne psychoanalytisch-psychotherapeutisch-psychosomatisches Wissen, dessen Grundlagen die Entwicklungspsychologie und die Beziehungspathologie sind. Insbesondere die niedergelassenen Ärzte, die sich während der meist langen Betreuungszeit ihren Patienten gegenüber verantwortlich fühlen, beginnen dieses Defizit deutlicher zu spüren.

In der vorliegenden Übersicht haben wir uns bemüht, den Kenntnisstand zu diesen Problemen tabellarisch zusammenzufassen. Wir gehen dabei v.a. auf die psychoanalytische Entwicklungspsychologie Freuds mit den Weiterentwicklungen der Psychologie des Selbst und des Narzißmus ein. Die Auswirkungen auf die (pathologische) Persönlichkeitsentwicklung werden insbesondere in der speziellen Neurosenlehre dargelegt. Es folgt das Kapitel zur Psychotherapie mit den verschiedenen Formen therapeutischer Ansätze und Möglichkeiten, deren Hintergrund meist auf der Lehre und den Erkenntnissen der Psychoanalyse beruht. Der Suchende findet die Weiterbildungsmöglichkeiten mit Adressen der einschlägigen Institutionen, auch Literaturempfehlungen. Angeführt ist auch eine Auswahl der Namen psychotherapeutisch-psychosomatischer Einrichtungen, die es dem Praktiker erleichtern möge, Kontakte herzustellen, um Patienten einzuweisen; die Ausbildungsinstitute haben überdies häufig Ambulanzen, zu denen Patienten überwiesen werden können.

So wendet sich dieses Buch auch an den praktisch tätigen Arzt, der es als Nachschlage- und Übersichtswerk schätzen lernen könnte. In der psychoanalytischen Ausbildung Befindliche finden Zusammenfassungen, die sie sich sonst bei ihrer Arbeit selbst notieren würden, um sich Grundwissen anzueignen und einen Überblick zu gewinnen. Psychologen können Hinweise zur Vertiefung ihres psychoanalytischen Verständnisses finden. Psychagogen wie

Sozialarbeiter können für ihre tägliche Arbeit ebenfalls aus den Erkenntnissen der Psychoanalyse und der daraus abgeleiteten Beziehungspathologie Nutzen ziehen.

München, Jahreswende 1987/88   Rudolf Klußmann

Inhaltsverzeichnis

Teil 1   Entwicklungspsychologie, allgemeine Neurosenlehre 1

Die drei Psychologien der Psychoanalyse 3

  1. Triebpsychologie/Libidotheorie 4
     Strukturmodell („psychischer Apparat") 5
     Phasenlehre 6
  2. Ich-Psychologie 23
     Abwehrmechanismen 23
  3. Psychologie des Selbst- und der Objektbeziehungen . 32
     Allgemeines 32
     Narzißmus 33
     Individuation/Narzißmus nach verschiedenen Autoren   46

Traum 63

  Traumtheorie 63
  Technik der Traumdeutung 64
  Arten der Traumdeutung (des Traumgeschehens) 64

Teil 2   Spezielle Neurosenlehre 67

Konflikt 69

Neurosen 71

  Charakterisierung, Differentialdiagnose, Therapie 71
    Dynamisches Neurosenverständnis der Psychoanalyse . 73
    Typische Charakterstrukturen 73
    Abwehrmechanismen und Neurosenstrukturen 75
    Beurteilung des Schweregrades 76
    Prognostische Kriterien 77
    Therapierbarkeit der Neurose 78
  Hauptneurosenstrukturen 79
    Schizoide Struktur 79
    Depressive Struktur 83
    Zwanghafte Struktur 88
    Hysterische Struktur 92

Spezielle Neuroseformen 97
   Psychoneurosen 97
   Neurotische Depression 97
   Zwangsneurose 103
   Konversionsneurose (hysterische Charakterstörung,
     hysterisches Syndrom) 106
   Angstneurose 111
   Phobie 127
   Hypochondrisches Syndrom 130
   Rentenneurose 133
Weitere Persönlichkeitsstörungen 136
   Borderline-Persönlichkeitsstörungen 136
   Perversionen 143
Charakterneurosen 147
   Symptomneurosen 148
Verlaufs- und Ergebnisforschung 149
   Behandlungserfolge 150
   Psychotherapeutische Behandlungsergebnisse
     einzelner Krankheitsbilder 151

Teil 3 Moderne Säuglingsforschung und Psychoanalyse 153

Moderne Säuglingsforschung und Psychoanalyse 155
   Im Säugling vorprogrammierte grundlegende
     Motivationsprinzipien 155
   Frühe Beziehungsmotive 157
   Zur Säuglingsforschung 157
     Folgen der Säuglingsforschung 160
     Moderne Säuglingsforschung und Psychoanalyse ... 160
     Verbindung zu psychoanalytischen Annahmen 160

Teil 4 Diagnostik 165

Allgemeines und Diagnostik 167
   Diagnostisches Vorgehen 168
     Drei Ziele der Diagnostik 168
     Bedingungen für die Anamneseerhebung 169
     Arten von Patienten, die den Psychotherapeuten
       aufsuchen 169
     Diagnostische Handlungsschritte der erweiterten
       Anamnese 170
     Zum psychoanalytischen Erstinterview 172
   Praktische Hinweise zur Anamneseerhebung 172
     Anamnestische Fragen 173

Therapieformen 177

  Psychoanalytische Psychotherapie 177
    Ablauf, Hauptfaktoren und -aspekte 178
    Überblick über phänomenologische und strukturelle
    Kriterien der Eignung für eine Psychoanalyse
    und psychoanalytische Psychotherapie 185
  Analytische Kurz- oder Fokaltherapie 189
  Fokaltherapie 190
  Analytische Gruppentherapie 192
    Ziel der Gruppenpsychotherapie 194
    Rangstruktur der Gruppenteilnehmer 195
    Weitere Formen der Gruppenpsychotherapie 195
  Tiefenpsychologisch fundierte Psychotherapie 195
    Vorgehen 196
    Behandlungsziel 196
    Behandlungstechnik 197
    Spezifische Interventionen 197
    Indikationsbereich 197
  Verhaltenstherapie 200
  Andere psychotherapeutische Verfahren 201
    Ärztliches Gespräch 201
    Gesprächspsychotherapie 202
    Logotherapie 203
    Katathymes Bilderleben 204
    Psychodrama 205
    Transaktionsanalyse 206
    Gestalttherapie 211
    Bioenergetik 212
    Primärtherapie 213
    Biofeedback 214
    Themenzentrierte Interaktion 215
    Familientherapie 216
    Autogenes Training 216
    Hypnose 217
    Konzentrative Bewegungstherapie 218

Stationäre Psychotherapie 220

Balint-Arbeit 224

Psychopharmaka und Psychotherapie 226

Hinweise zur Indikation für besondere Therapieformen 227
    Psychoanalyse 227
    Tiefenpsychologisch fundierte Psychotherapie 227
    Analytische Psychotherapie 227
    Analytische Gruppentherapie 228
    Psychotherapie in der Klinik 228

Therapeutisches Bündnis/Arbeitsbündnis/Pakt 230

Teil 5 Leitfaden zur Antragsstellung für Psychotherapie nach den Psychotherapie-Richtlinien 235

Begriffsbestimmungen 237
    Grundsatzüberlegungen zur Antragstellung 238

Informationsblatt für tiefenpsychologisch fundierte und analytische Therapie bei Erwachsenen 239
    Orientierungshilfen für die Formulierung
      eines Antrages auf Feststellung
      der Leistungspflicht für Psychotherapie 243

Beispiele 246
    Beispiel zur Antragstellung für eine analytische
      Einzeltherapie 246
      Patient V. 246
    Beispiel zur Antragstellung für eine tiefenpsychologisch
      fundierte Psychotherapie 248
      Patientin I.S. 248

Teil 6 Anhang 255

Aus- und Weiterbildung 257
    1. Aus und Weiterbildung für Zusatzbezeichnungen ... 258
    Zusatzbezeichnung „Psychotherapie" 258
    Weiterbildung zur Zusatzbezeichnung
      „Psychotherapie" über den Weg der
      „tiefenpsychologisch fundierten Psychotherapie" .. 259
    Weiterbildung zur Zusatzbezeichnung
      „Psychotherapie" über den Weg
      der „verhaltenstherapeutischen Psychotherapie" ... 262
    „Gruppenpsychotherapie" zusätzlich zur
      Zusatzbezeichnung „Psychotherapie" 265
    Zusatzbezeichnung „Psychoanalyse" 266
    Kritik zu den Ausbildungsinhalten 269

2. Aus- und Weiterbildung für Gebietsbezeichnungen .. 270
  Gebietsbezeichnung „Psychotherapeutische Medizin" 270
  Gebietsbezeichnung „Psychiatrie und Psychotherapie" 272
  Gebietsbezeichnung „Kinder- und Jugendpsychiatrie"
  und -psychotherapie 274
  Übergangsbestimmungen 277
3. Ausbildung zum Psychoanalytischen Therapeuten .. 279

Auswahl von Aus- und Weiterbildungsinstituten
in dem Bereich Psychotherapie und Psychoanalyse 283
  Deutschland (westliche Bundesländer) 283
  Deutschland (östliche Bundesländer) 287
  Schweiz 288
  Österreich 288

Auswahl von psychotherapeutischen
und psychosomatischen Kliniken 289
  Deutschland (westliche Bundesländer) 289
  Deutschland (östliche Bundesländer) 295
  Schweiz 296
  Österreich 297

Literatur 298
  Einführende Werke/allgemeine Übersichten 298
  Basisliteratur Psychoanalyse 299
  Behandlungstechnik 299
  Verhaltenstherapie 300
  Allgemeine und spezielle Neurosenlehre 300
  Psychoanalytische Entwicklungspsychologie 300
  Psychosomatische Medizin 301
  Begutachtung 301
  Zeitschriften 301

Sachregister 303

**Teil 1
Entwicklungspsychologie,
allgemeine Neurosenlehre**

Die drei Psychologien der Psychoanalyse

1. Triebpsychologie/Libidotheorie (nach Freud)
   Der Mensch wird betrachtet unter Gesichtspunkten von
   - Bedürfnissen und Wünschen, geformt in frühen Erfahrungen, verkörpert in bewußten und unbewußten Phantasien;
   - Wünsche oft unannehmbar; Zeichen der Konflikte und ihrer Lösungen:
     - Angst,
     - Schuld,
     - Scham,
     - Hemmung,
     - Symptombildungen,
     - pathologische Charakterzüge.

2. Ich-Psychologie
   Der Mensch wird betrachtet unter dem Gesichtspunkt von
   - Fähigkeit zur Anpassung,
   - zur Realitätsprüfung,
   - Abwehrprozessen,
   - Umgehen mit der inneren Welt der Bedürfnisse, Affekte, der äußeren Welt der Realitätsanforderungen.

   Entwicklungsstörungen im Bereich der Anpassung = „Ich-Defekt".

3. Psychologie der Selbst- und der Objektbeziehungen
   Der Mensch wird betrachtet unter dem Gesichtspunkt von
   - seinem anhaltenden subjektiven Befinden in Hinblick auf eigene Grenzen, Kontinuität, Wertschätzung, Reaktion auf Schwankungen des subjektiven Zustandes;
   - Selbst-Erleben;
   - der zentralen Stellung des Selbst:
     - sein Differenzierungsgrad (Getrenntsein von der Mutter)
     - sein Grad von Ganzheit/Fragmentierung,
       Kontinuität/Diskontinuität,
       Wertschätzung.
   - Objektbeziehung, so wie sie vom Kind erlebt wurde/wird, was sich im Gedächtnis niederschlägt, was sich wiederholt;
   - der Wiederholung des Familiendramas (Suche nach Liebe, Streben nach Bewältigung).

1. Triebpsychologie/Libidotheorie (nach Freud)

1. *Dualistisch* geprägt: Unterscheidung von Selbsterhaltungs (= Ich-)Trieben (Hunger, Macht) und Sexualtrieb (Arterhaltung); Strukturmodell: unbewußt, vorbewußt, bewußt;
2. *monistisch* geprägt (1914): Selbstliebe (Narzißmus) wird in die Sexualtriebe mit einbezogen; Instanzenmodell: Es – Ich – Über-Ich;
3. *dualistisch* geprägt (unter dem Eindruck des 1. Weltkriegs): Lebens- und Todestrieb.

Libido: Grundantrieb, der sowohl das bewußte als auch insbesondere das unbewußte seelische Leben durchwirkt;
- narzißtische Libido: autoerotisch, Interesse auf das Selbst bezogen,
- Objektlibido: Umwelt mit Libido besetzt.

Instinkt: festgelegte und vererbte Reaktionsweisen auf der Basis der Reflexe.

(Psycho)sexualität: alles, was mit „Lust und Liebe" geschieht, jedes Motiv, jeder Antrieb, der mit sinnlicher Sehnsucht geschieht, der nach Erfüllung und Befriedigung drängt;
genitale Lust: Untergruppe der Sexualität.

Alle (An)*triebe* haben gemeinsam:
- ein Ziel,
- ein Objekt,
- eine somatische Quelle,
- Drangcharakter,
- große Lust bei Befriedigung,
- sind ans Körperliche gebunden.

Erkenntnisse Freuds:
- Es gibt eine kindliche (infantile) Sexualität (Lustgewinn aus erogenen Zonen: Streicheln, Saugen, Spielen mit Genitalien, Afterschleimhaut).
- Es gibt eine Entwicklung dieser Sexualität (auch beim Erwachsenen vorzufinden, hier z.T. als Perversionen anzusehen; das Kind jedoch ist „polymorphpervers"; das Autoerotische ist hier normal; bei Erwachsenen Fixierungen auf Partialtriebe möglich; Ansatz von Neurosen).
- Es gibt einen zweizeitigen Ansatz der sexuellen Entwicklung mit einer Latenzperiode (Triebe abgebaut, Schulzeit). Die autoerotischen Partialtriebe schließen sich in der Reife zu einer normalen Liebesfähigkeit zusammen; diese wird unter das Primat der Genitalien gestellt.
- Der Mensch ist bisexuell veranlagt.
- Die Entwicklung ist störbar.
- Sexualität ist nicht gleich (Aktivität zur) Fortpflanzung.

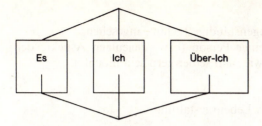

Zentraler Inhalt der 3 Instanzen ist das **Selbst**.

Abb. 1. Die psychischen Instanzen (Struktur). (Nach Battegay 1971)

Strukturmodell („psychischer Apparat") (Abb. 1)

Es:
- unterste, ursprüngliche Schicht,
- arbeitet nach dem Lust-Unlust-Prinzip,
- will sofortige und totale Befriedigung der Impulse,
- kennt keine Logik, Moral, Beständigkeit,
- ist zeitlos, unberechenbar, unbelehrbar,
- hängt eng mit dem Somatischen zusammen.

Ich:
- zu definieren aufgrund seiner Funktionen (Ich-Funktionen):
  - Wahrnehmung (Unterscheidenkönnen),
  - Gedächtnis,
  - (willkürliche) Motorik;
- arbeitet nach dem Realitätsprinzip.
- denkendes, planendes System,
- Träger des Bewußtseins (wenn auch z.T. unbewußt);
- synthetische Funktion des Ich: es muß umgehen mit
  - Verboten des Über-Ich,
  - Strebungen der Umwelt,
  - muß Erfahrungen sammeln, um in die Umwelt eingreifen zu können;
- steuert „wie der Reiter das Pferd",
- schützt durch Entwicklung von (Signal)angst (Folge: Gegenbesetzungen des Es, die zu Abwehrmechanismen führen),
- ist psychisches Selbsterhaltungsorgan,
- ist die „eigentliche Angststätte" (Freud).

Über-Ich:
- System aller Motive, die aus der Familie oder Sozietät genommen sind,
- Gewissen (aber eigenständiger, personaler),
- einschränkend, verfolgend,
- hängt mit gefürchtetem Eltern-Objekt zusammen.

Ideal-Ich: Ich-Ideal
- im Über-Ich lokalisiert oder als eigenständige Instanz angesehen;
- umfaßt das innere Wunschbild einer Person (bzw. diejenigen Aspekte der Selbstrepräsentanz, die angeben, wie man selber gern sein möchte);
- läßt sich erkennen:
  o am Ehrgeiz,
  o an den Werten der persönlichen Lebensgestaltung;
- Maßstab der Eigenentwicklung;
- geliebte Seite des Vaters, der Mutter;
- liefert dem Individuum „narzißtische Gratifikation" für idealorientiertes Verhalten.

Phasenlehre

Freud:
- oral,
- anal-sadistisch,
- phallisch,
- Latenzperiode,
- genital.

Abraham:
- oral
  - oral-passiv (rezeptiv),
  - oral-sadistisch (kannibalistisch);
- anal-sadistisch
  - negativ-destruktiv,
  - positiv-bemächtigend;
- phallisch,
- Latenzperiode,
- genital.

Schultz-Hencke (Antriebserleben):
- intentional,
- oral-kaptativ,
- anal-retentiv,
- motorisch-aggressiv,
- urethral,
- phallisch,
- Latenzperiode,
- genital.

Analogien/Charakterisierung der spezifischen Phasen:
- „Tischleindeckdich" (Tischlein für orale Befriedigung; Esel für Besitz, anale Phase; Knüppel für motorisch-aggressive – phallische – Phase).
- Wie Ordensregeln (Armut, Gehorsam, Keuschheit).
- Phasen bauen aufeinander auf.
- Ist eine Phase gestört, kann die darauf folgende nicht adäquat bewältigt werden.

Tabelle 1. Entwicklungspsychologie. (Nach Bräutigam 1978)

Lebensalter, psychosexuelle Phase	Körperzone und Organmodus	Psychosozialer Modus	Grundgefühl und psychosozialer Konflikt	Neurosenpsychologische Fixierung
1. Lebensjahr:				
– intentionale Phase	Haut, Wärmegefühl, gleichmässige Ruhe	atmosphärisches Fühlen, Hören, Riechen, Sehen	Urvertrauen gegen Urmißtrauen	schizoide oder narzißtische Neurose
– orale Phase	Mund: einverleibend und kaptativ zupackend	rezeptives Aufnehmen und sich verschließen	Nähe gegen Trennung	depressive Neurose
2.–3. Lebensjahr:				
– anale Phase, muskuläre Phase	Anus, Muskulatur, Urethra	sich bewegen und durchsetzen; festhalten und hergeben	Autonomie gegen Scham und Zweifel	zwanghafte Neurose
– anal-urethrale Phase	retentiv-eliminativ; spannen-entspannen	Trotz – Fügsamkeit		
4.–6. Lebensjahr:				
– phallisch-lokomotorische Phase	Genitale: Penis – Scheide	Geschlechtsrollenfindung; Werben in Phantasie und Spiel	Initiative gegen Schuldgefühl	hysterische Neurose
– genital-ödipale Phase	eindringen – umschließen	vergleichen und konkurrieren		

Tabelle 2. Funktionsphänomenologie der 4 Hauptneurosenstrukturen. (Nach Hau 1986)

Struktur / Bereich	– schizoid	– depressiv	– zwangsneurotisch	– hysterisch
Wahrnehmung	blaß – „fremd"	elektiv – getrübt	selektiv – einzelheitlich	lückenhaft – flüchtig
Vorstellung	überschießend irreal, nicht füllig	arm – dämonisch	magisch – eingeengt	wuchernd – verdrängt
Denken	abstrakt – konstruierend	verlangsamt – eingeengt	induktiv – systematisierend	assoziativ – sprunghaft
Gefühl	inadäquat – unheimlich	lustlos – maßlos	zwiespältig – eingeengt	schwankend – überschießend
Motilität	disharmonisch – eckig	matt – verarmt	gebremst – verkrampft	impulsiv – ungesteuert
Handlung	gesperrt – abrupt	schwunglos – initiativarm	zögernd – vermeidend	planlos – propulsiv

Tabelle 3. Psychogenetische Übersicht der 4 pathologischen Hauptstrukturen

Zeitlicher Rahmen	Antriebs- und Funktions-Grundlagen	Phasenspezifische pathologische Einflüsse	Fehlregulationen usw., Strukturbildung	Psychische Symptome	Charakterliche Symptome	Somatische Symptome	Struktur
Fetalzeit bis ca. 1½ Jahre	Intentionalität - Sensomotorik - primärer Narzißmus - Oralität - Prä-, peri- und postnatale Übergangsforderungen - Differenzierung der Ich-Es-Matrix - Selbstgefühl und -bewußtsein - neue Umwelt und Objekte	Verschiedenartige Formen der Ablehnung, der Existenz, der Lebensäußerungen - Nichtwahrhabenwollen - Verleugnungen mit Schuldgefühlen - Beseitigungswünsche und -versuche - reaktive Verpflichtungsgefühle	Existenzielle Grundangst - mangelndes oder fehlendes Urvertrauen - gestörte Vermittlung der Umwelt - archaische Mechanismen - Inkohärenzen in den Funktionen - Selbstverleugnende Rückzugstendenzen oder extreme Wachheit im Wechsel	Strukturfragilität - Depersonalisation, Derealisation, Desozialisation - ubiquitäre, floride Angst - Kontakt-, Beziehungs- und Leistungsstörungen - Autismen, Halluzinationen, paranoische Erlebnis- und Seinsweisen	Abstrakte Theoretiker mit paranoiden Zügen - sensitive und gemütlose Psychopathen - Sektierer - Dissozialität, Sucht, Perversion, Prostitution mit emotionaler Leere, Rationalität und Inkohärenzen	Progrediente, meistens frühe psychosomatische Erkrankungen = Organpsychosen: Immunsystem, Haut, Muskulatur, Lunge, Darm, Sensorium usw. - Stupor - Katatonie: Starre oder Bewegungssturm - Borderline - Schlafsucht	Schizoid
1. Lebensjahr bis ca. 2½ Jahre	Oralität: passiv, rezeptiv, aggressiv, obstinat - dadurch narzißtischer (Selbst)wert mitbestimmt - orale, dann auch anale Abgrenzungen und Objektivierungen - Lokomotorische Orientierung - Introjekte	Orale Versagungen, Vergewaltigungen oder Willkür - Genußneid oder Feindlichkeit - Nahrungsarmut oder Ernähren statt Lieben - dabei extreme Schuld- und Verpflichtungsgefühle - Nichtshabendürfen	Keine stabile oder konstante innere und äußere Objekte - narzißtische Überwertung der Oralität = orale Fehlhaltung = oraler Riesenanspruch - dadurch ständig enttäuscht - reaktive Impulsabriegelungsbereitschaft	Apathie - Niedergedrücktheit - Lustlosigkeit, Initiativelosigkeit, Müdigkeit - alles beängstigend, schwer, unerträglich - Selbstanklage - getriebene Unruhe - nach gebüßter Strafe manische Befreiung	Sektierer - extreme Heilsarmisten - fanatische Heilberufene - asthenische und selbstunsichere Psychopathen - Potatorium - Sucht - Graviditätssucht - Freß- und Magersucht - Diebstahl - Raub - Raubmord	Adynamie - Agrypnie - Anorexie - Hypotonie - adyname Obstipation - Malabsorption - Magen- und Darmstörung - Amenorrhö - Hypoglykämie - niederer Stoffwechsel - allgemeine Schwäche und Erschöpfung	Depressiv
ca. 2.-4. Lebensjahr	Anale und urethrale Retentivität, Intimität und Aggressivität - zielgerichtete Motorik - erste funktionelle Ich-Ausreifung - Allmachtgefühle - magisches Erleben und Beleben der Wahrnehmungen - Identifikationen	Anal-retentive, intime und -aggressive Vergewaltigungen - extreme motorische Behinderungen - unbedingter Gehorsam - Kastrationsdrohungen - aggressive Willkür - den Willen brechen	Trotzreaktionen - Eigensinn - dann: Angst- und Schuldgefühlsambivalenz - Angstidentifizierungen - Übergefügigkeit, Geiz, perfektionistische Tendenzen - Ritualisierung von Handlungen zur Angstbewältigung	Zwangssymptome als Gedanken, Vorstellungen, Affekte, Impulse, Handlungen, Befürchtungen usw. - „primäre Zwangssymptome": mit Impulscharakter - „sekundäre ...": mit Funktion des „Ungeschehenmachens"	Ideologiefanatiker - Querulatoren - explosible, geltungssüchtige, fanatische Psychopathen - Vagabundieren - Pennertum - Koprophilie - Exhibitionismus - Gewaltverbrechen - Totschlag	Muskuläre Verkrampfungen - Wirbelsäulensyndrome - Gelenkbeschwerden - Zephalgie - extrapyramidale Störungen - spastische Darm-Magen-Störungen - Dysmenorrhö - Angina pectoris - Hypertonie	Zwangsneurotisch

Tabelle 3 (Fortsetzung)

Zeitlicher Rahmen	Antriebs- und Funktions-Grundlagen	Phasenspezifische pathologische Einflüsse	Fehlregulationen usw., Strukturbildung	Psychische Symptome	Charakterliche Symptome	Somatische Symptome	Struktur
ca. 4.–5. Lebensjahr	Weitere sexuelle, motorische und funktionelle Ausdifferenzierung und Ich-Ausreifung – Phantasietätigkeit, assoziatives und logisches Denken – hohes Integrationsniveau – soziale und ödipale Interaktionen	Sexuelle Verwöhnung oder Versagung – motorische Verwöhnung – Wechselndes Identifizierungsangebot – mangelnde Selbständigkeitsanforderungen – realistischer Informationsmangel	Identitätsunsicherheit – Rollenwechsel, auch sexuell – Kompensationsversuche: per Phantasie und assoziativem Denken sowie Hyperaktivität und Planlosigkeit – Sublimierungsdrang – pseudologische Tendenzen	Angstzustände – Unruhezustände – Reizbarkeit – Phobien – häufige Stimmungsschwankungen – Verwirrtheitszustände – Dämmerzustände – Pseudologia phantastica – Ohnmachtsanfälle – Agitiertheit	Sublimer Ästhetizismus – Bohemianismus – Prostitution – Vagabundieren – Verschlampen – hyperthyme, stimmungslabile, willenlose Psychopathen – Nymphomanie – Altruismus	Paroxysmen: muskulär, kardiovaskulär, intestinal, genital usw. – zeitlich, lokal und graduell multiple funktionelle Organstörungen – Konversionssymptome: sensorisch, muskulär usw.	Hysterisch

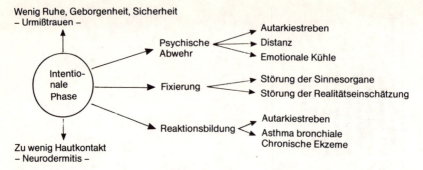

Abb. 2. Schema der intentionalen Phase

Intentionale Phase (erste Wochen bis Monate) (Abb. 2)

1. Der Säugling nimmt über die Tiefensensibilität (autonomes Nervensystem) wahr (koenästhetischer Zustand):
   - Gleichgewichtsreize, Rhythmus, Tempo, Dauer der Bewegung,
   - Körperhaltung,
   - Spannungen in der Muskulatur, Vibration,
   - Haut- und Körperkontakt,
   - Klangfarbe und Tonskala beim Sprechen.
2. Der Säugling braucht:
   - gleichmäßige Ruhe,
   - reichlich Hautkontakt,
   - die Möglichkeit des sorglosen Sichgehenlassen.
3. Der Säugling entwickelt:
   - „Urvertrauen",
   - Zufriedenheit, Behagen,
   - Lust an der Welt,
   - Vertrautheit mit der Welt,
   - seelische Wärme und Nähe, Fähigkeit zu lieben.

Störungsmöglichkeiten:
- schwere Krankheit, Tod der Mutter („Objektverlust"),
- feindselige Einstellung der Mutter,
- häufiger Ortswechsel,
- frühe Krankenhausaufenthalte (Heim, Hort, Krippe).

(Spätere) Folgen:
- Klagen über Sinnverlust des Lebens,
- Selbstmordtendenzen,
- Unvermögen, mit praktischen Dingen umzugehen,
- Angst vor Durchbruch kalter Mordtendenzen,
- Unfähigkeit, jemanden zu lieben,
- Depersonalisationserscheinungen,
- Entfremdung vom eigenen Ich,

- Gefühle von Leere und Sinnlosigkeit,
- Kontaktstörungen,
- *körperlich:* Hauterkrankungen, insbesondere chronische Ekzeme, Störungen der Sinnesorgane (Gleichgewichtsstörungen), Asthma bronchiale.

Schizoide Struktur:
- Urmißtrauen,
- großes Unabhängigkeitsbedürfnis,
- Mangel an Intimität,
- Autarkiestreben,
- Distanz, Kühle,
- leichte Kränkbarkeit.

Aber auch:
- souveräne Selbständigkeit,
- affektlos-kühle Sachlichkeit,
- scharfe Beobachtungsgabe,
- eigene Meinung,
- keine Gefühlsduselei.

Abwehrmechanismen:
- Projektion,
- Isolierung,
- Rationalisierung,
- Regression,
- Spaltung,
- Verleugnung.

Orale Phase (bis 1 ½ Jahre) (Abb. 3)

Die Liebesbeziehung zur Mutter wird wesentlich durch die Bedeutung des Essens gekennzeichnet (zunächst passiv-rezeptiv-aufnehmend, dann kaptativ-aktiv-zupackend):
- das lustspendende Objekt wird mit Libido besetzt,
- oral akzentuierte Liebe („Liebe geht durch den Magen"),
- Greifen („Greifling") bedeutet Machtzuwachs,
- zunehmende Sprachentwicklung mit beginnender Symbolisierungsfähigkeit,
- Beginn der diakritischen Phase (Fremden- und Achtmonatsangst),
- Beginn der Trennung von Selbst- und Objektrepräsentanzen (gute/böse Mutter – Gewährung/Versagung).

Störungsmöglichkeiten:
- Versagung bei exakter Pflichtmutter,
- plötzliches Abstillen,
- langes Hungernlassen,
- Ablehnung des Kindes durch die Mutter,
- Krankenhaus-, Heim-, Hort-, Krippenaufenthalte,
- Tod der Mutter,
- zu große Verwöhnung („orale Vergewaltigung"),
- ängstlich übertriebene Besorgtheit.

Versagung
– Depression –

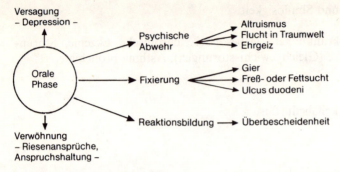

Verwöhnung
– Riesenansprüche,
Anspruchshaltung –

Abb. 3. Schema der oralen Phase

(Spätere) Folgen:
1. psychisch:
   - Hoffnungslosigkeit und Verzweiflung,
   - Selbstanklagen,
   - Kraftlosigkeit, Mattigkeit (Morgenmüdigkeit!),
   - Sinnlosigkeit des Lebens,
   - Suizidwünsche, meist verschwiegen;
2. körperlich:
   - Darniederliegen vitaler Lebensimpulse,
   - Schlafstörungen,
   - Appetitlosigkeit oder Freßsucht,
   - Morgenmüdigkeit,
   - sexuelle Apathie bis zur Impotenz,
   - Anginen,
   - Schluckstörungen,
   - Gastritis, Zwölffingerdarmgeschwür,
   - Fett- und Magersucht.

Depressive Struktur:
- große Antriebsarmut,
- Überbescheidenheit,
- keine schöpferische Phantasien,
- Welt ist grau, hat keinen Aufforderungscharakter,
- Flucht in die Traumwelt,
- Sichzurückziehen („Eigenbrötler"),
- passive (riesenhafte) Erwartungsvorstellungen,
- sekundäre neurotische Bequemlichkeitshaltung,
- Hingabe ist Hergabe, Selbstaufgabe, Auslieferung,
- Asketen, Träumer, Pessimisten, Dulder, Märtyrer,
- Mangel an Selbstvertrauen,
- große Angst vor Verlust der Liebe des Objekts.

Aber auch:
- altruistische, fürsorglich-hilfsbereite Einstellungen,
- geduldiges Wartenkönnen, anhänglich in Gefühlsbeziehungen,

- Fähigkeit zum Verzicht,
- leichte Anpassung an harte Lebensbedingungen.

Abwehrmechanismen:
- Identifikation,
- Introjektion,
- Verdrängung,
- Regression,
- Projektion.

Anale Phase (ca. 1½–3 Jahre) (Abb. 4)

1. Akzentuierung des Zwiespalts zwischen: Verweigern – Herausgebensollen, Sich-Beherrschen – Sich-gehenlassen-können.
2. Erster Ansatz zu aggressiven Impulsen (jemanden „anscheißen"), Erfahrung des Eigenwillens und der Selbstbehauptung.
3. Kategorien der Ordnung, Zeit, Sauberkeit.
4. Vertrauen zu dem, was in einem steckt, was man „ausdrücken", produzieren kann.
5. Erleben des Rückzugs in die eigene Intimität.

Störungsmöglichkeiten: Sauberkeitserziehung(-einstellung) zu früh – zu streng – zu prüde.

(Spätere) Folgen:
1. psychisch:
    - Sexualstörungen,
    - Stottern,
    - Zauderer,
    - starrer Moralist,
    - Geiz,
    - neurotischer Eigensinn („analer Charakter"),
    - Querulant,

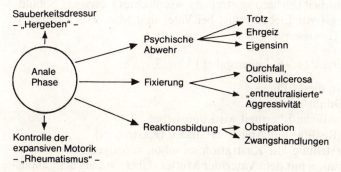

Abb. 4. Schema der analen Phase

- korrekter Beamter,
- Sammler,
- Bankier,
- Wissenschaftler;

2. körperlich:
- chronische Verstopfung, Diarrhö,
- Colitis ulcerosa,
- Vaginismus, Impotenz,
- Migräne,
- erhöhter Blutdruck,
- Krankheiten des Bewegungsapparates.

Zwanghafte Struktur:
- mangelnde Spontaneität,
- zwanghaftes Kausalitätsbedürfnis,
- Gefühlsverarmung,
- Angst vor Hingabe, vor dem Wechsel,
- Zentripetalität („Totstellreflex"),
- ständige Skrupel, teils Pseudobescheidenheit,
- Tendenz zum Absoluten, ewig Gültigen,
- Ausschalten des Lebendigen,
- Sicherungstendenz,
- wandelndes Über-Ich.

Aber auch: verläßlich, stabil, pflichttreu, planvoll.

Abwehrmechanismen:
- Ungeschehenmachen,
- Reaktionsbildungen,
- Isolierung,
- Verschiebung (z. B. auf das Kleinste),
- Rationalisierung (Ideologiebildung),
- Sublimierung (zu früh),
- Regression.

Alles Triebhafte und Animalische wird gefürchtet (Bakteriophobie). *Aggression:* Rechthabenwollen statt Auseinandersetzung. Dynamische Impulse werden gestoppt →Weltunvertrautheit (Sicherungsstreben) →schlechtes Gewissen, Schuldgefühle; *genetisch:* Angst vor Liebesverlust bei Vater und Mutter, Kastrationsangst, Über-Ich- und Gewissensangst.

Ödipale (phallische) Phase (4.–6. Lebensjahr) (Abb. 5)

Drei Hauptaufgaben in dieser Phase:
1. Konstellation des Ödipuskomplexes:
    - der gegengeschlechtliche Elternteil wird umworben,
    - Scheitern an der Realität mit Angst verbunden (Kastration),
    - bei Mädchen Vorstellung, die Kastration sei schon vollzogen,
    - *Lösung:* Identifikation mit dem Vater/der Mutter (Überwindung des Ödipuskomplexes).

Abb. 5. Schema der ödipalen (phallischen) Phase

2. Bewußtes Erleben des Geschlechtsunterschieds:
   - Doktorspiel als gesunde Ich-Funktion.
   - Resultat: Sich-mit-der-eigenen-Rolle-Abfinden (Freud: „Die Anatomie ist unser Schicksal"),
   - Entwicklung eines „Körperstolzes" ohne Scham.
3. Infantile Sexualforschung:
   - Fragen nach Geburt, woher die Kinder kommen,
   - Vorstellungen bei Fixierung auf:
     o orale Phase: Befruchtung und Geburt durch den Mund,
     o anale Phase: „Kloakentheorie": Kinder kommen durch den After auf die Welt,
     o motorisch-aggressive Stufe: Eltern ringen miteinander, Vergewaltigungsphantasien,
     o urethrale Stufe: Eltern urinieren miteinander.

Störungsmöglichkeiten:
- wenn übrige Phasen nicht störungsfrei durchlaufen sind,
- unbefriedigter Partner bindet das Kind ersatzweise an sich,
- „seelisches Aprilklima", hin- und hergerissen zwischen den Eltern, keine klare Linie,
- jeweiliger Elternteil lehnt werben ab,
- Elternteile sind keine adäquaten Vorbilder, haben sich selbst nicht mit ihrem Geschlecht identifizieren können.

(Spätere) Folgen:
1. psychisch:
   - Aufdringlichkeit, Distanzlosigkeit,
   - ewiger Sohn, ewige Tochter,
   - phallische Frau, Vamp, Dirne,
   - homosexuelle Entwicklungen,
   - starke Geschwisterbindungen,
   - Don-Juan-Typen,

- frei flottierende Angst,
- Phobien,
- Sexualneurosen, Perversionen,
- Arbeits- und Kontaktstörungen, Eheprobleme;

2. körperlich:
   - Konversionssymptome (Lähmungen),
   - Störungen der Sinnesorgane,
   - Somatisierung der Angst (Schwitzen, Tachykardien, Atemnot, Erstickungsanfälle).

Hysterische Struktur:
- mangelnde Zentriertheit,
- Subjektivität,
- überwertiges Geltungsbedürfnis,
- Zentrifugalität (umweltbezogen),
- Nichtannahme der Realität (unpünktlich),
- Mangel an Gefühlsechtheit,
- Konversionsneigung,
- Rollenspielen.

Aber auch: risikofreudig, elastisch, lebendig, spontan, neugierig, nimmt nichts zu ernst.

Abwehrmechanismen:
- vorwiegend Verdrängung,
- Konversion,
- Projektion der eigenen Schuldgefühle auf einen Sündenbock,
- Nicht-ernst-Nehmen.

Genetisch: Entfaltung der Realitätsneugier mißglückt, die Findung der eigenen Geschlechtsrolle mißlingt ebenso wie die Bewältigung des Ödipuskomplexes.

Zusammenfassung der Wechselwirkungen zwischen körperlichen und seelischen Krankheiten

Störungen in der Phasenentwicklung der frühen Kindheit als Ursache neurotischer Persönlichkeitsentwicklungen entstehen durch ausgeprägte Versagungen oder Verwöhnungen.

1. Intentionale oder sensorische Phase (erste Wochen):
   - Leitorgan: haut, Sinne,
   - Kommunikative Funktion: Atmung,
   - Beziehung: Ich – Welt,
   - Kind geht aktiv auf Welt mit Sinnesorganen zu,
   - das Kind erlebt Urvertrauen,
   - Symbiose zwischen Mutter und Kind („Seelischer Uterus"),
   - wichtig: Ruhe – Geborgenheit – Wärme,

- Störung:
  - schizoide Neurosenstruktur:
    — Angst vor Nähe, Hingabe
    — Psychosomatik:
      - Asthma bronchiale,
      - Hauterkrankungen

2. Orale Phase (0–1 bis 1 ½ Jahre):
   - Leitorgan: Mund, „Mundwelt",
   - kommunikative Funktion: Nahrungsaufnahme,
   - Beziehung: Ich – Du, mütterliche Welt,
   - Säugling fühlt sich angenommen, zufrieden, wenn er genug zu essen bekommt,
   - Greifen, Be-greifen bedeutet Machtzuwachs, Eigenmacht,
   - Grundlage zum Optimisten oder Pessimisten,
   - Störung:
     - depressive Neurosenstruktur:
       — große Objektabhängigkeit,
       — Sinnlosigkeit des Lebens, Hoffnungslosigkeit,
       — Angst vor der Ich-Werdung,
       — Psychosomatik:
         - Störungen des oberen Verdauungstraktes bis ulcus duodeni,
         - Eßstörungen.

3. Anale Phase (1–1 ½ bis 2 ½ bis 3 Jahre):
   - Leitorgan: After (Anus), „Afterwelt",
   - Kommunikative Funktion: Ausscheidung („Töpfchensituation"),
   - Beziehung: Ich – Selbst,
   - wichtige Muster:
     - hergeben/schenken – verweigern/behalten,
     - sich-gehen-lassen – sich-beherrschen,
     - etwas produzieren,
     - Rückzug auf eigene Intimität,
     - Kategorien der Zeit und Ordnung.
   - Störung:
     - zwanghafte Neurosenstruktur:
       — Zwangsideen, Ordnungsliebe, Pedanterie,
       — Unfähigkeit zur Entscheidung,
       — Psychosomatik:
         - unterer Verdauungstrakt (Colitis ulcerosa),
         - Stottern, Zittern, Tics,
         - Krankheiten des Bewegungsapparates,
         - Bluthochdruck,
         - Migräne,
         - Potenzstörungen,
       — Angst vor Hingabe.

4. Ödipale (phallische) Phase (3 ½ – 6 Jahre)
- Leitorgan: Genitale,
- kommunikative Funktion: Körper,
- Beziehung: Ich – Wir,
- Wichtige Muster:
  - Konstellation des Ödipuskomplexes,
    (Identifikation mit gleichgeschlechtlichem Elternteil),
  - Bewußtes Erleben des Geschlechtsunterschiedes,
  - Infantile Sexualforschung;
- Rivalität, Finden der eigenen Rolle, Selbsverwirklichung,
- Aggression (von ad gredi – auf die Welt zugehen),
- Störung:
  - hysterische (histrionische) Neurosenstruktur:
    — überwertiges Geltungsbedürfnis, Fülle ohne Ich,
    — Mangel an Gefühlsechtheit, Rollenspiel, Subjektivität,
    — Psychosomatik:
      – Konversionen jeder Art,
      – Ohnmachten,
      – Lähmungen,
      – Erröten,
      – Atemnot,
      – Schwindel;
    — Angst vor dem Unausweichlichen, dem Endgültigen.

Neurosentypisches Kommunikationsverhalten

(Gegenübertragung)

1. Schizoid-narzißtisch:
   - Spaltung,
   - Suche nach Selbstbestätigung,
   - Übertriebenes Selbstbewußtsein,
   - Kränkbarkeit,
   - Unzugänglichkeit,
   - narzißtische Wut,
   - Mangel an Humor,
   - hypochondrische Selbstbeobachtung.

   Verspüren von Kühle, Distanz, Ferne, – auch Unberechenbarkeit, Humorlosigkeit

2. Depressiv:
   - Erwartungshaltung,
   - Anklammerung,
   - mangelndes Selbstwertgefühl,
   - Abhängigkeit
   - Passivität,
   - Aggressionshemmung,
   - depressive Stimmung,
   - unklare Schmerzen.

   Verspüren von Trauer, auch Mitleid, Bedürfnis von Helfenwollen

3. Zwanghaft:
   - Isolierung,
   - Haften am Konkreten,
   - Zaudern,
   - Rigidität,
   - Geiz,
   - Mißtrauen,
   - Rituale,
   - starre Körperhaltung.

   Verspüren von „Tauziehen",
   Machtkampf, Rechthebenwollen,
   Verspannungen

4. Hysterisch:
   - Infantilität,
   - Sexualisierung,
   - Beeinflußbarkeit,
   - Gefühlslabilität,
   - Chaos (von Gefühlen, Konflikten und Beziehungen),
   - Dramatisierung,
   - Konkurrenz,
   - Wunschdenken.

   Verspüren von „Verführtwerden",
   erotische, knisternde Atmosphäre

Psychosomatische Kommunikationsstile (Alexithmie)
(nach Wirsching u. Stierlin 1982)
- Haften am Detail,
- Unfähigkeit, Gefühle auszudrücken,
- Phantasiemangel,
- Handlung statt Gefühlsausdruck,
- Handeln zur Konfliktvermeidung,
- Schilderung von Begleitumständen statt Gefühlen,
- Mangel an emotionaler Kommunikation
- gedankliche Beschäftigung mit äußeren Ereignissen statt Gefühlen.

Verspüren von Leere,
Langeweile, Sinnlosigkeit,
Müdigkeit, Agieren

Latenzphase (6.–10. Lebensjahr)

- Libidoentwicklung ruht,
- Ich-Funktionen bilden sich aus,
- anschlaulich-begrifflich-realistisches Denken beginnt,
- das Kind wird schulfähig:
  o Wissensdrang nach Realität befriedigt,
  o denkerisch-begriffliche Überwindung der Realität,
  o Anwendung der in der phallischen Phase erworbenen Bezugsfähigkeiten zu anderen Menschen,
  o Kind ist sozial reif geworden,
  o Gruppenfähigkeit in der Schule;
- Über-Ich orientiert sich auch an Lehrerpersönlichkeiten,

- aus Familienkreis in Klassengemeinschaft,
- Herrschaft des Ich-Ideals,
- Triebthematik kann sublimiert werden (höheres soziales Niveau),
- Zuwachsen Ich-gerechter Energie,
- genitale Motive treten in den Hintergrund,
- je gesünder ein Kind, desto deutlicher die Latenzphase,
- Störungen (Kinderneurosen):
  - Eßstörungen,
  - Bettnässen,
  - nächtliches Aufschreien,
  - Einkoten,
  - Tics.

Pubertät (12.–15. Lebensjahr)

- Enormer hormoneller Schub,
- Vorpubertät (Flegeljahre), ab 10. Lebensjahr:
  - Libido enorm verstärkt,
  - Es-Kräfte erhalten Zuwachs,
  - verdrängte Triebe drängen hervor,
  - partielle Triebstrebungen werden neu mobilisiert (*oral:* Freßphase; *anal:* Schmutzphase; *aggressiv:* Wildheit, Grausamkeit*);*
- Ich zwischen Es und Über-Ich,
- zunehmend Strafängste selbstzerstörerischer Art (erstmalige Suizidtendenzen),
- Pubertätsexzesse: Halbstarke, auch Asketen,
- Gefahr: Es oder Über-Ich werden zu Diktatoren,
- wichtig: sublimierte Ersatzbefriedigungen (Sport, Basteln, Musik, Tanzen, Freundschaften),
- Ödipuskonflikt aktualisiert:
  - erotischer Anteil verlagert sich auf Elternersatzfiguren: Idol, Lehrer,
- Onanie als genitaler Anteil nur dann pathologisch, wenn sie nicht unter das sexuelle Primat im Partnerbezug einmündet und als narzißtischer Bezug beibehalten wird.

Störungen:
- Perversionen können sich ausprägen,
- Psychosen können erstmals auftreten,
- narzißtische Positionen können festgehalten werden mit
  - Alleingängertum,
  - Selbstbespiegelung.

Gelernt werden muß:
- Ablösung von den Eltern,
- Ausreifung aller Funktionen mit zunehmender Verselbständigung,
- Reifung der Liebesfähigkeit zur reifen Partnerliebe.

Tabelle 4. Übersicht der Entwicklungsphasen

Phase	Zeit	Leitorgan	Kommunikative Funktion	Beziehung	Angst vor	Struktur
intentional	erste Wochen	Haut, Sinne	Atmung	Ich – Welt	Nähe, Hingabe	schizoid
oral	0–1½	Mund (Welt)	Nahrungsaufnahme	Ich – Du	Ich – Werdung	depressiv
anal	1½–3½	After (Anus)	Sprache, Kategorien der Ordnung, Zeit, Sauberkeit	Ich – Selbst	Vergänglichkeit, Risiko, Wandel	zwanghaft
ödipal-phallisch	3½–6	Genitale	Körper-Zeigen, Werben, Erorbern, Realität	Ich – Wir	Endgültigem, Unausweichlichem	hysterisch

Tabelle 5. Stark vereinfachende Zuordnung von (triebdefinierten) Entwicklungsstadien, Konflikten und Symptombildungen. (Nach Hoffmann u. Hochapfel 1991)

Psycho-sexuelle Entwicklung	Bedürfnisse	Konflikte	Neurose
Oral	Selbstbild-bezogene (narzißtische)	Narzißtische Konflikte	→ „frühe Störung"
Oral	anaktlitische	Abhängigkeits-Konflikte	→ depressiv
Anal	aggressive selbstbestimmende	Aggressions-Konflikte Autonomie-Konflikte	→ zwangsneurotisch
Phallisch/ödipal	(genital-) sexuelle	Ödipale Konflikte	→ hysterisch
Latenz	–	–	–
Pubertät	aggressive/sexuelle	Autonomie-/ Ödipale Konflikte	–

Mögliche Folgen bei extremem Über-Ich:
- Pubertätsaskese: Abwehrvorgang zur Bewältigung der Triebangst (auf jede Triebbefriedigung wird verzichtet),
- Intellektualisierung: gedankliche Überwindung von Triebprobleme (mit Grübelzwang den Sinn des Lebens ergründen).

Es als Diktator:
- keine Entwicklung des Spannungsbogens,
- fehlender Halt, fehlende emotionale Zuwendung in Familie mit
  - Verwahrlosung,
  - Triebdurchbrüchen,
  - Ansätzen zur Kriminalität,
  - Suchttendenzen.

Literatur

Abraham K (1925) Psychoanalytische Studien zur Charakterbildung. Internationaler Psychoanalytischer Verlag, Leipzig
Abraham K (1955) Clinical papers and essays on psychoanalysis. Hogarth, London
Battegay R (1971) Psychoanalytische Neurosenlehre. Huber, Bern
Bräutigam W (1978) Reaktionen – Neurosen – Abnorme Persönlichkeiten. Thieme, Stuttgart New York
Freud S (1952) Gesammelte Werke, Bd 1–17. Imago, London
Hau TF (1986) Psychosomatische Medizin. Verlag für angewandte Wissenschaften, München
Hoffmann SO, Hochapfel G (1992) Einführung in die Neurosenlehre und Psychosomatische Medizin. 4. Aufl. Schattauer, Stuttgart
Riemann F (1973) Grundformen der Angst. Reinhardt, München
Schultz-Hencke H (1951) Lehrbuch der analytischen Psychotherapie. Thieme, Stuttgart New York
Wirsching M, Stierlin H (1982) Krankheit und Familie. Klett-Cotta, Stuttgart

2. Ich-Psychologie

Definition: Die Ich-Psychologie steht in Einklang mit dem grundlegenden Es-Ich-Struktur-Modell der Freudschen Theorie.
Durch Aufmerksammachen der Beziehung zwischen den Trieben und den Ich-Funktionen wurde die traditionelle psychoanalytische Theorie – alles Verhalten und alle psychischen Funktionen seien sekundäre Ableitungen der Urtriebe – jedoch erweitert.

Abwehrmechanismen

Wie verhält sich das Ich, wenn es durch das Es bedroht wird?

Abwehrmechanismen (Funktionen des Ich, mit denen es die Angst mildern, abweisen oder sich ersparen will):
- abgewehrt wird immer Angst und Unlust,
- Motiv (Trieb, Affekt) wird frustriert →Angst tritt auf →Angst ruft Abwehr hervor →Abwehrmechanismen treten auf;
- Abwehrmechanismen richten sich gegen ein Triebmotiv;
- Abwehrmechanismen sind normal und ubiquitär, können jedoch auch führen zu
  - Realitätsverlust,
  - dynamischem Kräfteverlust,
  - schweren Charakterveränderungen,
  - Körperstörungen;
- Abwehrmechanismen ersparen Angst, kosten Freiheit und Lebendigkeit.

Beispiel: Ein Kind möchte eine Keks essen, der im Schrank verschlossen ist.

Es-Motiv: „Ich möchte einen Keks essen." Der Schrank ist verschlossen. Das Kind erlebt heftige Unlust und antwortet mit Aggression, es kann
- Wutanfälle bekommen und an die Schranktür schlagen,
- sich überlegen, daß die Eltern verboten haben, zu dieser Zeit einen Keks zu essen (wie werden die reagieren?),
- sich ablenken.

Reifste Reaktion: es sucht den Schrankschlüssel oder fragt die Eltern.

Verdrängung

- Leugnung und Isolierung,
- Nichtwissenwollen, Nichtsehenwollen mit der Folge: Lücken im Erkennenkönnen der Welt und der eigenen Person; also:
- Einschränkung der Realitätswahrnehmung mit
  - Fehlurteilen,
  - Fehlerwartungen,
  - neurotischen Symptomen, wenn verdrängte Impulse unkontrolliert vordrängen („partielle Seelendummheit").

Ziel der Behandlung:
- Impulse wieder wahrnehmen,
- sich damit auseinandersetzen,
- Entscheidung treffen hinsichtlich eines echten Verzichts oder echter Tat.

Beispiel: Das Kind tut so, als gebe es den Keks nicht, es schaltet eine wichtige Realität aus und leugnet sie partiell und isoliert den Keks und den Wunsch danach.

Identifikation

- Fremde Motive werden verinnerlicht, als eigene betrachtet,
- Identifikation mit dem wahren Träger der Motive,
- je früher und prägenitaler die Identifikationen, desto globaler, starrer und individueller sind sie.

Normal: Identifikation im Rollenspiel, d.h. mit der Erwachsenenwelt vertraut werden. Identifikation kann jederzeit aufgegeben werden, im Gegensatz zur neurotischen;
- partielle Identifikation: später (hysterisch), nicht so fest fixiert;
- totale Identifikation: früher (intentionale, orale Phase), tiefsitzender, starrer;
- durch Synthese und Assimilation wird das abgewehrt, was das Ich nicht fernhalten kann.

Positive Seite: Identifikation aus Liebe, ohne Abwehr.

Neurotische Identifikationen:

- Identifikation mit einer archetypischen, mythischen Gestalt.
  Bei hysterischen Strukturen: Identifikation mit Maria, einem Heiligen (Abwehr tabuisierter Wünsche, vor Sexualität, Angst vor Schwangerschaft), aus der Angst wird eine Tugend gemacht.
  Bei Psychotikern: Schuldabwehr; eigene Persönlichkeit wird aufgegeben: psychotische Inflation mit Ich-Verlust; „Ich-Mythisierung".
- Identifikation mit Elternfiguren.
  Äußerlich werden die Eltern oft abgelehnt
  (spielt bei männlicher Homosexualität eine Rolle);
  Identifikation mit dem geliebten Toten (Tod als Realität verleugnet, Verlust an Eigenständigkeit, keine Trauerarbeit).
- Identifikation in der Depression.
  Endlose Selbstanklagen als Aggression gegen das introjizierte Objekt, verstanden als Rache des Ich. Im Umweg über die Selbstbestrafung wird Rache genommen. Nimmt alle Libido in Anspruch (keine Auseinandersetzung mit Umwelt mehr).
- Identifikation bei „Gefühlsansteckung".
  Abwehr der eigenen selbstkritischen Reifung;
  psychische Identifikation mit anderen (Mädchen), wobei Schuldgefühle durch hysterisches Leiden beschwichtigt werden (Massenhysterie).

- Identifikation mit dem Angreifer (nach A. Freud 1964).
  Der Bedrohte verwandelt sich in den Bedroher,
  Flucht nach vorn, Pseudotapferkeit aus Angst,
  Bewältigung des Umgangs mit angsterregenden Objekten der Außenwelt,
  Schuldprojektion nach außen (beim Kind Durchgangsstadium, beim Erwachsenen neurotisch).
- Identifikation aus Abwehr eigener Impulse.
  Der zu Seitensprüngen neigende Partner projiziert diese Wünsche in Form von Eifersucht auf den Partner; kann bis zur Wahnbildung führen.

Beispiel: Das Kind wehrt seinen Wunsch nach dem Keks ab, indem es sich mit der Mutter identifiziert, die während der Arbeit zu dieser Zeit auch nicht essen kann. Das Kind spielt „Mutter", ahmt ihre Tätigkeit nach.

Projektion

- Der Unlust erregende Impuls wird in die Außenwelt verlagert; Zuschreibung eigener Triebregungen an den anderen.
- Impulse aus dem Es und Über-Ich werden nicht im Ich, sondern in der Umgebung wahrgenommen;
- bei projizierten Über-Ich-Impulsen wird der andere schuldbewußt erlebt;
- bei projizierten Es-Impulsen kommt es zu Intoleranz und Fanatismus (gegen Vergehen, die man selber tun möchte).

Vorgang: Das Ich wehrt den verbotenen Impuls ab (vermeintlich) →keine echte Lösung →Verzerrung der Realitätswahrnehmung (evtl. mit Dämonisierung der Umwelt, die dann wieder Angst macht, was bis zur Neurose, zur Wahnbildung führen kann);
- bei oralem Impuls: Umwelt als überfordernd, verschlingend, bemächtigend erlebt (depressiv),
- bei sexuellem Impuls; kann zum sensitiven Liebes- und Beziehungswahn führen,
- bei aggressivem Impuls: Umwelt als aggressiv erlebt,
- bei intentionalem Wunsch: Umwelt als abweisend erlebt,
- bei der Phobie: Projektion und Verschiebung (Freud: der kleine Junge mit Angst vor Pferden, damit er seinen aggressiven Vater lieben kann);

Preis der Projektion:
- Störung der Realitätswahrnehmung (es wird etwas hinzugedichtet, das gar nicht da ist),
- Dämonisierung der Umwelt (die angstmachend ist),
- Vermeidung der Umwelt (wegen Dämonisierung, Kontaktstörungen aus phobischer Angst, Rückzug auf sich selbst; evtl. bis Ich-Zerfall).

Altruismus (a. Freud 1964: spezieller Fall der Projektion):
- verdrängte Triebwünsche werden auf Ersatzperson projiziert, mit der man sich identifizieren kann (Wünsche werden für andere durchgesetzt, nicht für sich selber);

- für andere oral und agressiv sein (Kupplerin: insgeheim mitgenießen; für andere einen Mord begehen).

Vorteil:
- sichert das Wohlwollen der anderen,
- gibt lustvolle Triebbefriedigung, die vom Über-Ich nicht gestattet werden würde.

Übertragung: Grundlage ist die Projektion; gute Möglichkeit des Zugangs zu verdrängten Wünschen.

Beispiel: Das Kind erlebt seinen Impuls auf den Keks nicht, sondern meint, seine Puppe möchte einen Keks, befriedigt als seinen Impuls an der Puppe. Es spielt: „Keksessen" mit der Puppe (Projektion des Es-Impulses) oder: „Du darfst jetzt keinen Keks essen" (Projektion des Über-Ich-Impulses).

Regression
- Wiederbelebung früherer Entwicklungsstufen vor unlustvollen Impulsen.
- Vorbedingung der Regression ist die Fixierung:
  Zurücklassen eines Libidodepots auf einer früheren Entwicklungsstufe (Freud: Das Heer schreitet weiter, läßt aber ein Lager zurück);

Fixierung entsteht:
- eine Entwicklungszeit lange ausgekostet, dann plötzlich abgebrochen;
- wichtige Phase wurde nicht echt durchlebt (es besteht Nachholbedarf);
- Regression oft verbunden mit Verdrängung (besonders auf sexuellem Gebiet, weil Impulse als Perversionen angesehen werden könnten),
- regressive Symptome: Nägelkauen, Bettnässen, Onanie
- Regressionen treten auf
  ○ bei Übertragung,
  ○ in Wunschphantasien,
  ○ in Träumereien;
- regressive Phantasien zerstören die echten:
  ○ lassen Schwierigkeiten wegfallen,
  ○ bewirken eine größere Diskrepanz zum Alltag,
  ○ sind stark libidinös besetzt,
  ○ werden in Analyse oft spät berichtet, weil man sich schämt/sie sich nicht nehmen lassen will;
- Regressionen besonders häufig bei Zwangsneurotikern (die Triebe selbst regredieren).

Normale Regression:
- in Kunst und Religion (auf Allmachtsphantasien des Kindes wird zurückgegriffen),
- im Witz: befreiende Regression mit Erhalt des Realitätsbezuges,
- im Urlaub,
- im Schlaf,

- im religiösen Erleben;
  - → erfaßt nicht das gesamte Ich,
  - → Ich ist nicht Opfer der Regression,
  - → Alltag wird nicht entstellt, sondern erhellt.

Beispiel: Das Kind, das den Keks nicht bekommen kann, zieht sich zurück, lutscht am Daumen, spielt mit (entwicklungspsychologisch) längst abgelegten Spielsachen.

Verschiebung

- Der Konflikte auslösende Impuls (meist ein aggressiver) wird im sozialen Rahmen von der Person, der sie eigentlich gilt, auf eine Ersatzperson (die als weniger bedrohlich erscheint) verschoben.
- Nur das Ich kann entscheiden, ob es ein Ersatzobjekt (oder das eigentliche) ist; Es und Über-Ich streben nur nach Impulsbefriedigung,
- (häufig:) Ärger an jemanden auslassen,
- jemandem Schuld zuweisen,
- pathologisch bei der Phobie (z. B. Pferdephobie),
- bei Zwangsneurosen „Verschiebung auf das Kleinste",
- (unbewußte) Schuldgefühle werden auf eine Nebensache abgeleitet,
- (bei schizoiden Persönlichkeiten häufig:) wegen magelnder Realitätskontrolle und -prüfung.

Beispiel: Das Kind, das keinen Keks bekommen kann, läßt seine Wut an den Spielsachen, an einem Gegenstand, aus.

Reaktionbsbildung

- Der Unlust erregende Impuls wird durch sein Gegenteil ersetzt;
- setzt ein besonders strenges Über-Ich voraus,
- verpönte Es-Impulse werden kontrolliert →das Über-Ich antwortet mit einem Strafmotiv →das Ich bildet eine Gegenreaktion aus, um der Strafe zu entgehen (betonte Liebe aus Haß; Übergüte aus Aggressivität; aus Angst Tapferkeit),
- ähnlich der Überkompensation,
- Vorkommen besonders bei Zwangsneurose und Hysterie.

Beispiel: Das Kind, das nicht an den Keks herankommt, mobilisiert den gegenteiligen Impuls und sagt sich „Ach, ich mag gar keine Kekse" und spielt diesen Impuls mit seiner Puppe (Reaktionsbildung und Verschiebung).

Konversion

- Umsetzung eines unerfüllten, für den Patienten unerfüllbaren Es- oder Über-Ich-Wunsches in ein körperliches Symptom. Dieses drückt den Wunsch symbolisch aus. Das Ich schützt sich durch Isolierung;
- wenn das Leibliche das Seelische vertritt, anstatt es zu begleiten,
- besonders bei hysterischer Struktur.

Beispiel:
- Arc de cercle: sexuelle Wünsche,
- Ohnmacht mit schlaffer Lähmung: Hingabewunsch, der nicht gelebt werden darf,
- hysterische Blindheit: Abwehr eines Schauwunsches (sexuell, aggressiv, kaptativ),
- spastische Armlähmung: unbewußte Es-Wünsche zuzuschlagen plus Über-Ich-Verbot,
- Globus hystericus: Abwehr von oral-aggressiven Einverleibungswünschen (auch sexuell-symbolisch).
- Durch Verschiebung genitaler Libido auf ein (nicht sexuelles) Organ wird dieses sexualisiert; *Folge:* Über-Ich-Bestrafung.

Rationalisierung

- Das abgewehrte Motiv wird durch eine unbewußte Scheinbegründung, intellektuelle Rechtfertigung ersetzt;
- sehr häufig,
- tritt genetisch später auf,
- es gibt Rationalisierungen aus Liebe und existentiellem Selbstschutz,
- meist eine Lebenslüge mit Realitätsverfremdung,
- Ideologien auf Rationalisierungen aufgebaut,
- für jede Neurosenstruktur gibt es eine Ideologie:
  o Depression: Bescheidenheit, Askese, Demut ideologisiert,
  o Hysterie: Lebendigkeit, Wechsel ideologisiert,
  o Zwang: Sauberkeit, Korrektheit ideologisiert;
    geschieht oft mit Hilfe von Idealbildern, verbunden mit erheblichem narzißtischem Gewinn („Vorurteilskrankheit"),
- neurotische Religiosität:
  o zwanghaftes Vermeiden von bösen Taten, verbunden mit Belohnungsanspruch an Gott,
  o gesundes Fragen tabuisiert: Gefahr für den Glauben,
  o aus verdrängten Wünschen wird eine Tugend gemacht (Antinomie von Demut und Aggression, Bedürfnislosigkeit und Lebensgenuß),
  o Reglementierung der Sexualität;
- neurotische Philosophien:
  o subjektives Empfinden als Wahrheit verkündet,
  o keine Beobachtung der Wirklichkeit,
  o Macht- und Geltungswünsche nicht adäquat erlebt;
- neurotischer Ästhetizismus:
  o Störung vertrauensvoller Beziehung zur Umwelt,
  o Neigung zur Stilisierung,
  o Weltfremdheit,
  o schöngeistige Salonatmosphäre anstatt Behagen;
- wo kein Urvertrauen entstehen kann, kommt es leicht zu Rationalisierungen nihilistischer Art.

Beispiel: Wenn das Kind, das nicht an den Keks herankommt, sich sagt, daß gerade die Kekse in dem Schrank „doch nicht schmecken"; außerdem die Süßigkeiten zwischendurch „zu schlechten Zähnen führen, zu dick machen" u.ä.

Sublimierung

- Es-Impulse werden im Ich in sozial wertvolle Motive umgewandelt;
- der Verschiebung verwandt,
- Impulse und Phasen:
  - *oral:* sprechen,
  - *kaptativ:* hören, lesen, Eindrücke sammeln,
  - *anal:* sammeln, basteln, schreiben, zeichnen, malen,
  - *aggressiv:* Sport,
  - *sexuell:* Caritas, pädagogischer Eros;
- Kulturbegabung des Menschen liegt in der Sublimierungsfähigkeit,
- pathologisch:
  - Weltflucht, Vermeidungs- und Ausweichtendenzen,
  - entsinnlicht, spirituell, „heilig", maniriert,
  - morbid, snobistisch, Fehlen von Vitalität,
  - ausgeprägte Egozentrizität, sekundärer Narzißmus.

Beispiel: Das Kind veredelt seinen Impuls, einen Keks zu essen, indem es sich ein Schlaraffenlandmärchen ausdenkt, indem es besonders intensiv liest oder Musik hört („Ohrenschmaus").

Spaltung

- Teilung des Ich, wobei ein Zustand, der ursprünglich Ausdruck mangelhafter Integration war, nun aktiv zu bestimmten Zwecken herbeigeführt wird;
- aktives Auseinandersetzen konträrer Introjektionen und Identifizierungen,
- Schutz des Ich vor Konflikten durch Dissoziation von miteinander in Konflikt stehenden Introjektionen und Identifizierungen,
- tritt meist im Frühstadium der Ich-Entwicklung (während des 1. Lebensjahres) auf,
- wird später ersetzt durch Verdrängung, Reaktionsbildung, Isolierung, Ungeschehenmachen,
- Verstärkung und pathologische Fixierung von Spaltungsvorgängen, v.a. bei Borderlinepersönlichkeitsstrukturen, auch bei psychosomatisch Kranken,
- Spaltungsprozesse sind Hauptursache der Ich-Schwäche,
- die Prozesse behindern die Neutralisierung (libidinöser und aggressiver Triebabkömmlinge) und damit die Ich-Entwicklung,
- Ich-Schwäche und Spaltung verstärken sich gegenseitig,
- Manifestation von Spaltungsvorgängen:
  - gegensätzliche Seiten eines Konfliktes wechseln sich ab (Patienten sind über die Widersprüchlichkeit ihres Verhaltens nicht betroffen),
  - mangelhafte Impulskontrolle in bestimmten Bereichen mit episodischen Durchbrüchen primitiver Ich-syntoner Impulse,
  - Aufteilung äußerer Objekte in „total gute" und „total böse",

- Spaltung kommt nicht isoliert, sondern immer in Kombination mit anderen Abwehrmechanismen vor.

Verleugnung

- Objektive Sinneseindrücke werden als unwahr hingestellt, wenn sie traumatisierend wirken würden (von Freud zur Erklärung des Fetischismus und der Psychosen beschrieben);
- archaischer Mechanismus, adäquat für kindliches Abwehrverhalten mit Verleugnung der Wirklichkeit und Ersatz durch Phantasiegebilde, Tagträume, symbolische Handlungen,
- umfaßt breites Spektrum von Abwehrvorgängen unterschiedlichen Funktionsniveaus:
  - auf „höherem Niveau" Beziehungen zur Isolierung, Distanzierung, Verleugnung in Wort und Handlung, in der Phantasie,
  - auf „niederem Niveau" Beziehungen zur Spaltung,
- exakte Realitätsprüfung als Zeichen eines reifen Ich behindert,
- oft verbunden mit rechthaberischem, phantasielosem Verhalten,
- Formen:
  - „wechselseitige" Verleugnung zweier emotional gegensätzlicher und verselbständigter Bewußtseinsbereiche,
  - Ignorieren, Nichtwahrhabenwollen eines bestimmten Bereiches des subjektiven Erlebens oder der wahrgenommenen Außenwelt,
  - höhere, reifere Form der Verleugnung Bestandteil des Mechanismus der Verneinung (Freud 1925),
  - bestimmte Emotionen werden durch entgegengesetzte, gerade dominierende ersetzt: z. B. manische Verleugnung einer Depression.

Projektive Identifikation

Spaltung herrscht vor (bei Projektion: Verdrängung); Primitiver Abwehrmechanismus;

Definition: Subjekt projiziert unerträgliche intrapsychische Erlebnisse auf ein Objekt, verbleibt in Einfühlung mit dem, was es projiziert und bringt das Objekt in einer echten Interaktion unbewußt dazu, das auf ihn Projizierte tatsächlich zu erleben:

- bei Borderline-Persönlichkeitsstörungen,
- bei psychotischen Persönlichkeitsstörungen,
- bei der Neurose durch Projektion ersetzt.

Psychosoziale Abwehr

- Abwehrkampf wird nach „draußen" auf die zwischenmenschliche Ebene verlagert,
- unbewußte zwischenmenschliche Konstellation, die die intrapsychische Abwehr rechtfertigt, bestätigt, als real erscheinen läßt,

- Wahl eines Partners mit komplementären neurotischen Bedürfnissen,
- Rollenzuweisungen (von Eltern an die Kinder),
- Manipulation, Verführung, Beeinflussung enger Bezugspersonen, auch des Arztes,
- Manifestation einer Neurosen erst nach Zusammenbruch eines derart gestalteten psychosozialen Arrangements.

Abwehr im Entwicklungskontinuum von primitiven zu reifen Formen

1. Idealisierung:
   - primitiv: Abspaltung des idealisierten Objekts von verfolgenden;
   - narzißtisch; Selbstidealisierung (ich-synton oder projiziert) steht Entwicklung gegenüber;
   - neurotisch: Reaktionsbildung gegen Schuldgefühle;
   - normale Idealisierung: Externalisierung integrierter Anteile des Ich-Ideals.
2. Verleugnung (Dissoziation widersprüchlicher Ich-Zustände):
   - primitiv: Form der Verneinung;
   - reifer/neurotischer: beruht auf Verdrängung.
3. Introjektion:
   - primitiv:
     - Selbst- und Objektrepräsentanzen können nicht unterschieden werden;
     - Vorläufer der Identifikation (wie für reife Ich- und Über-Ich-Zustände charakteristisch).
4. Projektive Identifikation:
   - primitiv: entscheidende Abwehr: Spaltung (primitive Dissoziation);
   - neurotisch: Projektion (grundlegende Abwehr: Verdrängung).

Literatur

Battegay R (1971) Psychoanalytische Neurosenlehre. Huber, Bern
Blanck G, Blanck R (1978a) Angewandte Ich-Psychologie. Klett, Stuttgart
Blanck G, Blanck R (1978b) Ich-Psychologie II. Klett, Stuttgart
Brenner C (1967) Grundzüge der Psychoanalyse. Fischer, Frankfurt
Eagle MN (1988) Neuere Entwicklungen in der Psychoanalyse. Internationale Psychoanalyse, München
Fenichel O (1974) Psychoanalytische Neurosenlehre. Walter, Olten
Freud A (1964) Das Ich und die Abwehrmechanismen. Kindler, München
Freud A (1965) Normality and pathology in childhood. Int Univ Press, New York
Freud S (1924) Der Realitätsverlust bei Neurose und Psychose. Imago, London, GW Bd 13, S 361–368, Imago London
Freud S (1925) Die Verneinung. GW Bd 14, S 9–15
Gaus E, Köhle K (1986) Psychische Anpassungs- und Abwehrprozesse bei lebensbedrohlich Erkrankten. In: Uexküll T von (Hrsg) Psychosomatische Medizin. Urban & Schwarzenberg, München, S 1127–1156
Hartmann H (1964) Psychoanalyse und Entwicklungspsychologie. Psyche 1:354–366
Hartmann H (1972) Ich-Psychologie. Klett, Stuttgart
Hoffmann SO, Hochapfel G (1991) Einführung in die Neurosenlehre und Psychosomatische Medizin. 4. Aufl. Schattauer, Stuttgart

Kernberg OF (1978) Borderline-Störungen und pathologischer Narzißmus. Suhrkamp, Frankfurt
Kernberg OF (1989) Projektion und projektive Identifikation. Forum Psychoanal 5:267–283
Mentzos S (1980) Neurotische Konfliktverarbeitung – Einführung in die psychoanalytische Neurosenlehre unter Berücksichtigung neuer Perspektiven. Kindler, München
Nunberg H (1959) Neurosenlehre. Huber, Bern
Rohde-Dachser C (1987) Neurosen und Persönlichkeitsstörungen. In: Kisker KP, Freyberger H, Rose HK, Wulff E (Hrsg) Psychiatrie, Psychosomatik, Psychotherapie. Thieme, Stuttgart
Thomä H, Kächele H (1986) Lehrbuch der psychoanalytischen Therapie. Springer, Berlin Heidelberg New York Tokyo
Wirsching M, Stierlin H (1982) Krankheit und Familie. Klett-Cotta, Stuttgart

3. Psychologie des Selbst und der Objektbeziehungen

Definition: Selbst = das Gesamt des Psychischen bei einem Menschen unter Berücksichtigung der bewußten und unbewußten Psyche als auch der Gegenüberstellung der eigenen Person von den Objekten der äußeren Welt.

Allgemeines

1. Weg der Triebabfuhr beim Erwachsenen:
   - vokal,
   - genital,
   - motorisch.

Eine optimale Entspannung tritt ein, wenn die Triebabfuhr im Dienste des Ich steht (sonst Mißbrauch, Schädigung).

2. Präverbaler Weg der Triebabfuhr:
   - Psychosomatisch (Körpersprache, Organsprache),
   - Somatisierung als Regression (Schur 1955):
     - stille physiologische Abfuhr ins Innere (normal beim Neugeborenen), Triebenergie undifferenziert, Triebe noch ent-neutralisiert;
     - das Kind lebt zunächst ganz im Körper, bevor Psyche und Soma sich langsam differenzieren;
     - keine vollständige Trennung von Psyche und Körper (Körperbild als Selbstrepräsentanz aufgebaut).

3. Allgemein:
   - Das Ich benutzt die verbalen statt die somatischen Bahnen zur Abfuhr.
   - Das Ich beherrscht die Sprachorgane.
   - Das Ich benutzt alle Körperteile als Hilfsmittel zur Verbalisation (auch deshalb Objektbeziehungen wichtig!).
   - Sprachentwicklung als wesentlicher Motor zur Differenzierung von Psyche und Soma.
   - Psychosomatische Phänomene = Regression auf eine präverbale Stufe (keine Trennung von Soma und Psyche, Triebabfuhr nach innen statt nach außen).

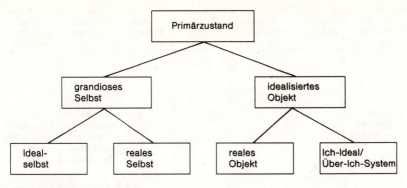

Abb. 6. Schema des Narzißmus

Narzißmus (Abb. 6)

Definition: Konzentration seelischen Interesses auf das Selbst; Aufrechterhaltung eines affektiven Gleichgewichts von innerer Sicherheit – Wohlbehagen – Selbstsicherheit.

Entwicklung des narzißtischen Systems (Abb. 7, 8, 9)

1. Harmonischer Primärzustand:
    - intrauterine Einheit von Mutter und Kind,
    - Harmonie, Geborgenheit, Sicherheit,
    - kein Unterschied zwischen innen/außen, Ich/Nicht-Ich.

2. Trennung von Selbst und Objekt (Urverunsicherung):
    - zunehmende Wahrnehmungsfähigkeit,
    - wachsende Bedürfnisse,
    - unvermeidliche Frustrationen; diese als
    - Anreiz zur Ich-Entwicklung: es entstehen innere Bilder
        o der eigenen Person = Selbstrepräsentanzen,
        o der Objekte   = Objektrepräsentanzen;
    - Verunsicherung löst Angst und Ärger aus, auch Hilflosigkeit, Ohnmacht („Vertreibung aus dem Paradies").

3. Kompensationsmechanismen:
    - Regression auf den Primärzustand mit Verschmelzungsphantasien,
    - Verleugnung (der eigenen Mängel) und Idealisierung (also Verkehrung ins Gegenteil),
    - Angleichung an die Realität,
    - Verinnerlichung (Internalisierung); Verluste werden dadurch aufgehoben; Bildung eines Ideal-Selbst (mit Pufferfunktion).

4. Funktion des gesunden narzißtischen Systems:
    - Ich als regulierende Instanz vermittelt, sorgt für gesundes Selbstwertgefühl.

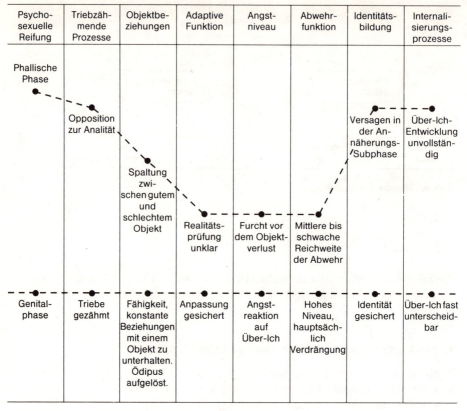

Abb. 7. Entwicklungsgang nach Blanck und Blanck (1978/80) (s. S. 124/125)

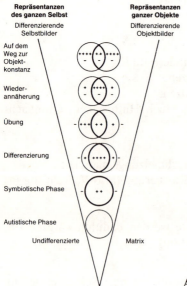

Abb. 8. Selbst-Objekt-Differenzierung

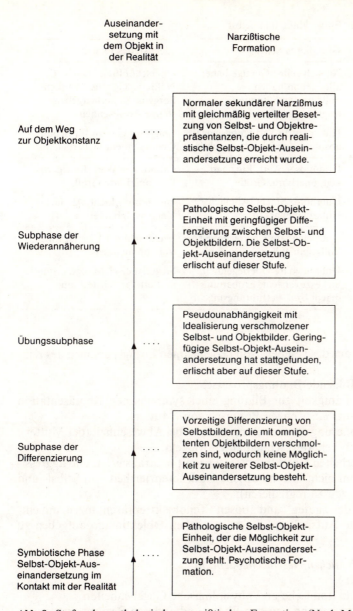

Abb. 9. Stufen der pathologischen narzißtischen Formation. (Nach Mertens 1992)

Tabelle 6. Psychosexuelle Entwicklung und Selbst

Entwicklungsstufen	Grandioses Selbst	Idealisiertes Objekt
oral	An sich selbst Genüge haben; alles schon haben, unbegrenzte Sättigung, fragloses Akzeptiertsein	Unerschöpfliche Quelle des Nährens, Gebens, Wärmens, Sorgens, Sicherheitgebens, stetige Anwesenheit
oral-sadistisch	Unbegrenzte Verfügungsgewalt, absolute Vernichtungsmacht	Fragloser Garant für Schutz, Geborgenheit, Sicherheit
anal	Grandioser Wert, Einzigartigkeit, unerhörte Größe	Grandioser Wert, Einzigartigkeit, unerhörte Größe
anal-sadistisch	Unerhörte Macht, Allmacht, Unbezwingbarkeit	Unerhörte Macht, Allmacht, Unbezwingbarkeit
phallisch	Unerreichbare Überlegenheit, Vollkommenheit	Unerreichbare Überlegenheit, Vollkommenheit
phallisch-sadistisch	Unbesiegbare Überlegenheit, Siegeszuversicht, Eroberungsmacht bzw. Verführungsmacht	Siegreicher Held bzw. schönste und erfolgreichste Frau

Objektkonstanz: Modus des Erlebens von bedeutsamen Bezugspersonen des Kindes.
Konstitutiv wirken folgende Bildungsprozesse:
- Entwicklung der Fähigkeit zur Bildung einer symbolischen Repräsentation (Objektrepräsentanz) einer engen Bezugsperson (Mutter);
- Fähigkeit zur Erinnerung an diese Repräsentanz bei Abwesenheit (der Mutter), um Sicherheit auch bei Abwesenheit zu entwickeln;
- Erleben der mütterlichen Objektrepräsentanz mit neutralisierten und aggressiven Emotionen (um nicht in symbolische Undifferenziertheit von Selbst- und Objektrepräsentanzen zu regredieren);
- Vereinheitlichung der „guten" und „bösen" Teilobjektrepräsentanzen, um entwicklungsadäquate Aufspaltung der mütterlichen Objektimago aufgeben zu können.

Ausbildung einer männlichen Geschlechtsidentität:
- „biologische Kraft",
- Bewußtsein über anatomische und physiologische Gegebenheiten,
- Geschlechtsrollenzuweisung von den Eltern und anderen Bezugspersonen,
- Entidentifizierung von der Mutter und neue Identifikation mit dem Vater.

Bedeutung des Vaters in den ersten 3 Lebensjahren:
- Beginn der spezifischen Bindung an den Vater bereits in der symbiotischen Phase; keine Fremdenangst zu ihm;
- Hinwendung zum Vater in der Übungssubphase (Mahler 1972); Mutter gilt als „Heimatbasis";
- Vater als „Landepunkt" einer sich vergrößernden Welt; Vater als anderes, aber auch faszinierendes Objekt;

- Mädchen: nehmen früher Beziehung zum Vater auf, Jungen: nähern sich weniger gefühlshaft als exploratorisch;
- Am Ende der Übungssubphase wird der Vater mehr als eigene Person, die Mutter mehr im Sinne des symbiotischen Erlebens (introjektiv und projektiv verzerrte Mutterimago) erfahren;
- früheste Objektrepräsentanz des Vaters manifestiert sich etwas später als die Mutterrepräsentanz;
- Befriedigende Beziehung zum Vater wichtig für die Lösung der Ambivalenz gegenüber der Mutter in der Wiederannäherungsphase;
- Befreiung von der Abhängigkeit von der Mutter;
- bei unterschiedlicher Beziehung zum Vater und zur Mutter bessere Trennung zwischen Selbst- und Objekt (Mutter)repräsentanzen und damit Aufbau von Selbst- und Objektkonstanz;
- Übergang aus der dualen Mutter-Kind- in die trianguläre Mutter-Vater-Kind-Beziehung;
- wichtige Voraussetzung: harmonische Mutter-Vater-Beziehung;
- Identifikation des Jungen mit dem Vater wird als Abgrenzung von der Mutter erlebt: Ansätze zu reflexivem Selbstbewußtsein.

Narzißmusklassifikation

- Primärer = erste Vereinheitlichung des Subjekts vor der Objektwahl (Ich und Es nicht unterschieden; völliges Fehlen einer Beziehung zur Umwelt).
  Stufenfolge: Autoerotismus → Narzißmus → Objektliebe.
  (Freud 1911, aufgegeben 1916/17: Verlagerung des Schwerpunktes auf den sekundären Narzißmus)
- Sekundärer = einer den Objekten entzogenen und auf das Ich gewendeten Libido (stärkere narzißtische Besetzung bedingt geringere Objektbesetzung).
- Heute = Narzißmus und Objektbesetzung entwickeln sich parallel, d.h. ein starkes Selbstgefühl schließt ein starkes Objektgefühl nicht aus.
  (Spitz 1965, Joffe u. Sandler 1967, Lorenzer 1972, Kohut 1972, Kernberg 1975).
  Narzißmus nicht Derivat der Objektlibido wie bei Freud.
  Narzißmus = unabhängige Größe.
- Revisionsvorschläge:
  o Joffe u. Sandler (1967):
    Narzißmus = Summe aller positiv gefärbten Gefühlszustände, die mit der Vorstellung des Selbst (der Selbstrepräsentanz verbunden sind).
    — Pathogene Ausformungen: übertriebene Arten narzißtischer Objektwahl (Nymphomanie, Formen von Homosexualität, auch Selbstbestrafung, depressive Reaktionen), Flucht oder regressive Verschmelzung in Phantasieobjekte (Argelander 1972).
    — Libido und Narzißmus unterscheiden sich durch Besetzungsvorgänge.
    — libidinös: Spannung und Entladung.
    — narzißtisch: Zustand von Wohlbehagen, ozeanisches Gefühl.
    — sekundärer Narzißmus = neutralisierter Abkömmling des primären Narzißmus.

Tabelle 7

Psycho-sexuelle Reifung	Trieb-zähmende Prozesse	Objektbeziehungen		Adaptive funktion	Angst-niveau	
Genital	Ambivalenz aufgelöst		Postödipal	Ineinander-passen	Furcht vor Über-Ich	
	Neutralisierte Libido dient dem Narzißmus	und auch der Fähigkeit, konstante Beziehungen zum Objekt aufrechtzuerhalten	Objektkonstanz	Synthetische und integrative Funktionen		*Sekundärprozeß*
				Abstraktes Denken		
Phallisch		Besetzung der Objektrepräsentanzen mit Werten			Angst vor Kastration	
	Neutralisierte Aggression dient der Identitätsbildung	Beginnende Ausstattung der Objektrepräsentanzen mit Werten		Sprache		
Anal				Objektverständnis	Angst vor Verlust der Liebe des Objekts	
	Neutralisierung des Aggressionstriebs dient der Aufrichtung eines Abwehrmechanismus	Diakritische Perzeption bringt Gewahrwerden der bedürfnisbefriedigenden Funktion des Objekts	Semantische Kommunikation, ein neues Niveau der Objektbeziehungen	Lokomotion	Signalangst erreicht	
			8-Monats-Angst			
	Libido und Aggression verschmelzen		Fusion von „guten" und „schlechten" Objektrepräsentanzen	Realitätsprüfung	Furcht vor Verlust des Objekts	
				Intentionalität		*Primärprozeß*
	Triebe differenzieren sich in Libido und Aggression	Gewahrwerden der Bedürfnisbefriedigung	Reaktion des Lächelns, Anfang der psychischen Beziehungen	Motilität		
				Perzeption		
Oral	Neutralisierung beginnt	Koenästhetische Rezeptivität	Undifferenziertes Stadium, biologische Bedürfnisbefriedigung, objektloses Stadium	Aufschub	Angst vor Vernichtung	
				Gedächtnisspuren		

– u n d i f f e r e n z i e r t e

Geburt — Undifferenzierte Triebe und Apparate der primären Autonomie einschl. Motilität, Gedächtnis, Intentionalität,

▼ *Es*   ▼ *Ich*

Tabelle 7 (Fortsetzung)

Abwehrfunktion	Identitätsbildung	Internalisierungsprozesse		
Sekundäre Autonomie. Abwehr verändert Funktion und wird adaptiv	Konstante Besetzung der differenzierten Selbst- und Objektrepräsentanzen	Über-Ich wird strukturiert		
Verdrängung	Zunehmende Internalisierung durch Ich- und Über-Ich-Identifizierungen führt zur Identität	Auflösung des Ödipus durch Identifizierung mit gleichgeschlechtlichem Elternteil	Ich-Ideal	
Regression				
Intellektualisierung	Trennung von Individuation komplett, Objektkonstanz erreicht	Identifizierung mit phallischer Leistungsfähigkeit		
Isolierung	Geschlechtsidentität	Reinlichkeitserziehung leitet Identifizierung mit Stärke und Reinlichkeit ein		
Reaktionsbildung	Annäherungssubphase			
Ungeschehenmachen	Übungssubphase		Allmähliche Enttäuschung mit omnipotenten Objekten	
Identifizierung, Verschiebung, Umkehrung, Wendung gegen sich selbst	Differenzierungs-Subphase	Selektive Identifizierung beginnt		
		Imitation		
Projektion	Zusammengeflossene Selbst- und Objektrepräsentanzen			
Introjektion				
Verleugnung				
	Autistisches Stadium		Primärnarzißmus	

Trennung und Individuation / *Symbiose* / *Idealisierte Objekte* / *Grandioses Selbst*

Matrix -

Intelligenz, Perzeption, Denken, und anderes

▼

Über-Ich

Tabelle 8. Vom Autismus – über Symbiose/Loslösung und Individuation/Differenzierung/Übungsphase/Wiederannäherung – bis zur Objektkonstanz

Leben im Körper	▶ Leben im Geist (Struktur)
Interpersonelle Interaktion	▶ Inter- und intrasystemische Operationen
Primärprozeßhaftes Denken	▶ Sekundärprozeßhaftes Denken
Undifferenziertes Selbst/Objekt	▶ Differenziertes Selbst mit Geschlechtsidentität
Unmittelbare Impulsabfuhr	▶ Das Ich als Vermittler
Angst vor Vernichtung ... Objektverlust .... Liebesverlust	▶ ... vor Kastration .... Über-Ich
Organismisches Unbehagen .... Besänftigung von außen .... Selbstbesänftigung	▶ Signalangst
Nichtorganisierte Abwehrfähigkeit	▶ Abwehr- und Widerstandsfähigkeit
Einfache Affekte „für" und „gegen" . Affektdifferenzierung	▶ vollständiges affektives Repertoire
Ambitendenz	▶ Ambivalenz
Gespaltene Selbst und Objektbilder	▶ ...(Verschmelzung) Ganzes Selbst und Objektrepräsentanzen
Bedürfnisbefriedigung .... Objektliebe ...	▶ Selbst- und Objektkonstanz
Suche nach dem primären Objekt (Erwiderung [von Gefühlen])	▶ Übertragungsfähigkeit
Dyadische Beziehung .... erweiterte Objektwelt	▶ Ödipale Objektbeziehungen

— „narzißtischer Charakter" (Gegenstück zu Joffe/Sandler). Betonung von
  – Selbständigkeit, Unabhängigkeit,
  – Erfolg, Leistung,
  – manipuliert Außenwelt,
  – unfähig, andere Menschen als eigenständige Wesen wahrzunehmen.
o Kernberg (1975/1984):
— lehnt das Konzept des primären Narzißmus ab.
— Entwicklungslinie des Narzißmus: →libidinöse Besetzung der noch undifferenzierten Selbst-Objekt-Imago, → (nach Differenzierung in Selbst- und Objekt-Imagines und der Triebstruktur in libidinöse und aggressive Strebungen), →Besetzung des Selbst (mit aggressiven, besonders libidinösen Anteilen = libidinöse Besetzung des Selbst).
— Gleichursprünglichkeit von narzißtischer und Objektbesetzung,
— „narzißtische Persönlichkeit" um pathologisches Größen-Selbst zentriert (als Abwehr gegenüber früheren Entwertungen wichtiger Objekte).
o Kohut (1966, 1975) (s. auch Grafik S. 33):
— Auseinanderbrechen des primären Narzißmus:
  – Libido, die sich Objekten zuwendet („Objektliebe"),
  – Libido, die sich auf Selbst-Objekte bezieht (=„narzißtische Libido").
• Narzißtisches Gleichgewicht stark störanfällig →„unmodifizierter Narzißmus" (= das archaische, grandiose Selbst bleibt narzißtisch besetzt und setzt sich gegen die Außenwelt verächtlich ab).

Tabelle 9. Übertragung bei narzißtischen Störungen. (Nach Mertens 1992)

Selbstobjektübertragungen	Gegenübertragungsgefühle
1. Spiegelübertragung	
a) archaische Verschmelzung (Patient erlebt Analytiker als Teil seiner selbst).	Je nach narzißtischer Verletzbarkeit des Analytikers: Schwierigkeit, dem Patienten in seinem vereinnahmendem Monologisieren zuzuhören; Langeweile, Schläfrigkeit; Verlieren des empathischen Kontakts; Ironie; Ansprechen einer kränkenden lebensgeschichtlichen Begebenheit, um sich abzugrenzen.
b) Alter-Ego- bzw. Zwillingsübertragung (Analytiker soll die gleichen Meinungen, Werte, Überzeugungen teilen wie der Analysand).	Bestreben, seine eigene Meinung zu betonen, seine eigenen Gefühle für sich eigens zu erleben.
c) Spiegelübertragung im eigentlichen Sinn (Analytiker, der jetzt schon stärker – als bei a) – als Person in seinem eigenen Recht erfahren wird, soll den Patienten bewundern, den gesunden Exhibitionismus bestätigen und anerkennen.	Leichte Verärgerung über die narzißtische Anspruchlichkeit des Patienten.
2. Idealisierende Übertragung	
a) Analytiker wird als jemand gebraucht, der ruhig, stark und zuverlässig ist und aus diesem Grund auch idealisiert wird.	Bedürfnis, den Patienten darauf aufmerksam zu machen, daß der Analytiker nicht so stark, vollkommen, grandios ist, wie er vom Patienten gesehen wird, anhand von realitätsorientierten Hinweisen oder Selbstabwertung.
b) Bei Abwehr gegen die idealisierende Übertragung: Analytiker wird arrogant abgewertet und kritisiert.	Gefühle des Verletzt- und Gekränktseins.

- Störungen:
  - zu einem sehr frühen Zeitpunkt:
    — allgemeine Strukturschwäche mit diffuser narzißtischer Verwundberkeit;
    — Bedürfnis nach Verschmelzung mit einem idealisierten Objekt (Drogensucht, süchtige Abhängigkeit von anderen Personen: Symbiose);
  - später, aber noch präödipal:
    — Übertragung narzißtischer Energien auf Vorformen des Ichs blockiert (Aufgabe der Triebkontrolle und -neutralisierung können nicht erfüllt werden): Fixierung an perverse Phantasien;
  - ödipale Phase:
    — betrifft wesentlich das Über-Ich;
    — narzißtische Besetzung (z. B. an tatsächliche Macht des Vaters) bleibt bestehen, wird verinnerlicht, →permanente Suche nach äußeren Idealfiguren; →aber auch „autoritärer Charakter" mit externalisiertem Über-Ich, Ich-Schwäche, bedingungslose Anpassungsbereitschaft.

Tabelle 10. Internalisierung und Externalisierung innerhalb der Entwicklung (nach Mentzos 1989)

	Alter in Jahren							
	0	½	1	1½	2	3	4	5
Triebentwicklung	oral				anal		infantil-genital	
Objektbeziehungen	Symbiose Zweierbeziehung vom narzißtischen Selbstobjekt zum Liebesobjekt		Separation – Individuation Triangulierung			Liebesobjektbeziehung Dreierbeziehung		
Selbst- und Objektrepräsentanzen *Das Selbstsystem*	Subjekt-Objekt-Differenzierung Primärzustand		Selbstfragmente Teil-Objekte		Grandioses Selbst Idealisierte Objekte		Ideal-Selbst reales Selbst reale Objekte Ich-Ideal – Über-Ich	
Internalisierungen und Beispiele für daraus sich ableitende Abwehr- und Restitutionsvorgänge	Inkorporation Suchtmittel-Einverleibung		Introjektion Pathologische Introjektion in der Depression		**Identifikation** Identifikationen bei der hysterischen Symptombildung – Identifikation mit dem Angreifer – Rollenübernahme			
Externalisierungen und Beispiele für daraus sich ableitende Abwehr- und Restitutionsvorgänge	Exkorporation Halluzinationen „Familienpsychosomatik"		Projektion Verfolgungswahn Kollektive Externalisierungen		**Selbst-Objektivierung** Nicht-psychotische Projektion Delegation (z. b. innerhalb der Familie)			

- Alter-Ego-Übertragung = Objekt wird als getrennter Träger der eigenen Vollkommenheit erlebt.
- Spiegel-Übertragung = Objekt hat zwar deutliche Konturen, wird aber auf die Funktion eines Spiegels des Größen-Selbst reduziert.
- idealisierende Übertragung = Größen-Selbst erweitert seine Grenzen und verschmilzt mit dem Objekt.
- Narzißtische Wut: entspringt der Fixierung an das Größen-Selbst
  o gerichtet auf:
    — Außenwelt oder
    — gegen die eigene Person (z. B. Selbstverstümmelung, Selbstmord; gegen ein als minderwertig empfundenes Organ; als temporärer Durchbruch);
    — Entstehung von psychosomatischen Erkrankungen??
- Kritik an Kohut (Kernberg 1975/1984):
  o Größen-Selbst und idealisierende Übertragung sind pathologisch, Unterscheidung nicht gerechtfertigt;
  o Größen-Selbst als Abwehrformation hochgradig konflikthafter Objektbeziehungen;
  o Schicksale des Narzißmus nicht von den Objektbeziehungen zu trennen (geschehen vielmehr simultan).

Pathologie des Narzißmus

Zentrales Symptom: labiles Selbst(wert)gefühl;
Frage nach dem Umgang mit Kränkungen:
- reife Reaktion auf eine Kränkung hin:
  o Realitätsprüfung (trifft der Vorwurf zu?),
  o Stellenwert der Kränkung prüfen (ist es wirklich so schlimm?),
  o Möglichkeit zur Korrektur offen lassen,
  o Möglichkeit, sich angemessen zu wehren;
- unreife Reaktion auf eine Kränkung hin:
Ursache: Kränkung sehr schwer oder Kränkbarkeit sehr groß (labiles Selbstgefühl);
Kompensationsversuche:
  o Verleugnung und Idealisierung,
  o Repräsentanzen des grandiosen Selbst und der idealisierten Objekte kommen zum Tragen (Selbst und Objekte aufgebläht),
  o hohes Anspruchsniveau, realitätsfernes Ich-Ideal, ständiges Oszillieren zwischen Größenphantasien und Minderwertigkeitsgefühlen,
  o Regression auf den harmonischen Primärzustand.

Zur Diagnostik narzißtischer Störungen

Zepf (1985) unterscheidet 5 Verhaltensweisen psychosomatisch Kranker, an denen die Pathologie abzulesen ist.
1. Charakter der Wortgebilde:
   entemotionalisierte, emotionslose Sprache,
   undifferenzierte affektive Gefühlsäußerungen und zwanghafte Strukturanteile;

2. Selbstwertgefühl:
kompensatorisch übersteigert oder vermindert;
3. Aggressionsverhalten:
gestörter Umgang mit Aggressionen, auch Gehemmtheiten, „entneutralisierte" Aggressivität;
4. Verhaltensnormalität:
normative Verhaltenserwartungen werden erfüllt,
Kritikunfähigkeit,
auffällig kooperatives Verhalten,
kompromißloses Unterwerfen in Streitfällen;
5. Objektbeziehungen:
Anlehnungstyp – anaklitisch,
narzißtisch bzw. ambivalent.

Symptome des krankhaften Narzißmus

Grandiose wie depressive Individuen müssen zwanghaft die Erwartungen der introjizierten Mütter erfüllen:
- der Grandiose erlebt sich als gelungenes Kind,
- der Depressive erlebt sich als Versager.

Gemeinsamkeiten:
- falsches Selbst (Verlust des eigentlichen, möglichen Selbst),
- Brüchigkeit der Selbstachtung (keine Sicherheit über das eigene Fühlen und Wollen),
- Perfektionismus als Ausdruck des hohen Ich-Ideals,
- Verleugnung der verachteten Gefühle,
- Überwiegen narzißtischer Objektbeziehungen:
Anlehnungstyp: der andere kommt eigenen Bedürfnissen entgegen,
narzißtischer Typ: der andere entspricht dem eigenen inneren Bild,
- große Angst vor Liebesverlust (deshalb große Anpassungsbereitschaft),
- starke, aber abgespaltene, deshalb nicht neutralisierte Aggressivität,
- Neid (auf die Gesunden),
- Anfälligkeit für Kränkungen,
- Anfälligkeit für Scham- und Schuldgefühle,
- Ruhelosigkeit.

Präödipale Reifungsstörungen (psychodynamische Anzeichen):
- Depressivität nach Objektverlust,
- Hilflosigkeit/asthenische Entmutigung,
- Hoffnungslosigkeit/apathisch-düsteres Resigniertsein,
- narzißtische Störung,
- oral-regressive Züge (manifeste Abhängigkeit oder Pseudounabhängigkeit),
- Aggressionsabwehr (Verhaltensnormalität),
- introspektive Einschränkung.

Literatur

Abelin EL (1975) Some further observations and comments on the earliest role of the father. Int J Psychoanal 56:293–302
Argelander H (1971) Ein Versuch zur Neuformulierung des primären Narzißmus. Psyche 25:358–373
Balint M (1960a) Primärer Narzißmus und primäre Liebe. Jahrb Psychoanal 1:3–34
Balint M (1960b) Angstlust und Regression. Klett, Stuttgart
Balint M (1970) Therapeutische Aspekte der Regression. Die Theorie der Grundstörung. Klett, Stuttgart
Blanck G, Blanck R (1978) Angewandte Ich-Psychologie. Klett, Stuttgart
Blanck G, Blanck R (1980) Ich-Psychologie II. Klett, Stuttgart
Breuer S (1992) Sozialpsychologische Implikationen der Narzißtheorien. Psyche 46:1–31
Edgcumbe R, Burgner M (1972) Some problems in the conceptualisation of early object relationship, part I: The concepts of need satisfaction and need-satisfying relationships. Psychoanal Study Child 27:283–314
Edgcumbe R, Burgner M (1975) The phallic-narcissistic phase. A differentiation between prae-oedipal and oedipal aspects of phallic development. Psychoanal Study Child 30:171–189
Freud S (1914/1952) Zur Einführung des Narzißmus. Imago, London, GW Bd 10
Greenson R (1973) Technik und Praxis der Psychoanalyse. Klett, Stuttgart
Henseler H (1974) Narzißtische Krisen. Zur Psychodynamik des Selbstmords. Rowohlt, Hamburg
Herrmann AP (1986) Das Vaterbild psychosomatische Kranker. Springer, Berlin Heidelberg New York Tokyo
Jacobson E (1974) Das Selbst und die Welt der Objekte. Suhrkamp, Frankfurt
Joffe WG, Sandler J (1975) Über einige begriffliche Probleme im Zusammenhang mit dem Studium narzißtischer Störungen. Psyche 21:152–165
Kernberg OF (1978) Borderline-Störungen und pathologischer Narzißmus, Suhrkamp, Frankfurt
Kernberg OF (1981) Objektbeziehungen und Praxis der Psychoanalyse. Klett, Stuttgart
Kernberg OF (1984) Schwere Persönlichkeitsstörungen. Klett-Cotta, Stuttgart 1988
Kohut H (1973) Narzißmus. Suhrkamp, Frankfurt
Kohut H (1979) Die Heilung des Selbst. Suhrkamp, Frankfurt
Mahler MS (1972) Symbiose und Individuation. Klett, Stuttgart
Mahler MS (1978) Die psychische Geburt des Menschen. Fischer, Frankfurt
Mentzos S (1989) Neurotische Konfliktverarbeitung. Fischer, Frankfurt
Mertens W (1992) Psychoanalyse. Kohlhammer, Stuttgart, 4. Auflage
Peters UH (1977) Wörterbuch der Psychiatrie und medizinischen Psychologie. 2. Aufl., Urban & Schwarzenberg, München
Pulver SE (1972) Narzißmus: Begriff und metapsychologische Konzeption. Psyche (Stuttg) 26:34–55
Schur M (1955) Comments on the metapsychology of somatization. Psychoanal Study Child 10:119–164
Spitz R (1957) Die Entstehung der ersten Objektbeziehungen. Klett, Stuttgart
Spitz R (1972) Vom Säugling zum Kleinkind. Klett, Stuttgart
Zepf S (1985) Narzißmus, Trieb und die Produktion von Subjektivität. Springer, Berlin Heidelberg New York Tokyo

Individuation/Narzißmus nach verschiedenen Autoren

S. Freud
(Zu Freuds Narzißmuskonzept s. auch Pulver 1972)

- Triebaspekt in Zusammenhang mit Autoerotismus und Perversion,
- spezifische Modi der Objektwahl,
- Problem des Selbstwertgefühls,
- spezifische Entwicklungsstadien,
- der Homosexuelle liebt sein eigenes Ideal (1910),
- Vertauschung von Objekt und Subjekt,
- Narzißmus angesiedelt zwischen Autoerotismus und Objektliebe (1905),
- Objekt fällt mit eigenem Ich zusammen, Primat der Genitalzone noch nicht erreicht (1913);
- Zeugnis für Narzißmus: Allmacht der Gedanken bei Primitiven (1912),
- Narzißmus als libidinöse Ergänzung zum Egoismus des Erhaltungstriebes (1914);
- primärer Narzißmus = ursprüngliche Libidobesetzung des Ich (1914),
- sekundärer Narzißmus = Objektbesetzungen werden einbezogen;
- Objektwahl nach dem Anlehnungstyp: das Individuum wählt sein späteres Objekt nach dem Vorbild des ersten Sexualobjekts, der versorgenden Mutter,
- narzißtische Objektwahl: das spätere Liebesobjekt wird nach dem Vorbild der eigenen Person gewählt: man liebt
  - was man selbst ist,
  - was man selbst war,
  - was man selbst sein möchte,
  - die Person, die ein Teil des eigenen Selbst war (1914);
- bei Verwandlung von Ich-Libido in Objektlibido gelangt das Objekt in den Besitz der gesamten Selbstliebe des Ich (1921),
- Ziel und Befriedigung bei der narzißtischen Objektwahl ist das Geliebtwerden (1914),
- 3 Quellen des Selbstwertgefühls (1914): je 1 Anteil
  - ist primär (Rest des kindlichen Narzißmus),
  - stammt aus der Erfahrung im Sinne einer bestätigten Allmacht (Erfahrung des Ich-Ideals),
  - stammt aus der Befriedigung der Objektlibido;
- vom (intrauterinen) selbstgenügsamen Narzißmus zu Beginn der Objektfindung (1921),
- Bestimmung des primären Narzißmus libido-, d.h. triebtheoretisch,
- primärer Narzißmus als Erscheinungsform der Triebentwicklung (1917).

Literatur

Freud S (1905) Drei Abhandlungen zur Sexualtheorie. Imago, London, GW Bd 5, S 27–145
Freud S (1910a) Eine Kindheitserinnerung des Leonardo da Vinci. GW Bd 8, S 127–211
Freud S (1910b) Beiträge zur Psychologie des Liebeslebens. GW Bd 8, S 65–91
Freud S (1912) Totem und Tabu. GW BD 9
Freud S (1913) Die Disposition zur Zwangsneurose. GW Bd 8, S 441–452

Freud S (1914) Zur Einführung des Narzißmus. GW Bd 10, S 137–170
Freud S (1917) Vorlesungen zur Einführung in die Psychoanalyse. GW Bd 11
Freud S (1921) Massenpsychologie und Ich-Analyse. GW Bd 13, S 71–161
Pulver SE (1972) Narzißmus: Begriff und metapsychologische Konzeption. Psyche 26:34–55

H. Hartmann

Hartmann entwickelte die Ich-Psychologie:
- Die Anlage des Ich ist biologisch bestimmt, also ein Entwicklungsprodukt zum Zweck der instrumentalen Anpassung;
- Steuerungs- und Kontrollfähigkeit des Ich tritt an die Stelle instinktiver Regulierung der Triebe;
- das Ich rückt an die Stelle des verlorengegangen Instinktes und wird damit zum natürlichen Anpassungsapparat (Triebe sind der Umwelt entfremdet und wirken der Anpassung entgegen);
- These der primären (und sekundären) Autonomie des Ich und einer konfliktfreien Sphäre.
  Bei Freud:
  o Ich entwickelt sich aus dem Es;
  o Ich bleibt abhängig von den Trieben;
  o Ich bleibt abhängig von der Umwandlung der Triebziele.
- Genetisch:
  o Ich als biologische Anlage;
  o Ich-Organisation als Instrument der Anpassung (an die Umwelt);
- Hauptquelle der Energieversorgung des Systems „Ich": die Neutralisierung des Destruktionstriebes (Entaggressivierung): nichtneutralisierte Form von Libido und Aggression im Zuge der Entwicklung übergeführt in neutralisierte durch Aufbau von Ich-Strukturen;
- Leitgedanke: unkontrollierte, nichtneutralisierte Triebenergie bedroht das Ich; Folge: das Kind ist in prekärer Lage, weil das Ich-System noch nicht entwickelt ist;
- Vorstellung einer Einheit von Trieb und Ich entfällt in der Ich-Psychologie ebenso wie die einer qualitativen Eigenbedeutung und Eigenentwicklung der Triebe;
- das Ich-System ist unabhängig vom Lustprinzip (das Realitätsprinzip kann nicht aus dem Lustprinzip allein hervorgegangen sein; Reduzierung des Todestriebes auf den Destruktionstrieb);
- Begriff der Ich-Stärke beruht auf
  o Dem Organisationsgrad und der damit verbundenen
  o Steuerungsfunktion des Ich (zum Zweck der Triebbeherrschung);
- Begriff des Selbst von Hartmann eingeführt; er beinhaltet die Abgrenzung und Trennung in kognitiver und emotionaler Hinsicht;
- Unterscheidung zwischen
  o funktionalem „System Ich" und
  o „Ich als Person";
- Ich-psychologisches Verständnis von Narzißmus:
  Narzißmus ist libidinöse Besetzung des Selbst (nicht des Ich);

- beim Neugeborenen gibt es kein Selbst (entwickelt sich erst langsam im Organisationsprozeß des Ich), konstituiert sich, wenn das Ich fähig wird, zwischen eigenem Selbst und Objekten zu unterscheiden;
- Konstitution des Selbst als Ergebnis von kognitiven Ich-Funktionen (Wahrnehmung, Erinnerung, Denken);
- Unterscheidungsfähigkeit von Selbst und Objekt in Zusammenhang mit der Funktionsfähigkeit des Ich gesehen (nicht so bei Freud);
- Begriff des Selbst als Funktion des Ich: Fähigkeit des Ich, eine abgegrenzte Vorstellung von sich selbst und den Objekten haben (gelingt das nicht: →Ich-strukturelle Störung);
- Kern der Ich-psychologischen Betrachtungsweise:
  ○ realistische, kognitive Einschätzung der Objekte;
  ○ realistische Einschätzung des Selbst.

Literatur

Hartmann H (1927) Grundlagen der Psychoanalyse. Thieme, Leipzig
Hartmann H (1950a) Psychoanalysis and developmental Psychology. Psychoanal Study Child 5:7–17
Hartmann H (1950b) Comments on the Psychoanalytic Theory of the Ego. Psychoanal Study Child 5:74–96
Hartmann H (1972) Ich-Psychologie, Klett, Stuttgart
Knapp G (1988) Narzißmus und Primärbeziehung. Psychoanalytische Grundlagen für ein neues Verständnis von Kindheit. Im Druck.

M. Balint

Narzißmuskonzept:
- ursprünglich harmonisch einander durchdringende Verschränkung von Mutter und Kind,
- Natur der Objektbeziehung – vollkommen passiv:
  Objekt (Mutter) wird gebraucht ohne kleinste Gegenleistung, dann
- Übergang zu einer aktiven Objektliebe;
- wird primäre Objektliebe nicht adäquat befriedigt, dann
- *Grundstörung* (überbetonter Narzißmus; Autoerotismus als Trostmechanismus),
  Ausprägungen:
  ○ Oknophilie (Anklammerung an Objekt, als narzißtische Stütze bei defizitär entwickeltem Ich),
  ○ Philobatie (Scheinautonomie mit Verleugnung der Abhängigkeit vom primären Objekt; Fluchttendenz aufgrund schmerzhafter Enttäuschung).
- Jede Form von Narzißmus ist ein Sekundärphänomen;
- narzißtische Phänomene sind Erscheinungsformen der Entwicklung der primären Objektliebe (und nicht Triebwünsche, die an erogene Zonen gebunden sind);
- letztes Ziel aller Triebe (oral, anal, genital) ist die Verschmelzung mit dem Objekt, die (Wieder)herstellung der Ich-Objekt-Einheit;
- der Orgasmus kommt dem Ziel am nächsten („unio mystica").

- Verschränkung von Kind und Objekt (Mutter) in einer
  - passiven,
  - primitiven,
  - primären,
  - archaischen Objektliebe;
- primäre Liebe,
- Ohnmacht und Abhängigkeit des Kindes vom Objekt,
- kein Konzept eines primären Narzißmus als Zustand subjektiver Objektlosigkeit,
- Omnipotenzgefühle sind Sekundärbildungen (als Versuch, sich gegen ein vernichtendes Gefühl der Ohnmacht zu verteidigen),
- *Symptome* narzißtischer Personen:
  - erhöhte Objektabhängigkeit, gegen die Abwehr mobilisiert wird,
  - erhöhte Empfindlichkeit und Sensibilität,
  - verstärkte Verletzbarkeit,
- tiefe Sehnsucht nach grenzenloser Harmonie mit dem Objekt.

Literatur

Balint M (1960a) Primärer Narzißmus und primäre Liebe. Jahrb Psychoanal 1:3–34
Balint M (1960b) Angstlust und Regression. Klett, Stuttgart
Balint M (1966) Die Urformen der Liebe und die Technik der Psychoanalyse. Klett, Stuttgart
Balint M (1970) Therapeutische Aspekte der Regression. Die Theorie der Grundstörung. Klett, Stuttgart

R. Spitz

1. Organisator (bis ca. 6. Lebensmonat): Vorstufe des Objektes,
2. Organisator (bis ca. 12. Lebensmonat): Bildung des Objektes der Libido,
3. Organisator (bis ca. 24. Lebensmonat): Ursprung und Beginn der menschlichen Kommunikation.

Organisator (Begriff aus der Embryologie) bedeutet hier:
- Konvergenz mehrerer Linien der biologischen Entwicklung an einem bestimmten Punkt im Organismus des Embryos; dadurch Auftreten von Wirkkräften und Regulierungselementen („Organisatoren"); beeinflussen weitere Entwicklung;
- Schrittmacher für bestimmte Entwicklung;
- Zentrum, von dem weiterer Einfluß ausgeht;
- (im Psychischen) Umstrukturierung des psychischen Systems auf der Ebene höherer Komplexität.

Psychosomatische Störung aufgrund neurotischen Verhaltens – erklärt über eine gestörte Mutter-Kind-Beziehung.

1. Organisator (Vorstufe des Objekts)
   - „Dreimonatslächeln" als Objektvorläufer (Maske von vorn, Bewegung);
   - von der Rezeption von Innenreizen zur Wahrnehmung von Außenreizen;

Tabelle 11. Ätiologische Klassifizierung von psychogenen Erkrankungen im Säuglingsalter entsprechend den Einstellungen der Mütter

	Ätiologischer Faktor, Einstellung der Mutter	Krankheit des Säuglings
Psychotoxizität (Qualität)	Primäre unverhüllte Ablehnung	⟶ Koma des Neugeborenen
	Primäre ängstliche übertriebene Besorgnis	⟶ „Dreimonatskolik"
	Feindseligkeit in Form von Ängstlichkeit	⟶ Neurodermitis des Säuglings
	Kurzschlägiges Oszillieren zwischen Verwöhnung und Feindseligkeit	⟶ Hypermotilität (Schaukeln)
	Zyklische Stimmungsverschiebungen	⟶ Koprophagie
	Bewußt kompensierte Feindseligkeit	⟶ Aggressiver Hyperthymiker
Mangelerscheinungen (Quantität)	Partieller Entzug affektiver Zufuhr	⟶ Anaklitische Depression
	Völliger Entzug affektiver Zufuhr	⟶ Marasmus

- Realitätsprinzip hat angefangen zu wirken;
- Gedächtnisspuren sind hinterlegt;
- Teilung von bewußt/vorbewußt/unbewußt (topischer Aspekt);
- Verschieben einer Erinnerungsspur auf eine andere;
- Auftauchen eines rudimentären Ich;
- Strukturierung von Soma und Psyche („Somatopsyche");
- Zunehmende Koordinierung und Zielgerichtetheit der Muskelaktivität;
- rudimentäres Ich (Körper-Ich nach Freud);
- Beginn der sozialen Beziehungen;
- Bedürfnisbefriedigung wird mit sozialem Lächeln beantwortet, bei Frustration (Entfernung des Partners): Weinen.

2. Organisator (Bildung des Objekts der Libido)
   - „Achtmonatsangst":
     o Kind unterscheidet zwischen Freund und Fremden (Vergleich von Gedächtnisspuren),
     o Gesicht der Mutter einzigartig,
     o Beginn der Entwicklung von Objektbeziehungen,
     o Funktion des Urteilens und Entscheidens erworben,
     o größere Unabhängigkeit von der Mutter möglich durch: Nachahmung und Identifizierung, Erwerb von Handlungsabläufen;
   - „Objektbildung" möglich durch:
     o (im Somatischen) Myelinisation der Nervenbahnen, Muskelapparat besser ausgestattet, Regelung von Körperhaltung und Gleichgewicht;

o (im Psychischen) Ich-System ist funktionierende Einheit, Objektbeziehungen beginnen, fortschreitende Differenzierung von Aggression und Libido („gutes" und „schlechtes" Objekt nach Melanie Klein),
  Konstituierung des Objektes,
  Auftreten von Abwehrmechanismen;
  (Denkapparat) wachsende Zahl von Erinnerungsspuren,
  gerichtete Handlungsabfolgen.

3. Organisator (Ursprung und Beginn der menschlichen Kommunikation)
   - „Verneinungsgeste": Ursprung der verbalen Kommunikation, Kommunikation auf Distanz eingeführt, Handeln durch das Wort ersetzt;
   - Konflikt zwischen Initiative des Kindes und Befürchtungen der Mutter;
   - mütterliches Eingreifen von Wort und Gebärde geprägt;
   - selbständige Lokomotion mit Gefahren verbunden;
   - Verständnis für Verbote wächst;
   - erste Identifizierungen;
   - beginnende Loslösung.

Aber: Es gibt auch Säuglinge, die keine symbiotische Vereinigung zulassen können!

Literatur

Spitz R (1972) Vom Säugling zum Kleinkind. Klett, Stuttgart
Spitz R (1957a) No and yes. International University Press, New York
Spitz R (1957b) Die Entstehung der ersten Objektbeziehungen. Klett, Stuttgart

M.S. Mahler

1. Autistische Phase (bis 3.–4. Woche);
2. Symbiotische Phase (3. Monat);
3. Phase der Trennung:
   a) Subphase der Differenzierung (5.–10. Monat),
   b) Subphase als Übungssubphase (frühe und eigentliche) 10.–16. Monat,
   c) Subphase der Wiederannäherung (16.–24. Monat):
      - beginnende Wiederannäherung,
      - Wiederannäherungskrise,
      - individuelle Lösung;
4. Individuation.

1. Autistische Phase (3.–4. Lebenswoche):
   - Aufrechterhaltung des homöostatischen Gleichgewichts,
   - Zustand primitiver halluzinatorischer Desorientiertheit,
   - Steigerung der Empfindlichkeit (nachgewiesen im EEG),
   - „Bersten der autistischen Schale" (das bedürfnisbefriedigende Objekt wird wahrgenommen).

2. Symbiotische Phase (Beginn 3. Lebensmonat):
   - halluzinatorisch-illusorische, somatophysische, omnipotente Fusion mit der Mutterrepräsentanz,

- gesteigerte Aufmerksamkeit des Kindes,
- affektiv-wahrnehmende Besetzung von Reizen,
- Schaffung eines spezifischen Bandes zur Mutter („Dreimonatslächeln"; vgl. R. Spitz),
- weg von koenästhetischem Empfinden:
- sensorisches Erleben des mütterlichen und des eigenen Körpers langsam getrennt,
- Höhepunkt der Erforschung der Haut und des Mundes.

3. Trennungs- und Individuationsphase (5.–24. Monat)

   a) *Subphase der Differenzierung* (5.–10. Monat):

   5. Monat: Bedeutung der Berührung für Angrenzung und der libidinösen Besetzung des kindlichen Körpers durch die Mutter:
   - Säugling schmiegt sich an Mutter an,
   - Umgang mit Übergangsobjekten,
   - Kinder wacher, zielgerichteter;

   6. Monat: „Ausschlüpfen"; Loslösung erprobt durch:
   - Ziehen an Haaren, Ohren, Schmuck,
   - Essen in den Mund stecken,
   - wegstoßen, um Mutter zu sehen,
   - eigener Körper von dem der Mutter getrennt erlebt;

   8. Monat: Muster des Nachprüfens („checking back"):
   - abtasten, vergleichen – was ist Mutter?
   - Reaktion auf Fremde: Fremdenangst („Achtmonatsangst"; vgl. R. Spitz),
   - nicht nur Angst, auch Neugier,
   - lustvolles Forschungsverhalten.

   Ideale Beziehung: Mutter hat Symbiose ohne Konflikte genossen.
   Pathologisch: Mutter ambivalent, parasitär:
   - Kind wird bedrängt, erstickt;
     Folge: gestörte Differenzierung.
   - Kind kann sich nicht auf Mutter verlassen, muß sich selbst bemuttern (Symbiose verlängert);
     Folge: Entwicklung eines falschen Selbst;
   - rasches „Ausschlüpfen" mit Angstreaktionen bei unbehaglicher Symbiose;
     Folge: kein ausreichendes Reservoir an Urvertrauen, um die Mutterwelt zu verlassen.

   b) *Subphase als Übungssubphase* (10.–16. Monat)
   - Frühe Übungssubphase:
     o Krabbeln, Watscheln, Klettern, Sichaufrichten, Interesse an unbelebten Objekten (Decke, Windeln).
     o Mutter muß forschendem Kind Freiheit geben, aber sie bleibt „Heimatbasis" zum „emotionalen Auftanken".
     o Kurze Phase gesteigerter Trennungsangst möglich.

- Eigentliche Übungssubphase:
  - freie aufrechte Fortbewegung,
  - Üben motorischer Fähigkeiten libidinös besetzt,
  - körperliches Hochgefühl, sensorische Empfänglichkeit,
  - Penis wird entdeckt,
  - Erleben des Laufens kann nicht überschätzt werden,
  - „Liebesverhältnis mit der Welt beginnt" (Greenacre 1959),
  - Höhepunkt des Narzißmus (Beherrschung der Welt) mit Unempfindlichkeiten gegenüber Frustrationen,
  - narzißtische Besetzung der Körperfunktionen und des ganzen Körpers,
  - autonome Funktionen und Geschicklichkeit werden geübt,
  - Flucht aus der Verschmelzung,
  - Schritt zur Identitätsbildung.

c) *Subphase der Wiederannäherung* (16. – 24. Monat)
Freie Fortbewegung und zunehmende kognitive Entwicklung (Sprache, Symbolisierungsfähigkeit),
Selbständigkeit wird verteidigt durch „nein" („Verneinungsgeste": nach Spitz 1967),
Kind entdeckt, daß ihm die Welt nicht gehört,
Getrenntheit von der Mutter wird bewußter.
- Beginnende Wiederannäherung:
  - „Weltbeherrscher" in Frage gestellt,
  - eigene Wünsche (von Mutter und Kind)
  - Körper wird als Eigentum erlebt
  - soziale Interaktion:
    Versteck- und Nachahmungsspiele, Vater wird wichtiger;
  - bei Trennung:
    Aktivität gesteigert, Trauer abgewehrt, ohnmächtige Wut, Hilflosigkeit.
- Wiederannäherungskrise:
  - Einüben von Selbständigkeiten,
  - Mutter wegstoßen und an sich anklammern (Ambitendenz),
  - gleichzeitiges Verlangen (Ambivalenz),
  - Gefühle von Mutter getrennt (sonst erneut Fremdenangst),
  - Mutter als Erweiterung des Selbst,
  - Beginn der Empathie,
  - höheres Niveau der Ich-Identifizierung,
  - Aufspaltung der Objektwelt,
  - „gute" und „böse" Mutter,
  - Übergangsphänomene (bis Mutter wieder da: Stuhl als Organobjekt, Garderobe als „Übungszimmer").
- Individuelle Lösung:
  - Sprachentwicklung (Objekte benennen, kontrollieren),
  - Verinnerlichungsprozeß (Identifizierung),
  - symbolisches Spiel,
  - Erkennung des Unterschieds zwischen Jungen und Mädchen.

Zusammenfassung:
- Orale, anale, frühe genitale Konflikte und Zwänge fallen zusammen.
- Das Kind muß auf symbiotische Allmacht verzichten.
- Körperschema (und körperliches Unbehagen) wird wahrgenommen.
- Glaube an die Allmacht der Mutter wird erschüttert, Furcht vor Objektverlust gemildert, Internalisierung elterlicher Anforderungen (Über-Ich); dadurch Angst, die Liebe des Objektes zu verlieren; größere Verletzbarkeit.
- Körperliche Empfindungen und Beeinträchtigungen werden wahrgenommen (oral, anal, genital).
- Entdeckung des Geschlechtsunterschiedes.

Bei nicht optimaler Entwicklung:
- ausgeprägter Ambivalenzkonflikt (Anklammern und Negativismus = Ambitendenz),
- Objektwelt in „gut" und „böse" gespalten, Ausübung von Zwang gegenüber der Mutter.

Literatur

Greenacre P (1959) Play in relation to creative imagination. Psychoanal Study Child 14:61–80
Mahler MS (1972) Symbiose und Individuation. Klett, Stuttgart
Mahler MS (1975) Symbiose und Individuation. Psyche 29:609–625
Mahler MS, Pine F, Bergman A (1978) Die psychische Geburt des Menschen. Fischer, Frankfurt

O. F. Kernberg

Genese narzißtischer Persönlichkeitsstörungen:
Ursache der pathologischen Verschmelzung von Idealselbst, Idealobjekt- und Realselbstrepräsentanzen ist eine pathologisch verstärkte Ausprägung oraler Aggression. Diese kommt zustande:
- konstitutionell:
  - starker Aggressionstrieb,
  - geringe Angsttoleranz hinsichtlich aggressiver Impulse;
- entwicklungspsychologisch:
  - schwere Frustrationen in den ersten Lebenswochen,
  - dominierende, kalte, narzißtische und überfürsorgliche Mütter,

verbunden mit
- Gefühlen des Ungeliebtseins;
- Rache, Neid, Haß wird abgewehrt und kompensiert: „Ich bin etwas Besonderes";
- Kinder haben tatsächlich etwas Besonderes, was narzißtisch bedürftige Mütter aus- bzw. benutzen.

Narzißtische Persönlichkeitsstörungen:
- Entwicklungsschicksale der libidinösen und aggressiven Impulse lassen sich nicht von der Entwicklung der Objektbeziehungen trennen.
- Narzißtische Persönlichkeiten haben Störungen des Selbstwertgefühls, der zwischenmenschlichen Beziehungen.

- Symptome:
  - Größenphantasien,
  - Minderwetigkeitsgefühle,
  - Angewiesensein auf Bewunderung durch andere,
  - oberflächliches Gefühl,
  - Grundverfassung: Leere, Gleichgültigkeit,
  - großes Maß an Selbstbezogenheit im Umgang mit anderen Menschen,
  - wenig Empathie,
  - Unfähigkeit, echte Abhängigkeit von anderen Menschen zu entwickeln,
  - starker Neid auf andere,
  - Neigung zur Idealisierung oder
  - Entwertung anderer,
  - mitmenschliche Beziehungen ausbeuterisch bis parasitär.

Gestörte Individuen haben
- primitive verinnerlichte Objektbeziehungen bedrohlicher Art,
- auch idealisierte Gestalten: entstammen der Projektion eigener überhöhter Selbstbilder,
- pathologisches Größenselbst mit verkümmerten Objektbeziehungen,
- Größenselbst als Verschmelzungsprodukt von Anteilen des Realselbst, des Idealselbst, der Idealobjekte,
- *Folgeerscheinungen:*
  - gestörte Über-Ich-Integration (Aspekte enthalten primitive, aggressive, entstellte Qualität),
  - Externalisierungen aggressiver Über-Ich-Anteile in Form paranoider Projektionen,
  - Abhängigkeit von äußerer Quelle der Bewunderung (Defekt des Ich-Ideals),
  - pathologische Objektbeziehungen mit Verleugnung der Abhängigkeit (und evtl. Entwertung).

3 Untergruppen narzißtischer Persönlichkeitsstörungen mit
- hohem Strukturniveau:
  - gute, aber oberflächliche Funktionstüchtigkeit (Probleme zeigen sich häufig erst in der Lebensmitte beim Zusammenbruch der Illusionen von Grandiosität),
- mittlerem Strukturniveau:
  - mit Beziehungsstörungen, Leeregefühlen neurotischen Symptomen
- Borderlineniveau:
  - mit primitiver Abwehrkonstellation, Ich-Schwäche mit mangelnder Angsttoleranz und Affektkontrolle.

Literatur

Kernberg O (1975) Zur Behandlung narzißtischer Persönlichkeitsstörungen. Psyche 29:890–905
Kernberg O (1978) Border-line-Störungen und pathologischer Narzißmus. Suhrkamp, Frankfurt
Kernberg O (1981) Objektbeziehungen und Praxis der Psychoanalyse. Klett, Stuttgart

H. Kohut

Symptome bei narzißtischer Persönlichkeitsstörung:
- Arbeits- und Konzentrationsstörungen,
- perverse Handlungen,
- schwere Selbstwertprobleme,
- intensive Gefühle der Leere, der Verlassenheit, der Sinnlosigkeit,
- Depression,
- Schamanfälligkeit,
- Kränkbarkeit,
- Störungen des „Körperselbst",
- Erkennung der narzißtischen Störung v. a. an der Beobachtung der Übertragung.

Genese:
- Fixierung an das archaisch bleibende Größenselbst:
  o Angst vor neuerlicher Zurückweisung abgewehrt,
  o vertikale Spaltung (Abspaltung von Größenphantasien; neben arroganter Haltung Minderwertigkeitsgefühle),
  o horizontale Spaltung (Abwehr gegen die Forderungen des archaischen Größenselbst, verbunden mit depressiven Verstimmungen, Minderwertigkeitsgefühlen, Kälte, distanziertem Verhalten).
- Fixierung an die archaisch idealisierte Elternimago:
  o Unterbrechung des normalen Prozesses der Entidealisierung der Elternimago,
  o Verinnerlichung elterlicher Funktionen verhindert,
  o daraus resultierende Störungen:
    — allgemeine Strukturschwäche,
    — narzißtische Verwundbarkeit,
    — mangelhafte Fähigkeit zur Neutralisierung sexueller und aggressiver Triebimpulse,
    — immer auf der Suche nach äußeren Autoritäts- und Idealfiguren (unvollkommene Idealisierung des Über-Ich).

Klassifizierung der Selbstobjektübertragungen:
- Spiegelübertragung,
- idealisierte Übertragung,
- Zwillings- oder Alter-Ego-Übertragung.

Kernpsychopathologie:
- primärer Defekt des Selbst (nicht mehr Defekte des Ich, Über-Ich und Funktionsstörungen):
  o tiefste Schichten betroffen,
  o Störungen im Bereich des archaischen Größenselbst,
  o Ursprünge in der präverbalen Phase,
  o mangelnde Spiegelung der Mutter,
  o gesunde Grandiosität des Kindes mißlingt.

Defensive (sekundäre) Strukturen des Selbst dienen der Abwehr des Selbstdefekts:

o aktiviert bei narzißtischen Kränkungen,
  o kompensatorische Struktur oft Bestandteil des Selbst (System von Idealen, Ich-Funktionen und den Folgen mit Kreativität, Produktivität) mit der Chance, ein kohärentes Selbst zu entwickeln.

Das Selbst besteht aus 3 Bereichen (sie entsprechen den Selbstobjektbedürfnissen); 3 Pole:
- Strebungen,
- idealisierte Ziele,
- Fertigkeiten und Begabungen.

Literatur

Kohut H (1966) Formen und Umformungen des Narzißmus. Psyche 20:561–567
Kohut H (1971) Introspektion, Empathie und Psychoanalyse. Psyche 25:831–855
Kohut H (1973a) Narzißmus. Suhrkamp, Frankfurt
Kohut H (1973b) Überlegungen zum Narzißmus und zur narzißtischen Wut. Psyche 27: 513–533
Kohut H (1975) Die Zukunft der Psychoanalyse. Suhrkamp, Frankfurt
Kohut H (1979) Die Heilung des Selbst. Suhrkamp, Frankfurt
Kohut H (1987) Wie heilt Psychoanalyse? Suhrkamp, Frankfurt

E. Jacobson

- Ich und Es und beide Arten von Trieben zuerst undifferenziert („frühestes psychophysiologisches Selbst").
- Unterscheidung von Selbst und Objekt, wie es erlebt wird, von dem realen Selbst und Objekt („Repräsentationen").
- Neben dem Fütterungsvorgang spielen alle befriedigenden und frustierenden Erfahrungen eine Rolle: Überwindung des psychosexuellen Aspekts der Oralphase.
- Primär affektive Identifizierungen verschmelzen mit dem Objekt (durch Fähigkeit zur Empathie).
- Selektive Identifizierungen durch teilweise Introjektion.
- Förderung einer festen libidinösen Besetzung des Selbst und der Objekte durch erträgliches Maß an Frustration.
- Wachstumsfördernde Eigenschaften des Aggressionstriebes; das Kind erlebt nicht nur Frustration, sondern auch
  o Ambition,
  o Besitzgier,
  o Rivalität,
  o Enttäuschung,
  o Versagen.
- Dauerhafte Identifizierungen hängen vom Gleichgewicht von Libido und Aggression ab.
- Objektbeziehungen wachsen entsprechend dem Erreichen der Identität.
- Schritte zur Strukturierung (erste Wochen):
  o Triebe haben sich geschieden in libidinöse und aggressive,
  o Neutralisierung hat begonnen,
  o Repräsentationen des Selbst und der Objektwelt werden aufgebaut.

Theorie der Psychose:
- undifferenzierte Selbst- und Objektrepräsentanzen verschmelzen,
- dem Psychotiker fehlt die Identität.

Depression:
- intrapsychischer Konflikt zwischen der Wunschvorstellung des Selbst und der Imago des versagenden Selbst;
- bei frühem Objektverlust, Unfähigkeit des primitiven Ich zu trauern und narzißtische und Ambivalenzkonflikte aufzulösen;
- Objekte unterschätzt und überidealisiert.

Über-Ich:
Außer den bekannten Funktionen:
- Aufrechterhaltung der Identität durch das Über-Ich;
- liefert ein stabiles Gleichgewicht,
- reguliert die Selbsterhaltung,
- ist Indikator des gesamten Ich-Zustands,
- trägt zur Entwicklung einer kohärenten, konsistenten Abwehrorganisation bei (wird sonst dem Ich zugeschrieben).

Literatur

Jacobson E (1975) Denial and regression. J Am Psychoanal Assoc 5:61–87
Jacobson E (1974) Das Selbst und die Wahl der Objekte. Suhrkamp, Frankfurt
Jacobson E (1978) Depression. Suhrkamp, Frankfurt

M. Klein

Zur präödipalen Phase des Kindes:
- Betonung des oralen Sadismus, der Einverleibung bzw. Inkorporation.
- Das Kind hat Angst vor dem eigenen Sadismus, schützt sich durch die Phantasien der Einverleibung des väterlichen Gliedes.
- Introjiziertes Glied bildet Grundlage des Über-Ich mit der Möglichkeit, Haßimpulse zu projizieren bzw. sadistische Wünsche zu hemmen.

I. Phase der oralen Aggression
  1. Sadismus der mütterlichen Brust gegenüber.
  2. Sadismus wird auf das väterliche Glied übertragen.
  3. Das väterliche Glied ist im Leib der Mutter.
  4. Der Sadismus richtet sich allgemein gegen die Mutter.

II. Phase der Abwehr
  1. Das Glied wird introjiziert.
  2. Damit wird die Grundlage des Über-Ich gebildet.
  3. Dies ermöglicht Projektion und Aggression in die Umwelt.
  4. Die Aggression kann durch Strenge eingedämmt werden.

III. Phase von wechselnder Projektion durch Introjektion
1. Die Projektion sadistischer Impulse in die Umwelt schafft „böse" Objekte.
2. Diese werden durch orale Aggression wieder inkorporiert und introjiziert.
3. Introjektionen bilden zusätzlich die Grundlage des Über-Ich.
   - Entwicklung des Ödipuskomplexes vor der eigentlichen ödipalen Phase.
   - Entwicklung des Über-Ich vor der oralen Phase.
   - Unterschied in der Entwicklung von Mädchen und Jungen:
     o Das Mädchen identifiziert sich mit der Mutter, die den Penis einverleibt hat, glaubt deshalb, auch ein Glied zu besitzen (deshalb Entwicklung eines stärkeren Über-Ich und länger anhaltenden Allmachtsvorstellungen).
     o Der Junge entdeckt früh die Existenz seines Gliedes; er will das väterliche Glied im Leib der Mutter zerstören; erst dann entwickelt sich die Kastrationsangst.

Depression:
- unbewußte Phantasien über die endgültige Zerstörung des „guten" Objektes (Mutterbrust oder Mutter-und-Vater-Imago);
- das Ich kann die „guten" Objekte nicht gegen die sadistischen Impulse schützen.

Neurose/Psychose:
- Versuche des Ich, die Angst zu überwinden, sich nicht gegen die sadistischen Impulse wehren zu können.

Literatur

Klein M (1962) Das Seelenleben des Kleinkindes und andere Beiträge zur Psychoanalyse. Klett, Stuttgart (Beiheft zur „Psyche")
Knapp G (1988) Narzißmus und Primärbeziehung. Psychoanalytisch-anthropologische Grundlagen für ein neues Verständnis von Kindheit. Springer, Berlin Heidelberg New York London Paris Tokyo
Money-Kyrle RE (1975) Melanie Kleins Beiträge zur Psychoanalyse. Psyche 29:223–241
Wyss D (1972) Die tiefenpsychologischen Schulen von den Anfängen bis zur Gegenwart. Vandenhoeck & Ruprecht, Göttingen

D. W. Winnicott

Einige Thesen:
- Das Selbst ist immer das werdende Selbst.
- Wichtig: ausreichend gute/nicht ausreichend gute „child care".
- Enge symbiotische Beziehung („There is no such thing as a baby").
- Der Säugling ist ein erlebendes („experiencing") Individuum in der Beziehung zu seiner Umwelt.
- Zwei Aspekte des Selbst:
  o erfährt sich aus der interpersonalen Kommunikation; aus der gemeinsamen Lebenserfahrung zwischen Kleinkind und Mutter zur Erfahrung des intermediären Raumes, zum Erleben in der kulturellen Erfahrung;
  o das nicht kommunizierende, zentrale Selbst kommuniziert in Fällen von Gesundheit primär nicht.

- Für die „continuity of being" ist eine perfekte Umgebung nötig. Sie paßt sich aktiv den Bedürfnissen der neugeformten Psyche-Soma-Struktur an („good-enough mother").
- „Fördernde Umwelt" für Reifungsprozeß unabdingbar.
- Aus der primären Nichtintegration entwickelt sich die Integration.
- Erreichen einer psychosomatischen Existenz durch die mütterliche Pflege.
- Die gesunde Entwicklung setzt die Spiegelfunktion der Mutter voraus.
- Konzept des „wahren und falschen Selbst":
  ○ das wahre Selbst stammt aus der Lebendigkeit des Körpers (Herzschlag, Atmung, Muskelaktivität); die spontane Geste ist das wahre Selbst in Aktion;
  ○ das falsche Selbst stammt aus der Anpassung des Säuglings an die Mutter; die „not good-enough mother" drängt dem Kind ihre eigene Geste auf.
- Prägung des Begriffs „Übergangsobjekt", Übergangsphänomen im Sinne des Erkennens als Nicht-Ich-Objekt.
- Es gibt drei bedeutsame Entwicklungsaufgaben:
  ○ Integration der Persönlichkeit,
  ○ Personalisierung = Verknüpfung von Soma und Psyche,
  ○ Aufnahme von Beziehungen zum Objekt.
- Ich-Stärke verbunden mit
  ○ „von der Abhängigkeit zur Unabhängigkeit",
  ○ der „Fähigkeit, von einem zum anderen zu wechseln",
  ○ der „seelischen Beweglichkeit",
  ○ der „Möglichkeit zur spielerischen Entspannung",
  ○ einem Körper als Quelle lustvoller Freude.
- Gesundheit oder Normalität ist eine Frage der Reife und nicht des Freiseins von Symptomen.
- „Geistig-sselische Erkrankungen sind Muster des Kompromisses zwischen Erfolg und Scheitern in der emotionalen Entwicklung des Individuums".
- Zur Psychosomatik:
  ○ Das „Ziel psychosomatischer Symptombildung liegt häufig darin, die gefährdete psychosomatische Partnerschaft zwischen Körper und Seele wiederherzustellen bzw. abzusichern":
  ○ Das „Fehlen einer psychosomatischen Krankheit kann Gesundheit bedeuten, jedoch nicht unbedingt Leben":
  ○ Gesundheit heißt, daß „ein Mann und eine Frau das Gefühl haben, ihr eigenes Leben zu leben: sie besitzen ein Gefühl für ihr eigenes Selbst und ihr eigenes Sein";
  ○ Der Gesunde benötigt wenig „Technik der Verleugnung und Projektion".
  ○ Das Spiel ist Ausdruck von Gesundheit: denn „Spielen ermöglicht Reifung";
  ○ Gesundheit umschrieben mit Begriffen:
    — „innere Freiheit der Person",
    — „Fähigkeit zu Glauben und Vertrauen",
    — „Fähigkeit zur Realitätsprüfung und Objektkonstanz",
    — „Freiheit von Selbsttäuschungen" und
    — „Reichtum der persönlichen psychischen Realität".

- Zur Psychoneurose:
  - = „Ausdruck, mit dem man die Erkrankung von Menschen bezeichnet, die im Stadium des Ödipuskomplexes krank geworden sind, in dem Stadium, in dem die Beziehung zwischen drei ganzen Personen erlebt werden kann".
  - gehört zu den Abwehrmechanismen, die sich „um Ängste und Konflikte relativ normaler Menschen aufgebaut" haben;
  - Der Grad der Krankheit spiegelt sich im Grad der Starrheit der Abwehr";
  - „Der Psychoneurotiker ist im frühesten Säuglingsalter angemessen versorgt worden".
- „Bei der Borderlineerkrankung ist der Kern der Störung ein psychotischer..., wobei der Patient allerdings soweit psychoneurotisch organisiert ist, daß es stets in der Lage bleibt, psychoneurotische oder psychosomatische Störungen zu produzieren, wenn die eigentliche psychotische Angst in unverarbeiteter Form durchzubrechen droht".
- Zur Depression:
  - „Zwischen Psychoneurose und Schizophrenie liegt das ganze Gebiet, das man mit dem Wort Depression bezeichnet";
  - „Am Ende der Skala, jenseits der schizoiden Depression, steht die eigentliche Schizophrenie".
- Zur Psychose:
  - „Im Zentrum steht ein grundlegender Mangel an echter Beziehung zur äußeren Realität";
  - die „Objektbeziehungen laufen schief";
  - die Fähigkeit zur Symbolisierung fehlt;
  - das „Fehlen von Widerständen weist auf Mängel der Ich-Entwicklung hin";
  - es besteht nur eine „rudimentäre Verbundenheit zwischen Psyche und Soma";
  - „intellektuelle Funktionen sind hypertrophiert";
  - „Abwehrmechanismen sind in einem chaotischen Zustand, Desintegration und primitive Abwehr herrschen vor";
  - „der Psychotiker wehrt sich gegen die Vernichtungsdrohung";
  - Psychotische Ängste = „primitive Qualen":
    — in Stücke zu zerfallen,
    — unaufhörlich zu fallen,
    — „psychosomatische Partnerschaft, Realitätsprüfung und jegliche Kommunikationsfähigkeit zu verlieren";
  - Psychotische Erkrankung als „Abwehrorganisation..., die das wahre Selbst stützen soll";
  - „Abwehr der schrecklichen Ängste des paranoiden Zustands im frühesten Säuglingsalter": (Möglichkeiten)
    — „Rückzug in den autistischen Zustand",
    — „Aktive Desintegration der infantilen Psychose";
    — „Entwicklung einer infantilen Schizophrenie" (Desintegration richtet sich gegen die archaische Angst, wenn as Halten im Stadium der absoluten Abhängigkeit fehlt);
    — „Entwicklung des falschen Selbst" (eines „Pseudo-Selbst, das eine Ansammlung von zahllosen Reaktionen auf eine Aufeinanderfolge von verfehlten Anpassungsversuchen" ((der Umwelt) ist);

— „Intellektuelles falsches Selbst": „Die Lücke zwischen der vollständigen und unvollständigen Anpassung (der Mutter) wird durch die intellektuellen Prozesse des Individuums bewältigt...". „Bestimmte Arten des Versagens, insbesondere unberechenbares Verhalten, rufen eine übermäßige Aktivität der geistigen Funktionen hervor".
Folge: „Hypertrophie von intellektuellen Prozessen".

(Wörtliche Zitate: Winnicott, aus Auchter 1989.)

Literatur

Auchter T (1989) Gesundsein und Kranksein. Ein fiktives Gespräch mit Donald W. Winnicott. Forum Psychoanal 5:153–167
Schacht L (1986) Die früheste Kindheitsentwicklung und ihre Störungen aus der Sicht Winnicotts. In: Uexküll TH von (Hrsg) Psychosomatische Medizin. Urban & Schwarzenberg, München Wien Baltimore, S 68–80
Winnicott DW (1973) Vom Spiel zur Kreativität. Übergangsobjekte und ihre Funktion bei der Entwicklung des Ich und des Selbst. Klett, Stuttgart
Winnicott DW (1974) Reifungsprozesse und fördernde Umwelt. Kindler, München

Wilfried Rupprecht Bion (1897–1979)

- Nachfolger Melanie Kleins
- „Theorie des Denkens" = Modell „Container – Contained"
  o Modell
    — der Konzeption (Penis in Scheide, Spermien in Ovar)
    — der Gestation (Embryo in Uterus)
    — des Stillens (Brustwarze-im-Mund, Milch-im-Bauch)
    — des Ausscheidens (Kotstange-im-Dickdarm).
- Basis für psychosomatisches Erlebens von Anfang des Lebens an.
- Sinn und Zweck des „Containers": →„Etwas" = „Contained" in sich aufnehmen →dadurch entsteht etwas Drittes zum Vorteil aller drei.
- Modell für die Entstehung der Denkfähigkeit für das Lernen aus Erfahrung: = somato-psychische Erfahrung, besteht aus:
  o „Beta-Elementen" („Rohbausteine", die sich Platz suchen, wo sie wachsen und transformiert werden können),
  o „Alpha-Elementen" = durch „Rêverie" und „Alpha-Funktion" umgewandelte „Beta-Elemente",
  o „negative Kapazität" = Fähigkeit aufzunehmen, ohne zu beurteilen, zu erklären, ein „mit dem Erlebten einfach Sein-können"; erfordert Geduld und Sicherheit.

Das aufnehmende Objekt (die Psyche des Containers) muß in der Lage sein, das vom Subjekt Aufgenommene (Hineinprojizierte, Schmerzhafte, Unverstandene, „Nicht-denkbare") zu metabolisieren, den Vorgang nachzuvollziehen. Erst dann kann es dieses dem Subjekt dosiert zurückgeben.

Literatur

Lazar RA (1990) Supervision ist unmöglich: Bions Modell des „Container und Contained". In: Pühl H (Hrsg) Handbuch der Supervision. Beratung und Reflexion in Ausbildung, Beruf und Organisation. Edition Marhold im Wissenschaftsverlag Volker Spiess, Berlin

Traum

Entscheidungsfreiheit, Traum und Tod heben den Menschen über das Tier mit seinem nur instinktiven Verhalten hinaus.

Traum allgemein:
- Hüter des Schlafes,
- Ventil für Konflikte,
- Mittel der Wunscherfüllung,
- Mittel der Bestrafung (durch Angst),
- existielles Geschehen (das dem Träumer „etwas sagen will"),
- „Schattenseitenerleben" (nach Jung „dunkle Seite" der Person),
- Stück Lebensgeschichte,
- Versuch einer „Problemlösung".

3 Traumkategorien:
- sinnvoll, verständlich (Träume lassen sich, v. a. bei Kindern, in Erlebniszusammenhang einfügen);
- sinnvoll, aber befremdlich (scheinbar nicht zum Erleben passend);
- sinnlos, befremdlich (scheinbar unzusammenhängend und verworren).

Traumtheorie (nach Freud)

Der manifeste *Traum* (das, was erzählt wird) entsteht aus den *dahinterliegenden Traumgedanken* durch die *Traumarbeit;* diese unterliegt einer inneren *Zensur*, um peinliche, angstauslösende Gedanken herauszufiltern durch
- Verdichtung (wei mehrfach übereinander belichteter Film; „Mischpersonen"; Doppelsinn),
- Verschiebung (emotional Bedeutsames wird auf Nebensächliches „verschoben"),
- Symbolik (ähnlich wie Bilderrätsel; Zuständlichkeiten werden durch Gegenständliches ausgedrückt),
- Traumarbeit (die durch Deutungsarbeit „rückgängig" gemacht wird).

Die Traumsprache artikuliert sich vorwiegend bildhaft. Der Analytiker hat eine Übersetzungsaufgabe: Bilder sollen in Worte und Gedanken gefaßt werden. Inzwischen bekannt: Im REM-Schlaf werden eher irrationale, im Non-Rem-Schlaf eher „vernünftige" Träume geträumt.

Zwei Arten von vollständig und lebhaft erinnerten, normalen Träumen:

1. der Träumer spürt nichts von seinem Körper:
   - das Ich im Traum ist ein seelisches Ich,
   - Libido ist dem Körper entzogen, zum Es zurückgeströmt,

- Ich trifft auf Objektvorstellungen, die von der libidinösen Besetzung aktiviert wurden = bis zur Illusion der Realität – der Träumer spürt seinen Körper nicht.
2. der Träumer spürt lebhafte Empfindungen körperlich:
    - „typische" Träume vom Fliegen, von Nacktheit,
    - Träumer stellt sich selbst dar, allenfalls Teilobjekterscheinen im Traum,
    - lebhaft, Details der Umgebung, Landschaft, Personen, der Realität.

Traumentstehung:
- Tagesreste und
- infantile (unbewußte) Wünsche;
- Ursprung, Wesen, Funktion des Traumes als Versuch der Beseitigung psychischer Reize mit Hilfe halluzinatorischer Befriedigung (Freud 1916/17);
- Traum als Kompromiß zwischen
  o Schlafwunsch und
  o Selbstbestrafungswunsch (vom Über-Ich ausgehend);
- Träume sind absolut egoistisch (Freud 1900);
- im Traum geht es um Selbstdarstellungen durch Identifizierungen;
- „Selbstzustandsträume" (nach Kohut 1979: bildhafte Darstellung der bedrohlichen Selbstauflösung, z. B. Flugträume).

Technik der Traumdeutung

Sinn: Unbewußtes (Triebe, Abwehrmechanismen, Tabus, genetische Zusammenhänge, Übertragungsgeschehen) bewußt machen; Traumarbeit rückgängig machen, latente Gedanken wiederfinden, und zwar mittels
- freier Assoziation (freie Einfälle zum Traum)
- Herstellen der „analytischen Situation" (Analysand soll keine Reaktion des Analytikers wahrnehmen, um nicht beeinflußt zu werden),
- Konfrontation, um
  o eine Erschütterung zu bewirken,
  o eine Bewußtseinserweiterung zu ermöglichen,
  o Kräfte freizusetzen, die in den Abwehrmechanismen gebunden waren,
  o Ziele aufzuzeigen oder auf Ziele hin den Analysanden wachsen zu lassen.

Arten der Traumdeutung (des Traumgeschehens)

- Objektstufendeutung (Verdichtung der Erlebnisse mit realen Personen),
- Subjektstufendeutung (vorkommende Personen als Personifizierung eigener Wesenszüge, leibhaftig gewordene „Teilseelen"),
- Übertragungsdeutung (bezogen auf die analytische Situation),
- kategoriale Deutung (dynamischer Aspekt, was tut der Träumende?),
- Symboldeutung (heute eher vorsichtig gehandhabt).

3 Widerstandsformen:
- endlose Assoziationen (gehen nicht in die Tiefe),
- Patient träumt nicht, vergißt die Träume,
- Traumüberschwemmung (Analytiker wird mit Material zugedeckt).

Initialtraum: Wichtig, enthält oft Struktur, Genese, Problematik, Ansatzmöglichkeiten für die Gesundung (kann oft erst am Ende der Analyse verstanden werden).

Gefahr der Spekulation; Schutz durch:
- Einfälle des Träumers, nicht des Analytikers heranziehen, Zurückhaltung eigener Aktivität;
- jeden Traum in Zusammenhang mit dem ganzen Leben des Träumers sehen (Tagesrest, Diagnose, Stand der Analyse);
- Therapeut muß eigene Erfahrung haben; sie kontrollieren lassen von Erfahrenen;
- Evidenzerlebnisse des Analysanden wichtig.

Die Traumdeutung muß 3 Komponenten haben:
- Übertragungsbeziehung,
- aktuelle Außenbeziehung,
- historische Dimension.

Anforderungen an die Traumdeutung (Nach Freud und Fromm 1964):
- Die verschiedenen Bedeutungen eines Traumes müssen zusammenpassen.
- Sie müssen zur emotionalen Situation des Träumers im Augenblick des Träumens passen.
- Ein Teil darf nicht für das Ganze genommen werden.
- Prokrustesbettechnik darf nicht angewendet werden.
- Zwei Schritte der Deutungsarbeit:
  o aktuelles Problem,
  o gleichartiges historisches Problem (evtl. Übertragungsaspekt).
- Prüfbarkeit:
  o Rekonstruktion der kognitiven Struktur des Traumes,
  o Widersprüche als wichtige Hinweise für neue Ideen.
- Mehrere Träume sind nötig für „historical interpretations".

Literatur

Anzieu D (1991) Das Haut-Ich. Suhrkamp, Frankfurt
French TM, Fromm E (1964) Dream interpretation. Basic Books, New York
Freud S (1900/1952) Traumdeutung. Imago, London, GW Bd 3
Freud S (1916/17, 1952) Vorlesungen zur Einführung in die Psychoanalyse. GW Bd 11
Freud S (1925/1952) Bemerkungen zur Theorie und Praxis der Traumdeutung. GW Bd 13, S 299–314
Greenson RR (1973) Technik und Praxis der Psychoanalyse. Klett, Stuttgart
Jung CG (1943) Über die Psychologie des Unbewußten. Rascher, Zürich
Kohut H (1979) Die Heilung des Selbst. Suhrkamp, Frankfurt
Lüders W (1982) Traum und Selbst. Psyche 36:813–829
Spence DP (1981) Toward a theory of dream interpretation. Psychoanal Contemp Thought 4:383–405
Thomä H, Kächele H (1986) Lehrbuch der psychoanalytischen Psychotherapie. Springer, Berlin Heidelberg New York Tokyo
Wolman BB (1975) (ed) Handbook of dreams. Van Nostrand, New York

Teil 2
Spezielle Neurosenlehre

Konflikt (Abb. 10, 11)

Konfliktreaktion:
- abnorme Erlebnisreaktion,
- erlebnisreaktive Störungen
  - mit psychischen und körperlichen Symptomen,
  - von begrenzter Dauer,
  - mit guter Prognose,
  - sind keine Neurosen.

Erschöpfungsreaktion:
- unspezifische Gruppe von Beeinträchtigungen vorwiegend vegetativer Art mit fließenden Übergängen zur Neurose.

Neurotischer Konflikt:
- Konflikt zwischen Es und Ich,
- verinnerlichter Konflikt zwischen ursprünglichen Bedürfnissen des Individuums und den Bedürfnissen und Interessen der Außenweltobjekte.

Einteilung der Konflikte:

- *Äußerer Konflikt, realer Konflikt,* mit Realangst einhergehend zwischen Individuum und Umwelt; Umwelt entscheidend, muß nicht neurotisch sein.
- *Verinnerlichter Konflikt, Gewissenskonflikt,* mit Gewissens- oder Über-Ich-Angst einhergehend; äußere Konfliktsituation durch Internalisierung verinnerlicht; Konflikt zwischen Ich und Über-Ich (Wünsche nach Befriedigung u. Versagung der Befriedigung); Umwelt indirekt beteiligt; muß nicht neurotisch sein.
- *Innerer Konflikt, neurotischer Konflikt,* mit Es- oder Triebangst einhergehend; Konflikt zwischen Es und der durch das Über-Ich verstärkten Abwehrstrukturen des Ich; Ambivalenzkonflikt (triebhafte gegensätzliche Impulse vorhanden), ohne Beteiligung der Umwelt.

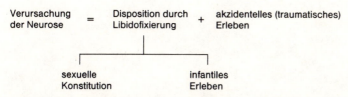

Abb. 10. Verursachung der Neurose nach Freud. (Nach Mertens 1992)

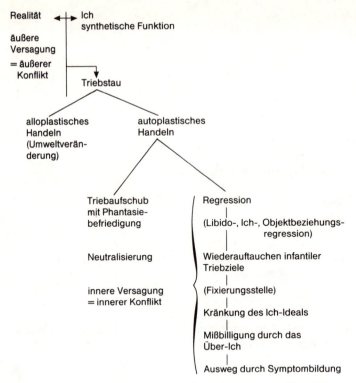

Abb. 11. Zusammenhang von äußerem und innerem Konflikt. (Nach Mertens 1992)

Literatur

Bräutigam W (1978) Reaktionen – Neurosen – Abnorme Persönlichkeiten. Thieme, Stuttgart New York
Freud S (1895/1952) Studien über Hysterie. Imago, London, GW Bd 1
Freud S (1915/1952) Einige Charaktertypen aus der psychoanalytischen Arbeit. GW Bd 10
Freud S (1916/17, 1952) Vorlesungen zur Einführung in die Psychoanalyse. GW Bd 11
Loch W (1967) Die Krankheitslehre der Psychoanalyse. Hirzel, Stuttgart
Mertens W (1992) Psychoanalyse. 4. Aufl. Kohlhammer, Stuttgart
Nunberg H (1959) Neurosenlehre. Huber, Bern

Neurosen

Charakterisierung, Differentialdiagnose, Therapie (Abb. 12)

Definition:
- mißlungene Verarbeitungs- und Lösungsversuche unbewußter, von Ihrer Genese her infantiler Konflikte, die durch eine auslösende Situation reaktiviert wurden (Psychoanalyse);
- Lösungsversuche von unbewußten Trieb-Abwehr-Konflikten mit intraindividuell unteroptimalem Ausgang (Psychoanalyse);
- erlerntes, fehlangepaßtes Verhalten mit der Ausbildung bedingter Reflexe (Lerntheorie).
- Neurosen sind geprägt von
  o Kompromißbildungen,
  o Folgezuständen reaktivierter, unbewußter, infantiler Konflikte,
  o Lösungsversuchen.

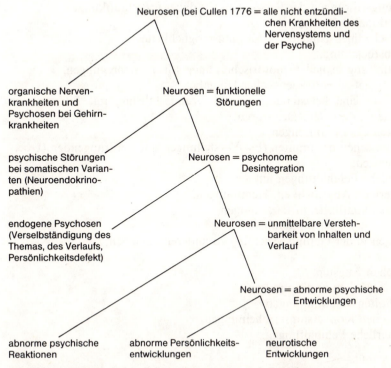

Abb. 12. Begriffsentwicklung. (Nach Binder, zit. nach Bräutigam 1978)

Tabelle 12. Einteilung (geschichtlich). (Nach Laplanche u. Pontalis 1986)

		Neuropsychosen	
1915	Aktualneurosen	Übertragungs~	narzißtische ~
1924	Aktualneurosen	Neurosen	narzißtische Neurosen	Psychosen
Gegenwärtige Einteilung	Psychosomatische Affektionen	Neurosen	Psychosen	
			manisch-depressive ~	Paranoia, Schizophrenie

Mechanismus neurotischer Symptombildungen:
- konflikthafte verdrängte Erlebniszusammenhänge dringen in das Bewußtsein ein; sie bestehen aus 5 Teilstücken:
  - Vorstellung (im Symptom etwa als Zwangsvorstellung sichtbar),
  - dazugehöriger Affekt (neurotische Depression),
  - korrespondierender motorischer Impuls (v. a. bei Zwangshandlungen und Konversionssymptomen),
  - vegetative Begleiterscheinungen des Affekts (Zittern, Erröten),
  - sekundärer negativer Affekt, mit dem Komplex gekoppelt, führte ursprünglich zu seiner Verdrängung (meist Angst).

Neurose geht einher mit
- Entwicklungsstörungen der Persönlichkeit; dabei Einschränkungen
  - im emotionalen Bereich,
  - der zwischenmenschlichen Entfaltungsmöglichkeiten,
  - der Selbstbejahung,
  - der Entfaltung sexueller, motorischer, aggressiver Triebregungen,
  - der Fähigkeit zu vertrauensvoller Hingabe;
- Fixierung an eine belastende infantile Grunderfahrung mit Bildung von „Komplexen", die Weltbezug stören;
- unbewußten Einschränkungen;
- Konflikt zwischen bestimmten (Es-)Vorstellungen und verdrängenden (Über-Ich-)Tendenzen;
- charakterliche Fehlhaltungen mit
  - Unsicherheit, Ängstlichkeit, Hemmungen,
  - Ambivalenzkonflikten in Beziehungen,
  - Störungen der eigenen Gefühlswelt,
  - Störungen in der Gefühlsbeziehung zu anderen Personen;
- Symptomen wie
  - phobischen Ängsten,
  - Zwangsgedanken und -impulsen,
  - wiederholten Verstimmungen,
  - körperlichen Konversionserscheinungen,
  - charakterliche Fehlhaltungen.

Neurose umschreibt
- emotionale und kognitive Entwicklungsstörungen.

Dynamisches Neurosenverständnis der Psychoanalyse
(nach Hoffmann u. Hochapfel 1991)

Definition: Neurosen sind Versuche (Kompromißbildungen), unlösbare Konflikte in einen subjektiv leichter erträglichen Zustand umzuwandeln.

Zur Genese: Die neurotischen Konflikte sind
- unbewußt,
- biographisch verstehbar,
- infantile Internalisierungen ursprünglich sozialer Konflikte.

Zur Finalität: Die neurotischen Erscheinungen (Symptome) sind
- ein Kompromiß zwischen subjektiv unvereinbaren Tendenzen,
- Versuche, Angst (und/oder Unlust) um jeden Preis zu vermeiden,
- ein Rekonstruktions- und Selbstheilungsversuch,
- die individuell bestmögliche Organisaitonsform eines psychischen Konflikts,
- ein Versuch einer subjektiv erträglichen Selbstwahrnehmung und Selbstdarstellung.
- als Konfliktlösung letztlich unzureichend („unteroptimal").

Typische Charakterstrukturen
(Nach Freud, zit. nach Hoffmann u. Hochapfel 1991) (Abb. 13)

Oraler Charakter:
- Gier nach Speisen und Menschen,
- Abhängigkeit von anderen,

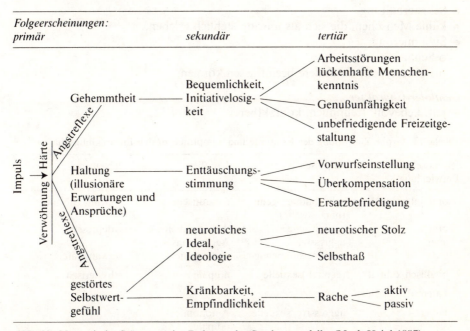

Abb. 13. Neurotische Störungen im Rahmen des Strukturmodells. (Nach Heigl 1987)

- Tendenz zu symbiotischen Bezügen und Identifikationen,
- Sublimierung: Feinschmecker, Redner,
- Reaktionsbildung: Askese, Ungeselligkeit.

Analer Charakter:
- Neigung zu Wutausbrüchen,
- sadistische Impulse, Ärger, Haß, Rachsucht,
- Reaktionsbildung (analer Charakter im gebräuchlichen Sinne):
  o Ordnungsliebe (Pedanterie),
  o Sparsamkeit (Geiz),
  o Eigensinn (Intoleranz).

Urethraler Charakter:
- Ehrgeiz,
- Herrschsucht,
- Rivalität.

Phallischer Charakter:
- Neid, Rivalität, (bei Frauen) Minderwertigkeitsgefühle gegenüber den Männern,
- Unzufriedenheit mit der eigenen Geschlechtsrolle,
- Aggressivität,
- Wünsche, andere zu dominieren.

Narzißtischer Charakter:
- Selbstliebe, Selbstverherrlichung,
- Wunsch nach (passivem) Geliebtwerden,
- Selbsterhaltung,
- kühle Menschen, die sich als unwiderstehlich erleben,
- Sublimierung:
  o Schauspieler,
  o Führertypen, die andere beeinflussen können.

Genitaler Charakter:
- reif, liebevoll, freundlich, kontaktbereit.

Tabelle 13. Grobe Zuordnung der Konflikte und Symptome zu den Entwicklungsphasen

Psychosexuelle Entwicklung	Impulse	Konflikte	Neurose
– oral/intentional	selbstbildbezogene (narzißtische)	narzißtische	„frühe Störung"
– oral	anaklitische	Abhängigkeits ~	depressiv
– anal	aggressive selbstbestimmende	Aggressions ~, Autonomie ~	zwanghaft
– phallisch/ödipal	(genital-)sexuelle	ödipale	hysterisch
– Latenz	–	–	–
– Pubertät	aggressive/sexuelle	Autonomie ~/ ödipale	

Abwehrmechanismen und Neurosenstrukturen

Hysterische Neurose/Phobie:
- Verdrängung,
- Verleugnung,
- Verschiebung,
- Projektion.

Neurotische Depression:
- Identifizierung mit dem Aggressor,
- Wendung gegen das Selbst,
- Introjektion.

Zwangsneurose:
- Intellektualisierung,
- Rationalisierung,
- Reaktionsbildung,
- Isolierung vom Inhalt, vom Affekt,
- Ungeschehenmachen.

Tabelle 14. Neurosenlehre und psychosomatische Medizin (nosologische Gesamtübersicht). (Nach Hoffmann u. Hochapfel 1991)

	Psychische Symptome	Körperliche Symptome	Charakterliche Störung
„Frühe Störungen"	Atypische Neurosen, Borderlinesyndrome, narzißtische Neurosen, Psychosen		Suchten, Delinquenz, Soziopathie, neurotische Charaktere, Perversionen
Psychoneurosen	Klassische Psychoneurosen, „Übertragungsneurosen"	(Hysterische) Konversionsneurose, Ausdruckskrankheiten (v. Uexküll 1969)	Charakterneurosen
Psychosomatosen (im engeren Sinne)		Psychosomatosen („Somatopsychosomatosen" nach Engel und Schmale 1967) Organneurosen (Alexander 1950), Bereitstellungskrankheiten (v. Uexküll 1969)	Alexithymie?
Psychovegetative Erscheinungen		Funktionelle Syndrome, „vegetative Dystonie"	

Tabelle 15. Differentialdiagnose entwicklungsbedingter Störungen. (Nach Hoffmann u. Hochapfel 1991)

	Konfliktreaktionen	Neurotische Entwicklungen	Abnorme Persönlichkeitsentwicklungen
Symptomatik	Abnorme Erlebnis- und Verhaltensweisen (Depression, Erschöpfung, Selbstmordversuch usw.)	Symptome von Krankheitswert wie Angst, Zwang, hysterische Zeichen; Hemmungen, Verstimmbarkeit, Selbstunsicherheit	Gesellschaftlich unangepaßtes Verhalten durch starres Handelnmüssen und eingeengtes Erleben
Auslösung	Als Antwort auf äußere Belastungen und Konflikte	Charakteristische Versuchungs- und Versagungssituationen (Schlüsselerlebnisse)	Geringe äußere Anlässe (Schwellensituationen) oder schleichend
Verlauf	Abklingen mit Konfliktverarbeitung	Primordialsymptomatik in der Kindheit, Manifestation zwischen 20 und 40 Jahren, Neigung zur Chronifizierung	Bei eigenweltbestimmter und umweltstabiler Entwicklung eher in der 2. Lebenshälfte, Chronifizierungen
Ausgangspersönlichkeit	Bei unauffälligen, ausgeglichenen Persönlichkeiten	Bei introvertrierten Persönlichkeiten, die auf eine unbewußte innere Konfliktsituation fixiert sind	Bei extravertierten, primär abnormen Persönlichkeiten, die agierend ihr Konfliktfeld in die äußere Umwelt projizieren

Beurteilung des Schweregrades

Er hängt ab von
- Symptomen:
  - Art und Dauer der Symptomatik,
  - Einstellung des Patienten zu den Symptomen,
  - Umgang des Patienten mit den Symptomen,
  - Leiden an den Symptomen;
- sozialer Situation:
  - Modifizierbarkeit der Lebenssituation,
  - Einstellung des Lebenspartners,
  - finanzielle Möglichkeiten;
- biologischen Gegebenheiten:
  - Alter,
  - Intelligenz und Begabungen,
  - körperliche Krankheiten.

Prognostische Kriterien

Art der Symptomatik:
- Alle länger anhaltenden Verhaltensstörungen sind Ausdruck einer schweren Neurose (Perversionen, Süchte).

Krankheitswert der Symptomatik:
- Leise, unauffällige Krankheitserscheinungen (Charaktersymptome) deuten auf eine schwere, lärmende auf eine leichtere Neurose hin.
- Symptome sind dann schwerer therapierbar, wenn sie das Leben des Kranken bedrohen oder ihn hindern, eine soziale Rolle einzunehmen (Anorexia nervosa, Asthma bronchiale).

Dauer der Symptomatik:
- Je länger sie besteht, desto schwerer ist sie behandelbar („chronisch": länger als 1–1 ½ Jahre).
  o Versuchungs- und Versagungsituationen immer schwerer erinnerlich;
  o chronifizierende Abwehrhandlungen:
    — sekundärer Krankheitsgewinn,
    — Rationalisierungen,
    — Gewöhnung,
    — Finalisierung.

Primordialsymptomatik:
- Bei Persistenz Zeichen einer schweren Neurose.

Einstellung des Patienten zu seinen Symptomen:
- Beharren auf organischer Ursache der Krankheit deutet auf schwere Neurose hin (nicht iatrogene Fixierung!).

Umgang mit der Symptomatik:
- Anstreben eines materiellen Vorzuges mit Hilfe der Symptome (z.B. Rente) weist auf schwere Neurose hin.

Leiden an der Symptomatik:
- Bei Leiden an der irrealen, subjektiven Bedeutung des Symptoms liegt meist eine schwere Neurose vor.

Auslösesituation:
- Bei leichter Versuchungs- oder Versagungsssituation liegt eher eine schwere Neurose vor.

Strukturelle Kriterien:
- Art des Leidensgefühls,
- Gestörtheit des Selbstwertgefühls (Kränkbarkeit, Rachetendenzen),
- neurotische Ideologie,
- Ausmaß der illusionären „Riesen"erwartungen,
- Ausmaß der (einer) Ersatzbefriedigung (Alkohol, Tabletten),
- Art der Freizeitgestaltung (schöpferische Möglichkeiten).

Therapierbarkeit der Neurose

Sie hängt ab von
- phänomenalen Faktoren:
  o Symptomatik und soziale Situation,
  o biologische und konstitutionelle Faktoren;
- Möglichkeiten des Patienten:
  o Art der Psychodynamik,
  o neurotischer Struktur;
- Möglichkeiten des Therapeuten:
  o Art der Persönlichkeit,
  o eigene Antinomien;
- Setting:
  o im Liegen/Sitzen,
  o Stundenfrequenz,
  o räumliche Umgebung.

Literatur

Alexander F (1950, dt 1951) Psychosomatische Medizin. De Gruyter, Berlin
Battegay R (1971) Psychoanalytische Neurosenlehre. Huber, Bern
Binder H (1962) Der psychopathologische Begriff der Neurose. Schweiz Arch Neurol Psychiatr 89:185–198
Bräutigam W (1978) Reaktionen-Neurosen-Abnorme Persönlichkeiten. Thieme, Stuttgart New York
Brenner C (1967) Grundzüge der Psychoanalyse. Fischer, Frankfurt
Cullen W (1777) First lines of the practice of physics, for the use of students (zit. nach Peters UH, 1984, Wörterbuch der Psychiatrie und medizinischen Psychologie. Urban & Schwarzenberg, München)
Elhardt S (1990) Tiefenpsychologie. Eine Einführung. Kohlhammer, Stuttgart, 12. Auflage
Engel GL, Schmale AH (1967, dt 1969) Eine psychoanalytische Theorie der somatischen Störung. Psyche 23:241
Fenichel O (1977) Psychoanalytische Neurosenlehre. Walter, Olten
Heigl F (1987) Indikation und Prognose in Psychoanalyse und Psychotherapie, 3. Aufl. Verlag für Medizinische Psychologie, Vandenhoeck & Ruprecht, Göttingen
Hoffmann SO, Hochapfel G (1991) Einführung in die Neurosenlehre und Psychosomatische Medizin. Schattauer, Stuttgart
Laplanche J, Pontalis JB (1986) Das Vokabular der Psychoanalyse. Suhrkamp, Frankfurt
Loch W (1967) Krankheitslehre der Psychoanalyse. Hirzel, Stuttgart
Nunberg H (1959) Neurosenlehre. Huber, Bern
Rohde-Dachser C (1987) Neurosen und Persönlichkeitsstörungen. In: Kisker KP, Freyberger H, Rose HK, Wulff E (Hrsg) Psychiatrie, Psychosomatik, Psychotherapie. Thieme, Stuttgart
Waelder R (1963) Grundlagen der Psychoanalyse. Klett, Stuttgart
Uexküll T von (1969) Funktionelle Syndrome in psychosomatischer Sicht. Wien Klin Wochenschr 81:391

Hauptneurosenstrukturen

Schizoide Struktur

Zur Genese:
- Störung aus der intentionalen Phase (erste Lebenswochen und -monate);
- für den Säugling wenig Gleichmäßigkeit, Verläßlichkeit, Wärme, Stabilität, Geborgenheit, Zuwendung;
- uneheliche Geburt;
- ablehnende Haltung der Umgebung;
- Heim- oder Klinikkinder;
- Kinder werden nicht in ihrem Wesen bejaht;
- mangelhafte Transformierung von narzißtischer Libido in Objektlibido: die Welt bleibt fern, fremd, unvertraut, unheimlich, wird nicht „begriffen", kann nur aus „sicherer" Distanz erlebt werden.

Positionen des Schizoiden:
- Wachsende Kluft zur Welt: Welt nicht mit Libido besetzt, wird blaß, farblos; innere Bilder und Empfindungen werden wichtiger; Körpergefühl kann Hypochondrie registrieren;
archetypische Bilder tauchen auf, drohen, die Seele zu überschwemmen.
- Der Schizoide kann nur schwer zwischen den Objekten und seinem Ich unterscheiden (Ich-findung setzt Objektfindung voraus);
Unsicherheit, ob er es mit Außen- oder Innenobjekten zu tun hat (setzt sich der Nachbarzug in Bewegung oder der eigene?); dadurch
Förderung der Wahnbildung; eigene Wünsche werden in die Umwelt projiziert: der Wahn wird zur Gewißheit und gibt (trügerischen) Halt; der Wahn tritt an die Stelle der äußeren Realität.
- Aggressive und sexuelle Antriebe sind kalt und urtümlich;
durch mangelnden Objektbezug können sich die vitalen Triebe nicht entfalten, werden zurückgestaut – mit großer Explosivkraft;
der Schizoide überspringt die Vorstufen der Annäherung, die eine menschliche Beziehung einleiten;
erste Sexualpartner sind Dirnen oder masochistische Frauen.
- Schizoide spüren genau ihre eigene Gefährdung und die anderer Menschen; große Sensibilität, deshalb wird Kontakt zu den anderen vermieden; ständiges Mißtrauen gegen sich und andere;
Derealisation;
Verlust der Selbstidentität (fühlt sich als ein Fremder, Gedanken gehören nicht mehr ihm selber).

Verhaltensweisen/Haltungen des Schizoiden:
- Ausgeprägtes Streben nach Autarkie und Unabhängigkeit,
- Distanziertheit, vornehme Kühle, unpersönlich,
- verletzendes Verhalten, Absonderlichkeiten mit gespreizter Sprache und Gestik,
- Interessen eher sachlich, objektiv betont,

- Beruf: eher abstrakte Bereiche (Kernphysik, Mathematik, Astronomie, Philosophie, Naturwissenschaften), um nicht mit Menschen und Emotionen in Kontakt zu kommen.
- Aufrechterhalten eines Fernkontakts zur Welt,
- Rationalist,
- Zyniker mit „treffenden" Urteilen, selbstüberheblicher Kritiker,
- in Gesellschaft: oft destruktives, zersetzendes Verhalten,
- Variationsbreite von mimosenhafter Empfindlichkeit bis zur Stumpfheit und Abschaltung jeglicher Gefühle (hoch differenzierte Künstler bis zu primitiven Rohlingen),
- Unfähigkeit, Wünsche zu äußern,
- erzwungene Höflichkeit, um nicht zu verletzen,
- Gefahr des Zurückweichens auf Stufe primitiver Undifferenziertheit,
- Gefahr des Zerfließens,
- kein Gefühl für Abgrenzung vom anderen (Haut als Kontaktorgan, auch als Grenze zwischen Ich und Nicht-Ich spielt eine große Rolle),
- läßt sich nur auf Unverbindliches ein,
- hat sexuelle Verhältnisse, keine Liebesbeziehungen,
- Rückzug auf Onanie oder Perversion,
- geschulte Intuition,
- exakte Beobachtungsgabe, Atmosphäre wird seismographisch erfaßt,
- kann die Gefühle abstellen,
- alles wird reflektiert, nicht erlebt: jedoch sehr brüchig, Kleinigkeiten können stören und zu unangepaßtem Verhalten führen,
- neigt zu Atheismus oder zu abstraktem Gottesbegriff,
- Herrenmoral, Radikalismen,
- Gefühlsbeziehung zu Kindern und Tieren oft möglich, da hier Gefühlsüberlegenheit nicht angetastet wird,
- emotionaler Rückzug in die Natur.

Charakterologische Ausprägungen des Schizoiden:
- negativ:
  o Sonderling,
  o der Distanzlose,
  o der Kalte, Distanzierte,
  o der primitive Rohling;
- positiv:
  o der feinsinnige Künstler,
  o der Selbständige, Unabhängige,
  o der Sachliche,
  o der Unbestechliche,
  o Wissenschaftler, Mathematiker, Physiker,
  o der Klare,
  o der Vorurteilslose.

Symptomatik des Schizoiden:
- psychisch:
  - Klagen über Sinnverlust des Lebens,
  - Isolierung,
  - Selbstmordtendenzen,
  - allgemeines Unvermögen, mit praktischen Dingen zurechtzukommen,
  - Angst vor Durchbruch von kalten Mord-, auch Selbstmordtendenzen,
  - Unfähigkeit, jemanden zu lieben;

  in Grenzfällen:
  - Depersonalisations- und Derealisationserscheinungen,
  - Entfremdung vom eigenen Ich,
  - Gefühl der Leere, Sinnlosigkeit, Langeweile,
  - paranoide Tendenzen,
  - Wahnzustände,
  - Angst vor Psychose;
- körperlich:
  - Hautaffektionen aller Art, Ekzeme
  - Störungen der Sinnesorgane:
    — Gleichgewichtsstörungen,
    — Sensibilitätsstörungen,
    — Geruchsstörungen,
    — evtl. auch Schielen (bei Kindern);
  - Asthma bronchiale.

Spezifische Angstinhalte: Grundhaltung: „Ich kenne keine Angst" (Angst bedroht Autarkiestreben).
- Angst vor Nähe, Kontakt, emotionaler Bezogenheit,
- durch fehlendes Vertrauen wird jede Hingabetendenz abgewehrt,
- Verleugnung der Sehnsucht nach dem Objekt,
- Leiden an Einsamkeit wird verdrängt,
- narzißtische Libido wird verstärkt: alle Interessen kreisen um die eigene Person.

Träume:
- eher abstrakt,
- weiße Landschaften,
- kein oder oberflächlicher Personenbezug,
- leere Räume,
- schwarz-weiß/entweder-oder,
- Extremsituationen,
- astronomische Bilder, Betrachten des Weltalls durch Fernrohr,
- Einsamkeit,
- Kontakte über Instrumente (Telefon, Funker),
- kahle Gebirge, keine Wiesen und Blumen,
- träumen sich mit Prothesen,
- Weltuntergangs- und Katastrophenträume.

Diagnoseleitmerkmale beim Schizoiden:
- Kühle,
- Distanz,
- Autarkiestreben,
- großes Unabhängigkeitsbedürfnis,
- Mangel an Intimität und Emotionalität bei großer Sensibilität und Verletzbarkeit,
- tiefes Mißtrauen.

Positive Aspekte der schizoiden Struktur:
- souveräne Selbständigkeit und Unabhängigkeit,
- affektlos-kühle Sachlichkeit,
- kritisch-unbestechliche Einstellung,
- scharfe Beobachtungsgabe,
- keine Gefühlsduselei,
- eigene Meinung,
- unabhängig von Urteilen und Dogmen,
- schwer oder nicht zu täuschen.

Zunahme der schizoiden Struktur:
- Auflösung der Geborgenheit in Tradition und Überlieferung,
- Abbau absoluter Normen,
- Zusammenbruch der sittlichen und religiösen Dogmen,
- Angst vor Zerstörung der Umwelt,
- Angst vor Folgen der Anwendung von Atomenergie,
- allgemeine „Verdünnung" elementarer Erlebnisse,
- Entemotionalisierung der Familienbande,
- Entemotionalisierung der Berufstätigkeit,
- weniger Hautkontakt zwischen Mutter und Kind (unhygienisch).

Abwehrformationen:
- Projektion,
- Isolierung,
- Rationalisierung,
- Intellektualisierung,
- Regression („in sich selbst zurückkriechen").

Therapeutische Möglichkeiten:
- Urvertrauen nachholen,
- Objektbeziehungen wachsen lassen,
- kein Zeitdruck: Kontakt muß langsam wachsen,
- nicht zu viel aktiven Kontakt anbieten, Patienten ziehen sich sonst leicht wieder zurück,
- Gefahr der (negativen) Gegenübertragung sehr groß, weil Schizoide mit ihrer scharfen Beobachtungsgabe und Sensibilität schnell die Schwächen des Therapeuten aufdecken können.

Fallbeispiel für überwiegend schizoide Struktur

Der 27jährige Student der Fachschule für Sozialwesen fühlt sich schon immer krank; verstärkt habe sich alles seit etwa 2 Jahren. „Ich habe nachts immer so Schweißausbrüche und so schwere Träume, schwere Vorstellungen im Dunkeln; da muß ich aufspringen, renne im Zimmer hin und her; gottlob wohne ich im Parterre, sonst könnte es gefährlich sein. Da bricht dann die Decke über mir zusammen, alles fällt auf mich; dann kommt ein Lastwagen auf mich zu. Auch höre ich Menschen, die ich dann nicht verstehe, die sich aber über mich unterhalten. Und ich weiß nicht – es passiert gleich etwas mit mir. Bei der Angst habe ich dann auch Schwindelgefühle. Wenn ich länger mit Bekannten zusammen bin, dann fühle ich mich plötzlich so massiv unwohl, daß ich davonrennen könnte. Das alles geht eigentlich schon seit der Kindheit. Da habe ich nachts schon Angst gehabt. Das Licht mußte immer brennen bleiben. In der letzten Zeit ist es schlimmer geworden; deshalb bin ich zum Arzt gegangen."

Der Patient ist unehelich geboren; die Eltern heirateten 9 Jahre später, als der Bruder auf die Welt kam. Im 1. Lebensjahr sei er bei einer Art Pflegemutter gewesen, weil die Mutter im Geschäft habe arbeiten müssen. Der Vater (37 Jahre älter) sei selbständiger Kunstmaler, eigentlich weich, habe aber auch hart zuschlagen können. Dominierend sei eigentlich die Mutter (30 Jahre älter) gewesen. Sie habe alles in der Hand gehabt; zu ihr habe er sich immer hingezogen gefühlt. Er habe viel Zeit bei einer älteren Freundin der Mutter verbracht; die habe ihm alles gegeben. Die sei vor 2 Jahren gestorben; das bewege ihn noch heute. Spielkameraden habe er keine gehabt, er sei meist allein gewesen. Mit 15 Jahren sei er aus dem Elternhaus auf ein Internat gegangen, habe dann Verlagsbuchhändler gelernt, was ihn jedoch gelangweilt habe. Nach dem Zivildienst habe er seine Frau kennengelernt, die er jetzt geheiratet habe; sie studiere Medizin. Seither interessiere er sich für soziale Probleme. Jetzt arbeite er schon bei der Rehabilitation Geistesgestörter mit, wo er sich fast übernehme. Er habe den Wunsch, viel allein zu sein. Er liebe sie aber, brauche sie auch. Er selber sei ordentlich bis „pingelig", perfekt müsse alles sein. Er könne schwer Kontakte halten, sei empfindlich, schäme sich leicht, müsse immer geben, brauche auch Liebe, sei aber am liebsten allein und gebe sich seinen Phantasien hin. Er höre gern Musik, male gern.

Im Vordergrund der Problematik stehen die Kontaktstörungen des Patienten, die mit mangelndem Urvertrauen in Zusammenhang gebracht werden können. Sie gehen auf Störungen der intentionalen Phase der frühen Kindheit zurück. Als Kind unerwünscht, wurde er einer anderen Frau überlassen, die sich z.T. überprotektiv um ihn kümmerte. Als diese vor 2 Jahren starb, verschlechterte sich der Zustand des Patienten. Zusätzlich dürfte die Beziehung zu seiner Frau einwirken, die ihm nur Zuwendung und Liebe gibt, „wenn sie dafür Zeit hat" – eine Parallelsituation zur mütterlichen Zuwendung. Seine Phantasien mit inneren, archaischen Bildern geben ihm eine „sichere" Rückzugsmöglichkeit in eine „heile Welt", bedrohen jedoch seine Realitätswahrnehmung. Der Wunsch nach Nähe ist deutlich sichtbar, eine adäquate Annäherung an den Partner ist jedoch nur schwer möglich. Projektive Mechanismen mit dem sozialen Engagement halten die aggressive und sexuelle Problematik – die sich z.T. stark und „kalt" äußert – noch weitgehend in Schach.

Depressive Struktur

Zur Genese: 3 Ansätze: oral, anal, motorisch-aggressiv.
- orale Phase:
  - Kind zu kurz gekommen,
  - Tod der Mutter,
  - mangelhafte Ernährung,
  - mangelnde Zuwendung,
  - Feindseligkeit,
  - Ernährungsmangel und emotionale Entbehrungen: plötzliches Abbrechen des Stillaktes (Zahnen), empfunden als Liebesentzug;

- anale Phase:
  - zu frühe und dressurhafte Reinlichkeitserziehung:
  - Kind soll mehr hergeben als es kann,
  - erzwungene Gefügigkeit,
  - meist keine Trotzphase;
- motorisch-aggressiv:
  - aus Angst vor Objekt-Verlust kein Auf-den-anderen-zugehen,
  - brav, still, traurig, wenig unternehmungslustig bzw. spielfreudig,
  - „Nesthäkchen", „Mutterkinder";
- Dynamik nach außen fehlt, tobt sich nach innen aus,
- Entwicklung eines strengen Über-Ich,
- ständiger Kampf zwischen Ich und Über-Ich,
- Forderungen des Über-Ich unerfüllbar,
- permanente Schuldgefühle.

Positionen des Depressiven:
- Im rechten Moment kann nicht adäquat zugegriffen werden; Chancen werden nicht wahrgenommen; Unentschlossenheit; man kann sich nichts herausnehmen.
- Sich-überfordern-lassen:
  - (Frauen:) bei kleinem Geschenk sich hingeben müssen;
  - Gegenstände können Forderungen stellen: Bücher *wollen* gelesen werden, schönes Wetter *verlangt* einen Spaziergang.
- Enttäuschungsprophylaxe:
  - Reize werden nicht wahrgenommen, nicht beantwortet („Saure-Trauben-Politik");
  - die Welt wird freud- und farblos;
  - man wird blind für positive Möglichkeiten.
- Gestaute Wünsche werden so übermächtig, daß sie sekundär auf die Umwelt projiziert werden; dadurch erscheint die Umwelt fordernd; Hypertrophie der Hingabeseite; nicht Nein-sagen-können; keine Möglichkeit, selber zu fordern.
- Gefahr der Katastrophe (Suizid) bei Zurückziehen des Partners.

Verhaltensweisen/Haltungen des Depressiven:
- Unterschätzt in passiver Zurückhaltung und Bescheidenheit seine Chancen und Möglichkeiten,
- läßt sich leicht überfordern,
- kann selber keine Forderungen stellen,
- vermeidet aggressive Selbstbehauptung,
- geht Auseinandersetzungen durch Rückzug aus dem Wege,
- Mangel an Selbstvertrauen und positivem Selbstwertgefühl,
- keine Initiative,
- bleibt in Abhängigkeit, sucht sie geradezu,
- sucht Nähe eines anderen, klammert sich an,
- fühlt sich in Gruppensituationen meist nicht wohl,

- strahlt Wärme aus, hat Gemüt,
- stets auf der Suche nach Geborgenheit,
- Angst, allein gelassen zu werden,
- Angst vor Objektverlust,
- Angst vor Verlust der Liebe des Objekts, Trennungsangst,
- alle Impulse der Ich-Werdung werden vermieden,
- Selbständigkeit wird gefürchtet,
- braucht das Du.
- hat Einfühlungsvermögen,
- Anpassung, Gefügigkeit überwertig entwickelt,
- altruistische Eigenschaften: Mitleid, Verzicht, Selbstlosigkeit, Aufopferung,
- verborgen: Riesenansprüche an den Partner: Passivseite und Anpassung werden zur reaktiven Strategie,
- Partner repräsentiert Mutterfigur,
- je mehr Verwöhnung, desto mehr Riesenerwartungen und Bequemlichkeiten,
- überwertiges Wuchern passiv-rezeptiver Wünsche,
- Suchtgefahr: verwöhnende Mutter wird durch Suchtmittel ersetzt,
- Erlösungssehnsüchte, neurotische Religiosität (Jenseits als versprochenes Paradies),
- Rückzug auf Tagträumereien, (Onanie),
- Asket, Dulder, Träumer, Spießer, Pechvogel, Büßer mit viel Selbstmitleid,
- Onanie und Tagträumerei als Lustgewinn statt erlebter Lebensfreude,
- nicht geglückter Verzicht erzeugt Gram, Trauer, Resignation, Ressentiment, Neid, Mißgunst, Nörgelei,
- Neid wird aber nicht voll erlebt,
- auslösend: Aufhören einer masochistischen Objektbeziehung,
- Verlust eines Objekts bewirkt ein Zurückziehen der Libido auf das Selbst: durch Identifikation entgeht man scheinbar dem Objektverlust; frei gewordene Libido wird nicht auf ein neues Objekt gerichtet.

Charakterologische Ausprägungen des Depressiven:
- negativ:
  o Pechvogel,
  o Spießer,
  o Träumer,
  o der Resignierte,
  o der Neidische,
  o der Nörgler,
  o der Kritikaster;
- positiv:
  o Asket,
  o Dulder,
  o Altruist,
  o der Anhängliche,
  o der Gefühlswarme,
  o der Fromme,
  o der zum Verzicht Bereite,

- o der Hilfsbereite,
- o der Humorvolle.

Symptomatik des Depressiven:
- psychisch:
  - o Hoffnungslosigkeit und Verzweiflung als Grundstimmung,
  - o Mattigkeit, Morgenmüdigkeit, Selbstanklagen,
  - o Sinnlosigkeit des Lebens,
  - o Langeweile,
- körperlich:
  - o Vagotonus erhöht,
  - o vitale Lebensimpulse liegen darnieder,
  - o Schlafstörungen,
  - o Appetitlosigkeit oder Freßsucht,
  - o sexuelle Apathie (bis zur Impotenz),
  - o psychosomatische Störungen im oralen Bereich:
    — Anginen,
    — Schluckstörungen,
    — chronische Gastritiden,
    — Geschwüre am Magenausgang und Zwölffingerdarm,
    — Fettsucht,
    — Magersucht.

Spezifische Angstinhalte:
- Trennungsangst,
- Verlustangst gegenüber Dingen und Menschen.

Träume:
- haben Erwartungscharakter,
- Bilder oraler Thematik: Gasthäuser, Warenhäuser, Milchstuben, Mutterfiguren,
- ausgeprägte orale Wünsche: Schlaraffenland, Lottogewinn,
- Depressive kommen in ihren Träumen selbst oft zu kurz,
- auch:
  - o Aschenputtelträume,
  - o Lehrer,
  - o Respektpersonen;
- Essen und Trinken im Vordergrund,
- Zähne, Hände (kaptativer Anteil),
- schmutzige Hände (Schuldgefühle),
- amputierte Beine (nicht selbständig sein können),
- Träume von Frauen, die sich anbieten, von Brüsten,
- hoffnungslose Tantalus-Situationen (zugreifen, aber es ist nichts da).

Diagnoseleitmerkmale beim Depressiven:
- Sinn- und Hoffnungslosigkeit,
- Selbstanklagen,
- Anklammerungstendenzen,
- Objektabhängigkeit,

- Darniederliegen vitaler Lebensimpulse,
- Morgenmüdigkeit.

Positive Aspekte der depressiven Struktur:
- sich in andere einfühlen können, sich ihrer annehmen können,
- fürsorglich-hilfsbereite Einstellung,
- geduldiges Wartenkönnen,
- relativ wenig Egoismus,
- schlicht, anspruchslos,
- anhänglich in Gefühlsbeziehungen,
- Fähigkeit, Humor als gesundes Gegengewicht zu entwickeln,
- Gläubigkeit, Lebensfrömmigkeit,
- Fähigkeit zum Verzicht ohne Bitterkeit,
- leichte Anpassung an harte Lebensbedingungen.

Abwehrformationen:
- Identifikation,
- Introjektion,
- Verdrängung,
- Regression,
- Projektion.

Therapeutische Möglichkeiten:
- Nachentfaltung der 3 Impulse:
  o Zugreifen,
  o Verweigern,
  o Sichdurchsetzen;
- Neid, Haß, Aggressionen müssen frei werden,
- schwerstes Hindernis: die Lust zu leiden, zu opfern, weil ethisch hoch bewertet,
- der Depressive muß lernen, Subjekt zu sein.

Differentialdiagnose der Depression:
- *Somatogene Depression:*
  o nachgewiesene organische Störung (z. B. Depression nach Hirntrauma, bei Tumor);
- *depressive Psychose („endogene Depression"):*
  o somatische Faktoren werden angenommen, häufig psychische Auslöser (nach Hysterektomie, nach Umzug usw);
- *neurotische Depression:*
  o Mehrzahl der Fälle: psychische Faktoren mit Reaktualisierung infantiler Konflikte;
- *reaktive Depression:*
  o Reaktion auf äußere Belastung.

Fallbeispiel für überwiegend depressive Struktur

Die 1959 geborene Patientin ist angenehm, aber unauffällig gekleidet, wirkt insgesamt recht kindlich, teils herzlich-anbiedernd. Hinter einer Fassade von Pseudosicherheit verbirgt sich Unselbständigkeit, fast Hoffnungslosigkeit. Sie kommt in die psychotherapeutische Sprech-

stunde, weil sie seit Jahren Magenbeschwerden hat. „Ich habe Angst, weil ich nicht weiß, was das sein könnte, mal geht es mit gut, dann bin ich wieder am Boden zerstört." Wechselnd Durchfall und Verstopfung. Primordialsymptomatik: Bettnässen, Nägelkauen (bis heute).
Die Patientin hat eine 4 Jahre ältere Schwester und einen 5 Jahre jüngeren Bruder. Sie habe eigentlich schon immer isoliert gelebt, habe ein Zimmer im Keller gehabt, habe sich schon zu Hause aus allen Streitigkeiten herausgehalten, habe sich dann gleich isoliert. Sie sei aber sehr beliebt, auch „Vaters Liebling" gewesen. Der Vater (32 Jahre älter) sei kaufmännischer Angestellter, sehr jähzornig. Als die Patientin mit 18 in einer Gruppe wegfuhr, habe er sie zum Gynäkologen gebracht mit der Frage nach der Empfängnisverhütung; als sie zurückgekehrt sei, habe er in ihre Scheide gefaßt, um zu sehen, ob sie noch Jungfrau sei. Mutter (31 Jahre älter) hing sehr an den Kindern, habe die Betroffene aber als Mädchen nicht akzeptiert, es habe nie eine offene Herzlichkeit, Vertrauen zu den Eltern gegeben, auch wenig Zärtlichkeiten, statt dessen aber viele Zwänge. Ein besonderes Problem sei für sie (gewesen), daß ihre Schwester immer besser gekleidet gewesen sei, sie habe deren Sachen auftragen müssen; der Schwester sei viel erlaubt worden.
Bis vor etwa 2 Jahren habe sie einen 40jährigen Freund gehabt, der wie ein Ersatzvater gewesen sei. „Der konnte Konflikte lösen, zu dem konnte ich gehen, mit ihm reden. Bei dem habe ich mich total wohl gefühlt. Die Eltern sind jetzt mit ihm befreundet." Aber dann sei es auseinandergegangen; seither verstehe sie sich mit dem Vater nicht mehr.
Die Patientin ist in Ausbildung zur Krankenschwester. Die Schwierigkeiten, die sich durch das wenig empathische häusliche Milieu ergeben haben, zeigen sich in der Primordialsymptomatik wie in den organischen Beschwerden und dem Gefühl von Angst und Unsicherheit. Die Patientin hängt sich an andere Menschen, fand in ihrem väterlichen Freund die tiefste Zuneigung und wurde schwer enttäuscht, als die Beziehung auseinander ging und sie damit nicht nur den Freund, sondern auch ihre eigene Familie, insbesondere den Vater verlor. In ihrem Erleben haben ihr die Eltern den Freund „weggenommen". Neben der Besitz- und Versorgungsthematik werden ödipale und inzestuöse Wünsche, die hochambivalent erlebt werden, angesprochen. Vertrauen, Herzlichkeit, Offenheit gab es in der Familie nicht, alles Kreative und Kreatürliche wurde unterbunden. Die Patientin kann sich in bezug auf ihren Freund den Eltern gegenüber nicht durchsetzen. Sie läßt sich in jeder Weise überfordern und gibt sich einem Beruf hin, wo sie hoffen kann, daß ihr eigenes soziales Defizit in der Fürsorge für andere ausgeglichen wird.

Zwanghafte Struktur

Zur Genese:
- Ansatz in der oralen Phase mit Hemmungen im oral-kaptativen Bereich →in der anal-retentiven Phase wird zurückgehalten, getrotzt (Geiz, Pedanterie, frühe Willenskontrolle);
- in der motorisch-aggressiven Phase: das aggressive Sichbehaupten gilt als böse (pedantische Ordnung im Elternhaus), Angst vor Liebesverlust bewirkt Vermeidung von entsprechenden Impulsen: Beherrschung, starkes Über-Ich;
- in der phallischen Phase: Abwehr sexueller Impulse aus Kastrations-, Über-Ich- und Gewissensangst;
- anal-sadistische, anal-aggressive und sexuelle Impulse sind blockiert.

Positionen des Zwanghaften:
- 3 Phasen sind zu unterscheiden:
  - dynamische Impulse werden gestoppt →
  - Weltunvertrautheit; Sicherungsstreben →
  - Schuldgefühle, schlechtes Gewissen (z.T. mit Haßüberkompensierung gefällte Entscheidungen erhalten Ewigkeitswert).

- Angst vor Substanzverlust (bei Schenken, Hergeben; Geiz, Arbeitsstörungen, kein Genießenkönnen, Zweifel am Wert der eigenen Produkte).
- Alles Triebhafte und Animalische wird gefürchtet (Infektionsangst, übertriebene Hygiene, häufiges Händewaschen; auf Selbstbefriedigung regredieren: auch das kann schmutzig sein →Waschzwang, „verkappte" Onanie).
- Angst vor der Aggression: trotziges Rechthabenwollen statt gesunder Zornausbrüche,
- Sarkasmus; Ironie; auch gefügiges Nachgeben,
- der Zwanghafte wird nie ein Rotlicht überfahren, aber immer seine Vorfahrt erzwingen. Zwangsgrübeln („was steckt dahinter?" – anal),
- Erstellen einer absoluten Ordnung.

Verhaltensweisen/Haltungen des Zwanghaften:
- Atmosphäre von Zwang, Beherrschung, Kontrolle, Gesetz,
- keine Spontaneität, keine Lebendigkeit,
- wirkt gebremst, starr, unelastisch, gedrosselt, prinzipienhaft,
- zögert oft lange Handlungen raus,
- trägt überwertige Verantwortung,
- ernst, humorlos,
- alles Neue bedeutet Gefahr,
- übertriebene Skepsis, Spitzfindigkeit, Haarspalterei,
- typischer Vermeider,
- will alles hundertprozentig machen,
- ist ein wandelndes Über-Ich, mit Schuldgefühlen belastet,
- Moral gilt mehr als Ethik, Takt mehr als Rhythmus,
- hart gegen sich und andere (Introjekte zwanghafter Elterntypen),
- asketisch, fanatisch,
- Sicherungstendenz mit zentripetalem Charakter,
- neigt zum Totstellreflex,
- Zeit und Geld spielen – als Sicherung – eine große Rolle,
- „Was dem Normalen zur Selbstentfaltung dient (Besitz, Geld), ist beim Zwanghaften vollgültiger Lebensersatz";
- betont konventionell,
- „man"-Typen,
- Kehrseite des „man": Faszination von Intimitäten (Dirnenwesen, Perversionen, Nacktkultur),
- Erleben zum Partner: als Über- oder Unterlegener, nicht als Gleichgestellter,
- Ehe als Vertrag mit festen Bindungen, kein Eigenleben mehr,
- erstarrte Bindungen,
- ständiger Machtkampf in zwischenmenschlichen Beziehungen,
- ewiger Kampf zwischen Über-Ich und Es führt zu rebellischen Zügen: Jähzorn bei geringen Anlässen.

Symptomatik des Zwanghaften:
- psychisch:
  o Zwangsideen, Zwangsvorstellungen – werden als Ich-fremd empfunden,
  o Unfähigkeit zur Entscheidung,
  o zweifeln an allem, auch an sich selbst,

- Wasch-, Zähl-, Grübel-, Versicherungszwang,
  - Probleme im zwischenmenschlichen Bereich,
  - Hingabestörungen,
  - Konzentrationsstörungen,
- körperlich:
  - Stottern,
  - Gliederzittern,
  - Tics aller Art;
- psychosomatisch:
  - unterer Verdauungstrakt:
    — Obstipation, Durchfälle,
    — Colon irritabile,
    — Colitis ulcerosa,
    — andere „anale" Krankheiten;
  - Krankheiten des Bewegungsapparates:
    — Gelenkrheumatismus,
    — Weichteilrheumatismus,
    — Muskelverhärtungen und -verkrampfungen;
  - Anfallsleiden:
    — Epilepsie;
  - Herz-Kreislauferkrankungen:
    — essentielle Hypertonie,
    — Migräne,
    — psychogener Kopfschmerz;
  - sexueller Bereich:
    — Impotenz,
    — Ejaculatio praecox/retarda.

Spezifische Angstinhalte:
- Angst vor der Hingabe,
- Angst vor den lebendigen Impulsen,
- Angst vor Kontakt mit anderen,
- Angst vor der eigenen Vergänglichkeit,
- Angst vor dem Wechsel, dem „stirb und werde",
- Straf- und Vergeltungsangst als Angst vor der Rache des ins Über-Ich introjizierten Objekts.

Träume:
- anale Träume (sitzt auf WC),
- Landschaftsbilder mit Schlamm, Moor, Festungen, Burgen, Stühlen,
- Müllmänner, Straßenfeger, Schuster (arbeitet mit Pech und Leder),
- Farben: braun, schwarz oder betont weiß, steril,
- Bombenangriffe, Vulkanausbrüche, Kriegshandlungen,
- Schußwaffen mit Ladehemmungen,
- körperlich: Rücken,
- freie Assoziation erschwert, erinnert sich an Nebensächliches (Therapeut wird um das Wichtigste „beschissen"),

- kein aktiv-aggressiver Zugriff in den Raum,
- Glaube an die Allmacht der Gedanken und Wünsche.

Diagnoseleitmerkmale beim Zwanghaften:
- anale Trias: Sparsamkeit – Ordnung – Aggressionshemmung,
- Zwangsvorstellungen, -handlungen, -ideen,
- überwertige Kontrolliertheit,
- ausgeprägtes Über-Ich.

Positive Aspekte der zwanghaften Struktur:
- verläßlich,
- ordentlich, stabil,
- korrekt,
- verantwortungsbewußt,
- ausdauernd.

Abwehrformationen:
- Ungeschehenmachen,
- Verdrängung,
- Reaktionsbildung,
- Isolierung,
- Verschiebung auf das Kleinste,
- Rationalisierung (Ideologiebildung),
- Sublimierung,
- Regression.

Therapeutische Möglichkeiten:
- Durcharbeiten von Alltagssituationen mit Vermeidungstendenzen,
- Erlebbarmachen anal-aggressiver Impulse,
- Bewußtmachen der Rationalisierungen und Reaktionsbildungen,
- Patient muß lernen auszuprobieren, nachzuvollziehen,
- Haltungsanalyse (gegen starre, steife Körperhaltung),
- Affekte in bezug auf Geld und Zeit bearbeiten,
- Unterstützung der analytischen Arbeit durch körperentspannende Verfahren, durch Sport, Tanz u. ä., um das Körpergefühl erlebbar zu machen,
- Sicherungsstreben bearbeiten,
- Aggressionen gegen den Therapeuten zulassen.

Fallbeispiel für überwiegend zwanghafte Struktur

Der 1940 geborene Drucker kommt wegen seines Errötens „bei völlig nichtigen Anlässen" in die psychotherapeutische Sprechstunde. Er habe „wahnsinnige Minderwertigkeitskomplexe", daß er nichts leiste und auch nichts könne. Er sei dann ganz niedergeschlagen. Schon als Kind habe er starke Dunkelangst gehabt, sei lange Bettnässer gewesen und habe an den Nägeln gekaut. Im körperlichen Bereich habe er Schwierigkeiten mit dem Magen, er sei „Luftschlucker", leide unter Blähungen müsse deshalb aufpassen, was er esse. Er habe auch Schwierigkeiten mit der Wirbelsäule, da klemme sich manchmal ein Wirbel ein. Sein letzter Traum sei gewesen: „Die Zähne sind mir ausgefallen, ich glaube die Vorderzähne."

Er macht auf den Untersucher einen verspannten, verklemmten Eindruck. Er ist überkorrekt gekleidet, alles „sitzt" genau, die Haare sind zu einer Tolle gekämmt und pomadisiert. Er ist peinlich sauber und ordentlich. „Ich bin in allem sehr genau, aber es passieren mir überall Fehler. Alles ist zu Hause richtig aufgeräumt, jedes Teil hat seinen Platz. Wenn Besuch kommt, räume ich schnell alles weg, was die Frau liegen gelassen hat. Ungerechtigkeiten regen mich schnell auf. Ich versuche, nicht zu streiten, da hab' ich Hemmungen. Ich tue es nur, wenn ich weiß, daß ich 100 %ig Recht habe. Meine Frau sagt, ich sei stur. Ich könnte mich auch niemals gehen lassen. Und dann will meine Frau jetzt ein Kind – da habe ich die größten Bedenken. Auch habe ich nie einen richtigen Freund gehabt, den gibt es wohl nicht, auf den man sich 100 %ig verlassen kann." Mit Geld gehe er sparsam um, alles sei genau eingeteilt – „sonst kommt man zu nichts". Auch würde er nur fernsehen, wenn er sich weiterbilden könne, sonst sei es Zeitverschwendung. Es sei immer ein Zwang in ihm, sich weiterzubilden.

Sein Vater – ebenfalls Drucker – sei erst aus dem Krieg gekommen, als er – Einzelkind – 5 Jahre alt gewesen sei. Die Eltern hätten viel Verständnis gehabt. Streitigkeiten habe es nie gegeben. Zärtlichkeiten seien eher verpönt gewesen. So sei er auch nie aufgeklärt worden. „Wenn ich einen Dreier im Zeugnis hatte, schimpfte Vater nicht, zeigte mir nur *seine* Zeugnisse: ,Wenn du weiterkommen willst, dann mußt du mehr leisten.' Damit hat er auch recht gehabt; er mußte ja auch so viel leisten und arbeiten." Zu Hause sei alles sehr geordnet zugegangen, alles sei blitzblank gewesen, die Mutter habe einen „Putzfimmel" gehabt. Bei Tisch habe er alles aufessen müssen, Anstand sei immer besonders wichtig gewesen, nicht reden beim Essen, stillsitzen waren entscheidende Pflichten. Von dem Patienten geht eine Atmosphäre des Zwanges aus, die er in seinem wenig empathischen, aber überprotektiven Elternhaus erlebt hat. Eine sichere Selbstwertfindung ist ihm nicht geglückt, die kleinsten Fehler oder Mängel treiben ihm die „Röte ins Gesicht". Kontaktstörungen, Störungen im sexuellen Bereich mit der Leistungsproblematik und dem Sich-nicht-fallen-lassen-Können sind die Folge. Der aggressive Bereich wurde durch die starren Regeln erheblich behindert und findet seinen Ausdruck in Störungen des Muskel-Skelett-Apparates.

Hysterische Struktur

Zur Genese:
- Realitätsneugier (sexuelle Neugier) der phallischen Phase nicht entfaltet:
  - Einschränkung der Ich-Funktionen, Skotomisierung,
  - Verdrängung genitaler Regungen,
  - Umgehung des Über-Ich durch körperliche Innervation,
  - Verdrängung realer, unlusterzeugender Erlebnisse;
- die bewußte Findung der Geschlechtsrolle mißlingt:
  - Angst vor Festlegung der eigenen Geschlechtsrolle,
  - man möchte sich alles offenhalten,
  - Kastrationsangst,
  - Über-Ich-, Gewissensangst, Angst, sich festlegen zu müssen und Lebendigkeit zu verlieren;
- Bewältigung des Ödipuskomplexes mißlingt: infantile Ansprüche an die Elternfiguren bleiben bestehen;
- Mangel an gesunder Führung durch die Eltern,
- Mangel an geschlechtsspezifischen Vorbildern,
- chaotische Umwelt,
- Mangel an Orientierungsmöglichkeit und Wahrheit,
- „man hat nichts gelernt",
- Unerfahrenheit im Umgang mit der Welt.

Positionen des Hysterikers:
- „Was ich nicht sehe, ist auch nicht da" (Vogel-Strauß-Politik);
  o starke Wunschbesessenheit;
  o Drang zur sofortigen Befriedigung;
  o kurzer Spannungsbogen.
- Mißachtung von Ursache und Wirkung;
  o Geschicklichkeit, um sich drücken zu können;
  o Schwindeleien,
  o Verabredungen werden nicht eingehalten;
  o Aufgaben werden übernommen, deren Konsequenzen man nicht übersieht;
  o Faszination des Augenblicks, zukunftslos;
  o hat immer Konflikte, alles wird relativiert, bagatellisiert.
- Wunschwelt mit planloser Aktivität; unzentrierter, unkontrollierter Zick-Zack-Kurs.
- Wunschwelt ungeklärt: er sehnt sich und weiß nicht recht nach was.
- Ordnung und Gesetz für eigene Person nicht anerkannt;
  o Großzügigkeit auf Kosten anderer;
  o verächtliches Herabschauen auf bürgerliche Menschen;
  o Gefühl der eigenen Wichtigkeit;
  o Ethik und Moral relativiert;
  o lebt emotional, aber punktförmig, schillernd;
  o kein stabiler Ich-Kern;
  o Mangel an Einsicht und Lernfähigkeit;
  o Rollenspiel;
  o eigene Mängel nach außen projiziert („Lebenslüge").
- Krise in der Lebensmitte, wenn man sich über die eigene Unsicherheit nicht mehr hinwegtäuschen kann;
  o Flucht in die Krankheit, Zusammenbruch;
  o Ausweichen in die Sucht.
- Identifikation mit Idolen aller Art;
  o ganze Wunschwelten werden in Freundschaften, in die Ehe getragen; Traum von der „großen Liebe".

Verhaltensweisen/Haltungen des Hysterikers:
- Viele Gegensätze zum Zwanghaften: Ich ohne Fülle – Fülle ohne Ich,
- planlos, unstet, schillernd, rasch wechselnd, bunt, wenig verläßlich, von augenblicklichen Gefühlen geleitet,
- Mangel an Zentriertheit: Fülle ohne Ich,
- Subjektivität: schwaches Über-Ich, mangelhafter Ich-Kern;
- Überwertiges Geltungsbedürfnis;
  o exhibitionistische Schau oder beleidigtes Sich-Zurückziehen,
  o großer Beachtungsanspruch,
  o sekundärer Narzißmus,
  o Eitelkeit bis zur Erpressung;
- Zentrifugalität:
  o umweltbezogen,
  o bei Gefahr: Fluchtreflex, Flucht nach vorn;

- Nichtannahme der Realität:
  o unpünktlich, unorientiert bis zur hysterischen Amnesie,
  o Vergangenheit wird umgedeutet, Konflikte verdrängt, Schuld anderen zugeschoben; kein logisches Verhalten; Nixentyp bei Frauen: unreif, jung, infantil, ewige Kinder;
- Mangel an Gefühlsechtheit:
  o sentimental, nicht gefühlstief, alles bleibt an der Oberfläche;
- Konversionsneigung:
  o Körper wird Darsteller der Konflikte: hysterische Ohnmacht, Lähmung (autoplastische Funktion des Hysterikers);
- Rollenspiele:
  o je nach Situation übernimmt Hysteriker eine Rolle, ohne sich damit echt zu identifizieren.

Charakterologische Ausprägungen des Hysterikers:
- negativ:
  o Angeber,
  o Intrigant,
  o hysterisch Verlogener,
  o ewiger Backfisch,
  o ewige/r Tochter/Sohn,
  o Dirne, Strichjunge, Sexualprotz,
  o Tratschtante,
  o distanzlos Neugieriger,
  o Voyeur/Voyeuse,
  o Mannweib,
  o Muttersöhnchen;
- positiv:
  o der Lebendige, Schillernde,
  o der Risikofreudige, Neugierige,
  o der Optimist.

Symptomatik des Hysterikers:
- psychisch:
  o frei flottierende Angst, die lärmend nach Soforthilfe drängt,
  o Angstneurosen bis zu Phobien,
  o Sexualneurosen, Perversionen,
  o Lebensschwierigkeiten allgemeiner Art,
  o Beziehungsstörungen, Eheschwierigkeiten,
  o Arbeitsstörungen,
  o Konzentrationsstörungen;
- körperlich:
  o Lähmungen,
  o Störungen der Sinnesorgane,
  o Somatisierung der Angst mit Schwitzen, Erröten, Schwindelanfällen, Tachykardien, Atemnot, Erstickungsnot,
  o auch Schmerzzustände, Parästhesien, Abasien, Ataxien,
  o Hyperventilationstetanie.

Spezifische Angstinhalte:
- Angst vor dem Endgültigen, Unausweichlichen,
- Angst vor der Notwendigkeit, vor allem Festlegenden,
- Freiheit *von* etwas wird als Freiheit *zu* etwas gesucht.

Träume:
- reiche, füllige Träume:
  - farbenreich, viele Menschen, öffentliche Plätze,
  - Urlaub, Reise, viele Zuschauer (Tribünenexhibitionismus),
  - lose Aneinanderreihung von Situationen;
- Flucht- und Angstträume:
  - Schweben, Fliegen (Hysteriker haben keine Erdung),
  - Luftschlösser,
  - intime sexuelle Situationen,
  - Elternfiguren, auch „Traumpartner";
- oft starke Übertragungsträume:
  - mit starken Hingabetendenzen,
  - Kontaktsüchtigkeit mit Bemächtigungstendenz,
  - „Peinlichkeiten" (z. B. nackt in Gesellschaft).

Diagnoseleitmerkmale beim Hysteriker:
- Nichtannahme der Realität mit Rollenspielen,
- überwertiges Geltungsbedürfnis,
- sehr umweltbezogen,
- Konversionsneigung,
- schillernde Gefühlswelt.

Positive Aspekte der hysterischen Struktur:
- Risikofreude,
- immer bereit, sich etwas Neuem zuzuwenden,
- elastisch, plastisch, lebendig, impulsiv, spontan,
- Liebe zum Neubeginn,
- optimistische Grundstimmung,
- beschwingend, suggestiv, nichts wird zu ernst genommen,
- neue Impulse werden gesetzt, es wird etwas in Gang gebracht.

Abwehrformationen:
- Verdrängung (überwiegend),
- Konversion,
- Projektion (der eigenen Schuldgefühle auf einen „Sündenbock").

Therapeutische Möglichkeiten:
- Therapieplan mit klarem (äußerem) Rahmen,
- eindeutige Festlegung der Bedingungen,
- laufende Realitätsprüfung,
- klare Absprache der Zeit- und Geldfragen,
- klare Versagung bei gleichbleibendem Wohlwollen (Patient muß wissen: dem Therapeuten kann ich nicht „den Kopf verdrehen"),

- Ödipussituation muß durchgearbeitet werden,
- Ziel: Aufhebung der zahlreichen Verdrängungen.

Fallbeispiel für überwiegend hysterische Struktur

Die 26jährige Postangestellte wirkt frisch und offen, erscheint flexibel und wandlungsfähig, ist gut bis auffallend gekleidet und hergerichtet, temperamentvoll mit einer verführerischen Komponente. – Sie kommt in die psychotherapeutische Sprechstunde mit Angstzuständen; sie könne nachts nicht schlafen, traue sich nichts mehr zu, könne nicht mehr Straßenbahnfahren. Dann werde sie schwindelig, sei auch schon ohnmächtig geworden. Dabei manchmal Herzklopfen. „Und dann kommt die Angst vor dem Moment, wo ich die Selbständigkeit verliere; allein der Gedanke daran ist schrecklich. Dann kommen noch Magenschmerzen dazu, wenn ich Angst habe, der bläht sich dann so auf. Alles hat mit 23 Jahren begonnen." Seit dem 27. Lebensjahr rezidivierende Nierenbeckenentzündungen.

Aus der Vorgeschichte ist erwähnenswert, daß sie eine „schöne Kindheit" gehabt, meist mit Jungen gespielt habe und auf den Bäumen herumgeklettert sei. Ihre früheste Kindheitserinnerung sei eine „Kissenschlacht mit den Burschen im Haus", als sie 5 Jahre alt war. Sie habe damals Angst in der Dunkelheit gehabt, ihre Mutter habe nicht weggehen können, sie habe dann geschrieen. „Dann hat mich Mutter abends mit zum Tanzen mitgenommen. Das war fein. Ich war dann so schön angezogen." Der um 10 Jahre ältere Bruder habe eigentlich die Vaterstelle eingenommen. Der sei dann aus der DDR in den Westen gegangen, habe geheiratet. Sie sei dann gefolgt, um beim Vater zu sein. Mit 13 habe sie erst erfahren, daß sie nicht das Kind des Vaters, sondern ein „Russenkind" sei. „Ich war nicht traurig, denn eigentlich mochte ich Vater nicht." Er habe sich viel rumschubsen lassen, habe dann wieder kommandiert.

„Wenn er mit mir nicht zurechtgekommen ist, dann hat er geheult." Der Vater habe nach der Flucht in den Westen und der Trennung von seiner Frau wieder geheiratet. Die Verbindung zu ihrer „Stiefmutter" und deren Kindern sei nicht gut gewesen; deswegen sei sie mit 14 gleich aus dem Haus gegangen. Der sexuelle Bereich sei tabu gewesen. „Ich bin nicht aufgeklärt worden – mit 14 habe ich noch an den Klapperstorch geglaubt." Die Patientin lebt seit dem 17. Lebensjahr in München, hat bald geheiratet, weil sie schwanger war. Sie verdiene mehr, als ihr Ehemann als Malergeselle. Sie hätte sich einen „idealeren Partner" vorgestellt. „Heute sagt mir mein Mann nichts mehr, auch nicht im Sexuellen. Früher war er stürmisch, da haben wir uns verstanden. Aber jetzt habe ich furchtbare Schmerzen dabei. Dann trinke ich Alkohol und lasse es über mich ergehen." Wegen dieser Unzufriedenheit habe sie viele andere Männer gehabt. „Aber scheiden lassen will ich mich nicht, weil mein Mann den Sohn haben will."

Die Symptomatik der Patientin brach aus, als sie einen „etwas jüngeren Mann mit idealer Fassade" kennenlernte. Sie hätten sich über längere Zeit immer donnerstags getroffen. Schwärmend sagt sie: „Das war mein Donnerstagsmann." Der habe ihr sehr geholfen. „Daran denke ich heute noch. Und ich mußte immer wieder zurück zu meinem Mann ... Dann bin ich in einen Westernclub gegangen, wo ich Kommandeuse bin. Da gibt es viele Cowboys, vor allem wenn Fasching ist. Aber sonst fühle ich mich so eingeengt und weiß nicht, was ich machen soll."

Die Findung der eigenen Geschlechtsrolle ist bei der Patientin erheblich erschwert. Frühe Verführungssituationen bei mangelhaftem mütterlichen Vorbild, die ambivalente Einstellung zum Vater, der das Haus verließ, als sie 5 Jahre alt war, erschweren die Bildung eines sicheren Selbstwertgefühls. Kokettieren, Rollenspiel hat die Patientin früh gelernt und „kommt dadurch an", kann sich jedoch nur schwer adäquat einem Partner zuwenden. Idealisierungen, Schwärmereien bei einer Unentschiedenheit der eigenen Geschlechtsrolle gegenüber weisen u.a. auf eine ödipale Störung hin.

Literatur

Battegay R (1977) Narzißmus und Objektbeziehungen. Huber, Bern
Brenner C (1967) Grundzüge der Psychoanalyse. Fischer, Frankfurt
Dührssen A (1969) Psychogene Erkrankungen bei Kindern und Jugendlichen. Vandenhoeck & Ruprecht (Verlag für Med Psychologie), Göttingen
Elhardt S (1990) Tiefenpsychologie. Eine Einführung. Kohlhammer, Stuttgart, 12. Auflage

Fenichel O (1945) The psychoanalytic theory of neurosis. Norton, New York (dt. 1983: Psychoanalytische Neurosenlehre. Ullstein, Berlin)
Freud S (1952) Gesammelte Werke, Bd 1–17. Imago, London
Mertens W (1991) Psychoanalyse, 4. Aufl. Kohlhammer, Stuttgart
Nunberg H (1959) Neurosenlehre. Huber, Bern
Riemann F (1973) Grundformen der Angst. Reinhardt, München
Schultz-Hencke H (1951) Lehrbuch der analytischen Psychotherapie. Thieme, Stuttgart New York

Spezielle Neuroseformen

Psychoneurosen

Tabelle 16. Symptomorientierte Synopsis der neurotischen (Kursivdruck) und anderer klinischer Bilder. (Hoffmann u. Hochapfel 1991)

Charakterneurose Abnorme Persönlichkeit	Kurzzeitige Reaktion	Neurose	Psychose
Paranoider Charakter	Paranoide Reaktion	Sensitive Entwicklung (paranoide Neurose)	Paranoide Psychose „Paranoia"
Schizoider Charakter		(schizoide Neurose)	Schizophrene Psychose
Narzißtischer Charakter	Narzistische Krise	Narzistische Neurose („Pan-Neurose")	(simplex, Hebephrenie) Borderline-Syndrom
	Episodische Depersonalisation/ Derealisation	*Depersonalisation Derealisation bei Neurosen*	Depersonalisation Derealisation bei Psychosen
	Hypochondrische Reaktion	*Hypochondrie*	Hypochondrischer Wahn
Depressiver Charakter	Depressive Reaktion (Trauer?)	*Neurotische Depression*	Depressive Psychose („endogene Depression") („Melancholie")
Zwangscharakter	(„anankastische Reaktion")	*Zwangsneurose*	Zwangserscheinungen bei verschiedenen Psychosen
(Angstcharakter)	„Angstanfall"	*Angstneurose Phobie* (Angsthysterie)	Angstzustände bei verschiedenen Psychosen
Hysterischer Charakter	(hysterische Reaktion)	*Hysterische Neurose/ Konversionsneurose*	(„hysterische Psychose")

Neurotische Depression

- Krankheitsbild mit chronisch depressiver Verstimmung, das sich deutlich von der psychotischen (endogenen) Depression abgrenzen läßt. Häufigste Begleitreaktion: Ängste.

Epidemiologie

- Mehr als die Hälfte aller „psychiatrisch" auffälligen Patienten in der Allgemeinpraxis sind depressiv,
- 1/3 aller Patienten einer Allgemeinpraxis sind „psychiatrisch" behandlungsbedürftig,
- die Hälfte der Patienten sind 10 und mehr Jahre krank,
- Krankheit wird spät diagnostiziert (30% länger als 5 Jahre).
- Morbidität: etwa 5–10% der Bevölkerung,
- ca. 10–20% in der Neurosengruppe,
- mehr Frauen als Männer (etwa 1:2–3),
- 3.–4. Lebensjahrzehnt (bei psychotischer ca. 5.–6. Lebensjahrzehnt),
- transkulturell:
  o bei Baptistensekte der Hutteriten (Kinder früh in jeglicher Expansion eingeengt) außergewöhnlich häufiges Auftreten von (neurotischen und psychotischen) Depressionen.

Symptomatik (Abb. 14)

1. Allgemeine Auflistung:
    - 2 Grundtypen (über narzißtische Regulation zu verstehen):
      o mehr hysterisch (= abhängig und fordernd),
      o mehr zwanghaft (= pedantisch, skrupulös, gewissenhaft);
    - traurige oder ängstliche Grundstimmung,
    - Antriebshemmung, Lust- und Interesselosigkeit,
    - Minderwertigkeitsgefühle,
    - Selbstvorwürfe,
    - Suizidgedanken,

---

1. Psychische Symptome

Traurige Verstimmung, Angst, Gereiztheit, Hoffnungslosigkeit, Insuffizienzgefühle, Gefühl der Gefühllosigkeit, innere Leere, Denkhemmung, Apathie oder innere Unruhe, Entscheidungslosigkeit, Schuldgefühle

2. Psychomotorische Symptome

Psychomotorische Hemmung: Hypo- und Amimie, Bewegungsarmut, Stupor.
Psychomotorische Agitiertheit: rastlose Unruhe, Getriebenheit, leerer Beschäftigungsdrang

3. Somatische Symptome

Vitalstörungen:	Müdigkeit, Kraftlosigkeit, Energiemangel, Druck oder Schmerz in Herz- oder Magengegend
Schlafstörungen:	Einschlafstörungen, zerhackter Schlaf, frühes Erwachen
Tagesschwankungen:	Morgentief
vegetative Störungen:	Mundtrockenheit, Atembeschwerden, Schwindel, Obstipation, Herzrhythmusstörungen

Abb. 14. Depressives Syndrom, aufgelistet nach gestörten Funktionsbereichen

- hypochondrische Beschwerden,
- Schlaf- und Appetitstörungen,
- Erschöpfung, Kopfdruck,
- starke Abhängigkeit von Liebes- und Zuneigungsbeweisen,
- Unselbständigkeit und fordernde Haltung (DD: hysterische Persönlichkeit),
- Anklammerungstendenzen,
- geringe Frustrationstoleranz gegenüber Versagungen,
- rigide Über-Ich-Bildung (DD: Zwangsneurose),
- manifeste oder somatisierte Ängste;
- Suizidalität häufig:
  o je stärker die hysterische Komponente, umso appellativer die Suizidversuche (DD: depressive Verstimmungen bei hysterischer Neurose).
- Leitsymptom
  o chronisch depressiver Verstimmungszustand;
- Cluster-Analyse:
  o oft schleichender Beginn,
  o allgemeine Zeichen von „Neurotizismus",
  o erhaltene Reaktionsfähigkeit gegenüber der Umwelt,
  o hypochondrische Züge,
  o offen geäußerte Aggressionen.

2. Systematik
   - aus präödipalem Bereich:
     o Kampf um den symbiotischen Bezug zu einer idealisierten Person als Mutterrepräsentanz;
   - orale Abhängigkeit:
     o Person von der narzißtischen Bestätigung und dem Geliebtwerden durch eine Mutterinstanz abhängig geblieben;
   - Ich durch aggressive Introjektion belastet (Mutter gleichzeitig geliebt und gehaßt);
   - rigides Über-Ich (sadistisch) mit Schuldgefühlen, Selbstbestrafungstendenzen;
   - Ich-Ideal mit Bild absoluter Vollkommenheit;
   - Zentralangst:
     o Verlust des übermächtigen „Mutter-Partners" → sucht die Verklammerung und wehrt deren Auflösung ab;
   - Zwickmühle zwischen unrealistischen Größenphantasien und unrealistischen Ohnmachtsvorstellungen;
   - depressive Ohnmacht als Folge des Zusammenbruchs der geheimen Grandiosität und der haßerfüllten Selbstabwertung.

Spezielle Symptomatik. Die vier Aspekte:
- Aspekt der Objektbeziehungen,
- triebpsychologischer Aspekt,
- ichpsychologischer Aspekt,
- Aspekt der Selbstpsychologie.

3. Determinanten des Schuldgefühls:
   - Eigenexistenz als schuldhaft erlebt,
   - Selbstentfaltungstendenzen als „böse" erlebt,
   - kann seinen grandiosen Selbstforderungen nie gerecht werden, bleibt immer etwas „schuldig",
   - kann auf autonome Erfolgserlebnisse nicht zurückgreifen (weil sich realer Mangel an Fähigkeiten eingestellt hat),
   - „Sühnemittel", das der Depressive mit seiner Depression fordert.

4. Abgrenzung zur endogenen Depression:
   - Schuldgefühle elementarer, werden als Wesensmerkmale empfunden,
   - depressive Wahnbildungen, schwere depressive Stuporzustände, elementare Agitiertheit fehlen,
   - Tages- und Jahresrhythmen,
   - sprechen gut auf Psychopharmaka an.

5. „Larvierte" Depression
   - Depressives Syndrom, das durch körperliche Symptome und Angst charakterisiert ist; die psychischen Symptome sind durch die körperlichen maskiert, wie durch eine „Larve" verdeckt, und leiten den Arzt oft fehl.

Körperliche Symptome (in %)

Unklare Allgemeinbeschwerden	18,1
Zentralnervöse Beschwerden	26,7
Gastrointestinale Beschwerden	22,2
Beschwerden von seiten des Muskel- und Skelettsystems	11,5
Kardiovaskuläre Beschwerden	10,7
Urogenitale Beschwerden	4,8
Atembeschwerden	3,0
Beschwerden von seiten der Sinnesorgane	1,9
Beschwerden von seiten der Haut	1,1

Therapieprinzipien:
- Berücksichtigung der Syndromgenese,
- körperlich begründbare Depression – je nach Ursache, dazu evtl. Antidepressiva,
- bei „endogenen" Depressionen Antidepressiva im Mittelpunkt,
- sorgsames Erwägen psychotherapeutischer Behandlungsmöglichkeiten.

Persönlichkeit

Drei Grundtypen
- überwiegend hysterisch/narzißtisch (abhängig und fordernd):
  o Unselbständigkeit mit fordernder Haltung,
  o starke Abhängigkeit von Liebes- und Zuneigungsbeweisen von der Umwelt,
  o geringe Frustrationstoleranz gegenüber Versagungen;

- überwiegend zwanghaft:
  o pedantisch, skrupulös, gewissenhaft,
  o rigide Über-Ich-Bildung (DD: Zwangsneurose);
- oral-gehemmte Charakterstruktur:
  o überbescheiden, anspruchslos, aufopfernd,
  o äußert keine Wünsche, verzichtet eher, als unbescheiden zu wirken,
  o stellt an sich hohe Ansprüche,
  o hat infantile Abhängigkeitswünsche (dadurch fühlen sich andere überfordert, grenzen sich feindselig ab),
  o In der Partnerschaft:
    — Mit der Haltung des Sich-aufopferns und gleichzeitig forderndem Liebesanspruch drohen sie, den Partner zu erdrücken.

Psychodynamik

Störung der oralen Phase und der narzißtischen Regulation während dieser Zeit:
- Frühe Frustration = Versagung:
  o liebloses Klima,
  o frühzeitige Resignation und Hoffnungslosigkeit,
  o Wut abgewehrt durch Wendung gegen sich selbst = Selbstaggression,
  o hoher Selbstanspruch bei schwachem Ich;
    — der Depressive hat die Beziehung zu einem Teil von sich selbst verloren, dadurch entstehen verminderte Selbstachtung, Selbstvorwürfe, Empfindlichkeit und narzißtische Kränkbarkeit.
- Frühe Frustration = grenzenlose Verwöhnung:
  o Kind wird abhängig und hilflos gehalten,
  o entwickelt keine Aktivitäten,
  o hat die Beziehung zu sich selbst zum Teil verloren,
  o Triebbefriedigung löst Angst aus,
  o starker Anspruch auf Liebe und Zuwendung führt zu Abhängigkeitshaltung.
- Beim Depressiven läuft der Verlust als unbewußte Phantasie ab:
  o Verlust ist mit Gefühlen eigener Schuld und Strafe verbunden (Hintergrund: reale Entbehrungen der mütterlichen Zuwendung).
- Depressive haben die Vorstellung, daß der andere das geben kann, was er selber entbehrt („Auf der Suche nach dem Glanz im Auge der Mutter" (Kohut):
  o Verlustangst durch Anklammern beherrschen:
    — Symbiotische Beziehungen,
    — Verschmelzungswünsche;
  o Vereinsamung, weil der Partner das nicht aushält.
- Ausbildung von unbewußten Größenphantasien:
  o als Schutz vor Minderwertigkeitsgefühlen,
  o als „Puffer" (Ideal-Ich) vor Kränkungen.
- Ständige Versagungserlebnisse führen zum Affekt der Aggression, die meist nach innen, gegen das eigene Selbst gerichtet sind.
- Rigides Gewissen mit hohen Über-Ich- und Ideal-Ich-Ansprüchen.

- Wendung der Aggression gegen die eigene Person:
  - Kleinkind „darf" Wut nicht äußern, weil auf Umwelt existentiell angewiesen, deshalb Wendung gegen sich selbst;
  - Verständnisreihe:
    — Frustration → reaktive Wut → Wendung der Aggression gegen das eigene Selbst.
- Erhöhte Verletzbarkeit des Selbstwertgefühls:
  - Ich-Hemmung,
  - Absinken der Selbstachtung,
  - Hilflosigkeit.

Auslösesituationen

- reale oder phantasierte Objektverluste oder Trennungserlebnisse,
- narzißtische Kränkungen,
- Enttäuschung des passiven Liebesbedürfnisses (drohender oder realer Partnerverlust s. o.),
- frustriertes, passives Liebesverlangen,
- frustrierte Größenphantasien.

Therapie (Verlauf eher chronisch)

Strenge Indikationsstellung:
- Psychoanalyse mit Strukturkorrektur,
- Verhaltenstherapie kann zur Korrektur verzerrten Selbstkognitionen und Fehlerwartungen an die Umwelt führen,
- auf latent vorhandene Suizidalität ansprechen,
- körperliche Aktivierung (Sport, physikalische Therapie usw),
- medikamentös (viel seltener erforderlich als in der Praxis eingesetzt):
  - bei ängstlich-agitierter Form:
    — Antidepressiva mit sedierend anxiolytischer Wirkung (z. B. Doxepin (*Aponal), Amitryptilin, (*Saroten), Trimipramin (*Stangyl)),
  - bei vitaler gestörter Ausprägung:
    — Antidepressivum ohne sedierend-anxiolytische Wirkung (z. B. Imipramin (*Tofranil), Fluoxetin (*Fluctin), Dibenzepin, (*Noveril)).

Arzt-Patienten-Beziehung
- Gegenübertragung:
  - passiv-abhängige unterwürfige Haltung des Depressiven ruft im Arzt sadistische, aggressive Regungen hervor → verstärkt den autoaggressiven Zirkel im Patienten;
  - Wünsche des Patienten nach Versorgung verleitet den Arzt, zu viel zu gewähren → Abhängigkeit vom Arzt wird verstärkt;
  - Trennungserlebnisse – auch Arztwechsel – sind für diese Kranken schwierig zu verarbeiten.
- Übertragung:
  - s. Persönlichkeit des Depressiven;
  - anklammernd, fordernd,

o große, umfassende Hilfe erwartend,
o um Verständnis und Zuwendung werbend.

Literatur

Dilling H, Weyerer S, Enders I (1978) Patienten mit psychischen Störungen in der Allgemeinpraxis und ihre psychiatrische Überweisungsbedürftigkeit. In: Häfner H (Hrsg) Psychiatrische Epidemiologie. Springer, Berlin Heidelberg New York Tokyo
Elhard S (1981) Neurotische Depression. Psychother Psychosom Med Psychol 3:10–14
Feldmann H (1984) Psychiatrie und Psychotherapie. Karger, Basel
Hoffman SO, Hochapfel G (1991) Einführung in die Neurosenlehre und Psychosomatische Medizin, 4. Aufl. Schattauer, Stuttgart
Kohut H (1973) Narzißmus. Suhrkamp, Frankfurt
Lesse S (1968) Masked depression – a diagnostic and therapeutic problem. Dis Nerv Syst 29: 169–173
Mattussek P, Söldner ML, Neurotic Depression. Results of the Cluster Analysis. J Nerv Ment Dis 170:588–597
Rudolf GAE (1992) Therapieschemata, 2. Aufl. Urban & SChwarzenberg, München
Schmauß MG (1989) Die Diagnose der larvierten Depression in der Allgemeinpraxis. Z Allg Med 65:308–312

Zwangsneurose
(Zwangssyndrom; anankastisches Syndrom; Zwangskrankheit)

Epidemiologie

- Gesamtmorbidität ca. 0,05%,
- in Psychotherapie-Ambulanz: unter 5%,
- Frauen ebenso häufig betroffen wie Männer,
- häufiger in mittleren und höheren sozialen Schichten.

Differentialdiagnose

- anankastische Depression,
- bei Schizophrenie,
- hirnorganisches Zwangssyndrom (z.B. nach Encephalitis).

Symptomatik

Zwang (= Anankasmus):
bestimmte Vorstellungen, Denkinhalte, Handlungsimpulse drängen sich immer wieder auf und können nicht unterdrückt werden, Patient lehnt sie als unsinnig ab, kann sich aber nicht dagegen wehren.

Zwänge:
- Zwangsgedanken (zusammen mit Zwangsbefürchtungen am häufigsten):
  o bestimmte Gedankeninhalte (aggressive, sexuelle, obszöne) drängen sich immer wieder auf (Grübeln, Weitschweifigkeit) →machen Schuldgefühle →Gegenteil wird oft gleich dazu gedacht,
  o magische Allmacht der Gedanken.

- Zwangsbefürchtungen:
  - unsinnige Befürchtungen mit aggressivem, obszönem, „verbotenem" Inhalt.
- Zwangsimpulse:
  - Aufdrängende Impulse, anderen zu schaden (wird fast nie verwirklicht) → abwehrende Verhaltensweisen, oft ideologisiert → Vermeidung entsprechender Situationen.
- Zwangshandlungen:
  - dienen der Abwehr und Absicherung anderer Zwänge (z. B. Waschzwang, Zählzwang, Ordnungszwang, Kontroll- und Vergewisserungszwang, Vermeidungen),
  - ausgebaut zu Zwangsritualen mit bestimmter Reihenfolge und Häufigkeit.
- Krankhafte Zweifel:
  - Kontrollzwang = Zweifel, ob eine Handlung wirklich richtig ausgeführt wurde,
  - Waschzwang = Zweifel, ob wirklich kein Schmutz zurückkgeblieben ist,
  - Wiedergutmachungszwang = Zweifel, ob man jemandem geschadet hat,
  - Zwänge dienen der Abwehr der Angst vor Tod, Zerfall,
  - nichts ist sicher, alles muß bezweifelt werden.
- Viele Zwänge haben etwas Magisches mit Allmachtsphantasien (Dinge müssen gemieden werden, weil sie Unglück bringen).
- Zwangsneurotisches Organsyndrom mit:
  - Kopfschmerzen, Obstipation, Ermüdung, Schlafstörungen, funktionelle Herzbeschwerden.
- Zwangsinhalte werden als Ich-zugehörig erlebt.
- Trias
  - Emotionale Autarkie („Ich brauche niemanden: der Zwangsneurotiker ist ein „affektiver Selbstversorger"),
  - Vermeidung echt autonomer Handlungen (Vermeidung jeder Fehlermöglichkeit),
  - Gefühl des Getriebenseins.
- Entwicklung von Gegengedanken, um negative Wirkung zu neutralisieren.

Persönlichkeit

Zwanghafte Persönlichkeitsstruktur:
- äußerlich:
  - fügsam, beherrscht, kontrolliert, in Körperhaltung unfrei, starr:
- untergründig:
  - aggressive Haltung, Eigensinn, Neigung zur Willkür,
  - kann eigene Fehler nicht zugeben, macht indirekt Vorwürfe,
  - moralisch streng,
  - unterwirft sich Autorität, zwingt aber übertriebene Genauigkeit, Reinlichkeit usw. auf,
  - sparsam, pedantisch, eigensinnig.

Psychodynamik

- anal-aggressive Triebimpulse:
  o aggressiv-sadistisch,
  o antisozial, zerstörerisch,
  o Macht, Willkür ausübend;
- dazu aber:
  o strenge Gewissensbildung (strenges Über-Ich),
  o Selbstzweifel, Angst, Schuldgefühle;
- Konfliktbereich:
  o zügellose anale und sexuelle Antriebe stehen in Widerstreit mit rigorosen Gewissensnormen:
    — Folge: Zwangssymptom als „Ersatzbefriedigung":
      – unerlaubte Triebimpulse verwirklicht sich in entstellter Form in Zwangsbefürchtugnen, -gedanken, -impulsen oder haben
      – Charakter der Abwehr in Form von Sicherung, Vermeidung, Selbstbestrafung;
  o Über-Ich-Strenge (gegen antisozial erlebte Triebwünsche);
  o Ich-Störung (Unfähigkeit des Ich zur freien, eigenwilligen Handlungsführung; „gefährliche" Triebimpulse können nicht zugelassen werden);
- Abwehrmechanismen:
  o Regression auf Stufe des magischen Denkens,
  o Ungeschehenmachen durch Abwehrhandlung,
  o Isolierung der Impulse aus erlebnismäßigem Gesamtzusammenhang,
  o Reaktionsbildung gegen anal-sadistische Antriebe;
- Auslösesituationen:
  o Ereignisse, die bisherigen Verdrängungsschutz lockern:
    — krisenhafte Zuspitzungen im zwischenmenschlichen Bereich (Eltern – Kinder; zwischen Eheleuten usw.) → rufen aggressive, sexuelle und/oder Schuldgefühle wach → Verstärkung der Abwehr mit Hilfe der Zwangssymptome).

Psychogenese

- strenge, einengende Familienatmosphäre,
- unnachsichtiges Sauberkeitstraining,
- starre Moralvorstellungen,
- Unterdrückung von Spontaneität,
- keine motorische Entfaltung möglich,
- statt Autonomiegefühl entstehen Scham und Zweifel,
- Quint: „Beim Zwangsneurotiker fehlt eine ausreichende positive Beurteilung ausprobierenden Handelns."
- Reaktion auf elterliche Einengungen → Wut, die reaktiv Schuldgefühle hervorruft → Schuld-Angst und ohnmächtige Wut müssen verdrängt werden,
- biogenetische Anlagefaktoren werden zusätzlich zu psychosozialen angenommen.

Therapie

- psychoanalytische Psychotherapie: Besserung in der Hälfte der Fälle,
- Verhaltenstherapie bei Zwangshandlungen („Impulstechnik"),
- autosuggestive und körperentspannende Verfahren können lindern,
- „paradoxe Intention" kann gelegentlich helfen,
- bei zwangsneurotischer Dekompensation und begleitender depressiver Verstimmung:
  - anxiolytische Thymoleptika,
  - Phenothiazine (Clomipramin = Anafranil);
- stereotaktische Operationen können – bei seltenen Indikationen – das „Imperative, die quälende Aufdringlichkeit der Zwangssymptome lindern" (Feldmann).

Literatur

Feldmann H (1984) Psychiatrie und Psychotherapie. Karger, Basel
Hoffmann SO, Hochapfel G (1991) Einführung in die Neurosenlehre und Psychosomatische Medizin, 4. Aufl. Schattauer, Stuttgart
Quint H (1970) Über die Zwangsneurose. Vandenhoeck & Ruprecht, Göttingen
Shapiro D (1965) Neurotic Styles. Basic Books, New York
Woodruff R, Pitts FN (1960) Monozygotic Twins with obsessional Illness. Am J Psychiatr 120:1075–1080

Konversionsneurose
(hysterische Charakterstörung, hysterisches Syndrom)

Konversion ist die Umsetzung eines nicht bewußtseinsfähigen Konfliktes („Komplex"), der verdrängt werden muß, in die körperliche Symptombildung:
- ohne organische Läsion,
- betrifft nur den Willkürbereich der quergestreiften Muskulatur,
- bringt in symbolischer Weise den verdrängten Konflikt zur Darstellung.

Epidemiologie

- unsicher,
- die am meisten fehldiagnostizierte Erkrankung,
- als wahrscheinlich gilt:
  - leichtere Formen: die Mehrzahl der Patienten im Bereich der Inneren Medizin, Allgemeinmedizin, Gynäkologie, Neurologie, Augen- und HNO-Heilkunde;
  - schwere Formen: in der Psychiatrie.

Nosologie (DSM-III-R)

1. Somatisierungsstörung:
   - polysymptomatischer Typ der Hysterie,
   - dem funktionellen Syndrom nahe,
   - überwiegend Frauen betroffen.
2. Konversionsstörung:
   - Konversionstyp der Hysterie,
   - „Anfälle", Störungen der Sensibilität und der Wahrnehmung.
3. Dissoziative Störung:
   - Dissoziativer Typ der Hysterie,
   - mit Bewußtseinsstörungen verbunden.
4. Histrionische Persönlichkeit (Neubenennung der hysterischen Persönlichkeit).
5. Hysterische Dysphorie:
   - entspricht der hysterieformen Depression.

Symptome

Grundpersönlichkeit – hysterischer Charakter.

Bräutigam:
„ Die Symptomatik der Hysterie ist bunt. Sie kann proteushaft, d. h. wie der sich wandelnde griechische Meergott, jede Krankheit vom Hirntumor bis zum Ileus, vom Gelenkrheumatismus bis zum epileptischen Anfall imitieren."

I. Konversionssymptome:
   1. hysterische „Anfälle":
      - großer hysterischer Anfall mit arc de cercle (meist tonisch) (DD: großer epileptischer Anfall),
      - psychomotorische Anfälle,
      - psychogene Synkopen;
   2. motorische Konversionsstörungen:
      - schlaffe Lähmungen:
         o Stand- und Gangstörungen (Astasien, Abasien),
      - psychogene Dys- und Aphonien,
      - Tics, Tremor;
   3. sensorisch-sensible Konversionsstörung:
      - psychogene Blindheit, Taubheit,
      - sensible Dysfunktionen:
         o Par-, Hyper-, Hypoästhesien,
         o hysterische Hemianästhesie,
      - Schmerzen, Cephalgien;
   4. vielfältige subjektive Körperbeschwerden:
      - jede Krankheit kann imitiert werden,
      - globus hystericus, Globusgefühl,
      - Brechneurose,
      - Scheinschwangerschaft;

II. Bewußtseinsstörungen und dissoziative Phänomene:
- Hysterische Dämmerzustände,
- Ohnmachten,
- Derealisation- und Depersonalisationserscheinungen,
- Überschneidung mit dem Borderline-Syndrom (s. S. 136)
  o multiple Persönlichkeiten (mehrere Persönlichkeiten in einer, können alternieren);

III. Gedächtnisstörungen:
- hysterische Amnesie (geht oft mit Bewußtseinsveränderungen einher, Angstabwehr des Hysterikers);

IV. Angstphänomene und Phobien;

V. sexuelle Funktionsstörungen:
- bei Frauen:
  o Sexualekel,
  o Orgasmusstörungen,
  o Frigidität,
  o Dyspareunie,
  o Vaginismus;
- bei Männern:
  o ejaculatio praecox,
  o erektile Störungen,
  o fehelnde sexuelle Satisfaktion;
- häufige Partnerwechsel,
- Partnerbeziehungen:
  o häufig mit „Szenen" verbunden,
  o „sado-masochistische Kampfehe",
  o Hysterische Frauen suchen sich eher zwanghaft-depressive Männer und umgekehrt;

VI. Arbeitsstörungen;

VII. Hyperventilationstetanie (s. Lehrbuch der Psychosomatischen Medizin, Klußmann, 1992).

Psychodynamik/Genese

1. körperliche Bereitschaft wird angenommen;
2. eigene Krankheitserlebnisse (oftmals früher organisch verursachte Leiden);
3. ödipale Probleme:
   - starke Fixierung auf inzestuöse sexuelle Wünsche auf den gegengeschlechtlichen Elternteil,
   - Stärke der sexuellen Triebwünsche entspricht der Heftigkeit der Abwehr,
   - sexuelle Phantasien oft an der Oberfläche; das eigentlich Sexuelle ist verdrängt;

4. orale Probleme:
   - Abhängigkeitskonflikt:
     o Wunsch nach Zuwendung und Abhängigkeit, gleichzeitig Angst vor Liebesverlust (mit Zurückstoßen des Partners),
   - Entwicklungsschäden als Folge von Verlusterlebnissen, Traumen;
5. Starke Neigung zur Identifizierung:
   - Grundlage für einfühlendes Verstehen,
   - schauspielerische Fähigkeiten,
   - auch mit „Krankheitsmustern" (Krankheiten werden perfekt übernommen),
   - starke Suggestibilität,
   - Bezug zur eigenen Krankheitsgeschichte;
6. Hyperemotionalität:
   - mit affektiven Durchbrüchen, „Nervenzusammenbrüchen", „Anfällen",
   - Auseinandersetzung mit eigenem Über-Ich und sozialem Gegenüber,
   - hofft auf Verzeihung (die nicht gewährt wird, weil sie „unecht" wirkt),
   - Neigung zum Agieren (= Handeln aus unbewußter Motivation);
7. Schwäche der Selbstrepräsentanz mit Neigung zum Theatralischen;
8. Verdrängung des Selbstbildes:
   - es entsteht ein „besseres" Selbstbild durch Regression: Appell an die eigene Hilflosigkeit,
   - übt dadurch Druck auf andere aus;
9. Eigentliche Konversion des psychischen Konfliktes in das Körpergeschehen:
   - Symbolisierung: Darstellung des unbewußten Konfliktes im Symptom,
   - Konflikt kann auf jeder Entwicklungsstufe ins Körperliche konvertiert werden, am häufigsten in der ödipalen;
10. Dissoziation:
    - „bewußtseinsspaltender" Effekt,
    - Abspaltung unerträglicher Gefühlsanteile aus dem Erleben,
    - Mechanismus der Verdrängung reicht zur Erklärung nicht aus;
11. hysterischer Abwehrstil:
    - ödipaler Konflikt ständig neu inszeniert, um Angst abzuwehren,
    - Hauptabwehrmechanismen (der hysterischen Neurose):
      o Verdrängung, Verleugnung (verantwortlich für Amnesien und Wahrnehmungsstörungen),
      o Verschiebung (für den Affektbereich),
      o Projektion (im Bereich nicht akzeptierter Triebimpulse).

Persönlichkeit

Durch momentane Umweltreize leicht ansprechbar,
- reagiert impulsiv,
- läßt sich nicht festlegen,
- sprunghaftes Verhalten
  o leicht ansprechbar,
  o labil,
  o rasches Umschlagen der Gefühle;

- Gruppenverhalten:
  - beansprucht Aufmerksamkeit,
  - lebhaft beteiligt,
  - blickt werbend um sich,
  - „belohnt" durch Blickkontakte,
  - Gegenüber fühlt sich besonders angesprochen und emotional einbezogen;
- sexuell leicht erregbar, vereitelt aber Befriedigung,
- Konkurrieren mit dem anderen Geschlecht (insbesondere bei Frauen),
- wirken egozentrisch, theatralisch-unecht, verführerisch, provokant, dabei gefühlskalt, auch intrigant;
- Tragik:
  - ständiger Konflikt zwischen Zuwendungswünschen und Angst vor Festlegung, zwischen sexuellem Wunsch und Angst vor der Realisierung.

Prognose + Therapie

- günstig, wenn Sublimierung der sexuellen Impulse möglich,
- therapieresistent bei starker infantiler Abhängigkeit und oral-forderndem Verhalten,
- Arzt-Patienten-Beziehung erschwert,
  - wenn anspruchsvolles Verhalten Abwehr des Arztes hervorruft,
  - wenn starkes Agieren Verbalisierung und damit die Möglichkeit des Bearbeitens verhindert;
- zunächst klären, ob symptom- oder konfliktzentrierte Behandlung indiziert ist,
- bei akut auftretenden Symptomen:
  - suggestive, hypnotische Behandlung (kommt infantilem Wunsch nach Hilfe und Zuwendung entgegen),
  - verhaltenstherapeutische Verfahren,
  - physikalische Therapie, dazu:
  - wenn möglich analytisch orientierte Gespräche;
- bei Chronifizierung:
  - s. Behandlung bei akuter Symptomatik,
  - intensive Behandlung der sekundären organischen Schäden (z.B. fehlende körperliche Belastbarkeit durch langdauerndes Schonverhalten),
  - Einstellung des Therapeuten:
    — Geduld,
    — sachlich-wohlwollendes Verhalten;
- s.a. Kapitel „Angst", Behandlung S. 129.

Literatur

Feldmann H (1984) Psychiatrie und Psychotherapie. Karger, Basel
Hoffmann SO, Hochapfel G (1991) Einführung in die Neurosenlehre und Psychosomatische Medizin, 4. Aufl. Schattauer, Stuttgart
Rudolf GAE (1992) Therapieschemata, 2. Aufl. Urban & Schwarzenberg, München
Wittchen HU, Saß H, Zaudig M, Koehler K (1989) Diagnostisches und Statistisches Manual Psychischer Störungen (DSM-III-R), Dt. Bearbeitung, Beltz, Weinheim

Angstneurose

Allgemeines (Abb. 15–20)

- Angst und Angstbewältigung Zentralproblem jeder Neurose,
- Ängste des erwachsenen Neurotikers stehen in Zusammenhang mit kindlichen Erlebnissen,
- Angst in der Kindheit besonders ausgeprägt durch
  - Abhängigkeit,
  - Hilflosigkeit,
  - Angewiesensein auf Bezugspersonen,
  - (später) Über-Ich-Ängste;
- Angst ist nötig für die Entwicklung: es sind normale Erlebnisqualitäten von Mensch und Tier,
- krankhaft ist die frei flottierende Angst ohne sichtbaren Anhaltspunkt,
- Angst unter genetischem Gesichtspunkt:
  - Seit wann besteht diese Angst?
  - Bei welcher Situation ist sie entstanden?
  - Zu welch einem Zeitpunkt war sie noch bewußte Furcht?
- Angst unter strukturellem Gesichtspunkt:
  - Wie hat dieser Mensch als Kind versucht, diese Angst zu bewältigen?
  - Welche Abwehrmechanismen hat er aufgebaut?
  - Sind diese reflektorisch geworden?
  - Welche Folgen sind für die Charakterhaltung entstanden?
- Furcht ist auf etwas gerichtet, Angst ist gegenstandslos.

Angst als existentielles menschliches Erleben, als
- Entwicklungsbedingung der Persönlichkeit,
- elementare Schutzreaktion,
- Reiz für Anpassung an und Veränderung der Umwelt,
- Entstehungsbedingung alles neurotischen Erlebens.

Epidemiologie

- Prävalenz in der Bevölkerung 2,9–8,4%,
- Frauen häufiger betroffen,
- Phobien bei Frauen am häufigsten unter allen psychischen Störungen, bei Männern an 2. Stelle (hinter Alkoholismus),
- Angststörungen machen $\frac{1}{6}$ bis $\frac{1}{3}$ aller Arztbesuche aus,
- mehr als 50% der Patienten mit Angststörungen weisen „sekundäre Depression" auf,
- ängstliche und depressive Störungen gehören (neben Suchterkrankungen) zu den häufigsten Problemen der medizinischen Primärversorgung.

Abklärung gegenüber
- organischen Störungen:
  - koronare Herzerkrankung,
  - paroxysmale Tachykardie,

Neurosen

Abb. 15. Die häufigsten Angstsituationen (Pöldinger 1988)

Spezielle Neuroseformen 113

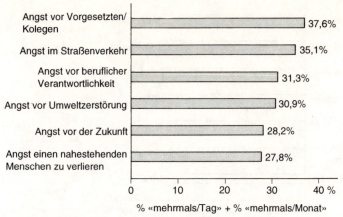

Abb. 16. Häufig auftretende Ängste (Pöldinger 1988)

Abb. 17. Ängste mit stärkerer Ausprägung (Pöldinger 1988)

Abb. 18. Ängste mit stärkerer Panikstruktur (Pöldinger 1988)

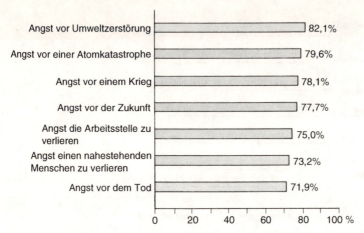

Abb. 19. Angstzustände, die sich ausgeprägter seelisch ausdrücken (Pöldinger 1988)

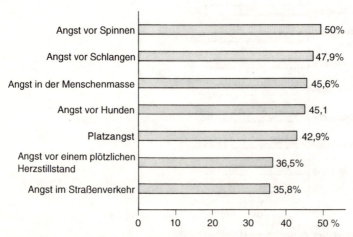

Abb. 20. Angstzustände, die sich stärker somatisch ausdrücken (Pöldinger 1988)

- o hypertensive Krise,
- o Hypoglykämie,
- o Hyper- und Hypothyreose,
- o Temporallappenepilepsie,
- o Hirntumoren,
- o Innenohrerkrankungen,
- o Koffein-, Drogen-, Alkoholintoxikation,
- o Benzodiazepinentzug;
• psychiatrischen Störungen:
  - o psychoorganische Syndrome (z. B. Alkoholdelir),
  - o schizophrene Psychosen (z. B. schizoaffektive Psychose),
  - o affektive Erkrankungen (z. B. agitierte Depression),

o hypochondrische Störungen sowie
o Persönlichkeitsstörungen (z. B. Borderline-Syndrom).

Psychiatrische Diagnoseklassifizierung (Abb. 21–25)

1. Panikattacke/Paniksyndrom:
   • Panikattacke: unerwartet und ohne bedrohliche Situation oder durch einen umschriebenen phobischen Stimulus ausgelöster Anfall von intensiver Angst (verbunden mit vegetativen Begleitsymptomen wie Atemnot, Erstickungs- und Beklemmungsgefühlen, Benommenheit, Palpitationen, Schwitzen usw.;
   • Paniksyndrom: Auftreten von mindestens 3 Panikattacken innerhalb von 3 Wochen.
2. generalisiertes Angstsyndrom: wochenlang bestehende ängstliche Verstimmung, die nicht durch eine andere psychische Störung (wie Depression oder Schizophrenie) bedingt ist. Geht einher mit motorischer Spannung, vegetativer Hyperaktivität, Erwartungsangst, Überwachheit, ständigem Überprüfen der Umgebung;
3. Phobie: an klar definierte Auslösereize gebunden.

Diagnostische Kriterien nach DSM-III-R

Diagnostische Kriterien des Paniksyndroms
A) Mindestens drei Panikattacken innerhalb eines Zeitraumes von drei Wochen, unter Umständen, die nicht auf einer ausgeprägten körperlichen Erschöpfung oder einer lebensbedrohenden Situation beruhen. Die Attacken werden nicht durch Exposition gegenüber einem umschriebenen phobischen Stimulus ausgelöst.

Tabelle 17. Klassifikation der Angststörungen in ICD-9, ICD-10 und DSM-III-R

DSM-III-R (1987/1988)	DSM-III (1980/1984)	ICD-9 (1977)
Panikstörung mit Agoraphobie	Agoraphobie mit Panikattacken	Angstneurose
Panikstörung ohne Agoraphobie	Paniksyndrom	
Generalisierte Angststörung	Generalisiertes Angstsyndrom	
Agoraphobie ohne Panikstörung in der Vorgeschichte	Agoraphobie ohne Panikattacken	
Soziale Phobie	Soziale Phobie	
Einfache Phobie	Einfache Phobie	
Zwangsstörung	Zwangssyndrom	Zwangsneurose
Posttraumatische Belastungsreaktion, akut	Posttraumatische Belastungsreaktion (akut)	Psychogene Reaktion
Posttraumatische Belastungsreaktion, chronisch	Posttraumatische Belastungsreaktion (chronisch)	Anpassungsstörung

Neurosen

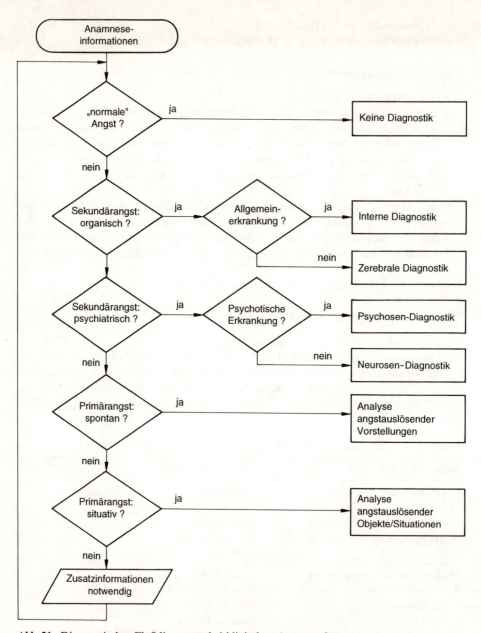

Abb. 21. Diagnostisches Flußdiagramm bei klinischen Angstsyndromen

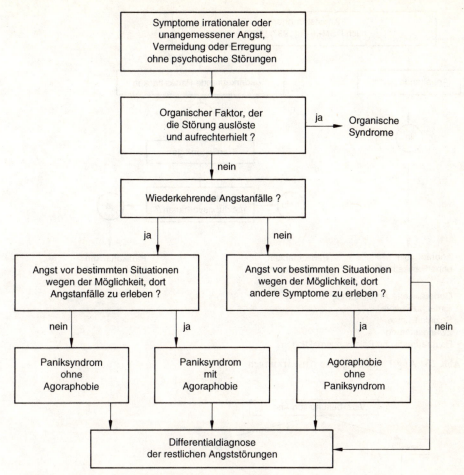

Abb. 22. Anfang des Entscheidungsbaumes zur Differentialdiagnose von Angststörungen nach dem DSM-III-R

B) Panikattacken zeigen sich in abgegrenzten Perioden mit Ängstlichkeit oder Furcht und in mindestens vier der folgenden Symptome während jeder Attacke:
1. Dyspnoe,
2. Palpitationen,
3. Schmerzen oder Unwohlsein in der Brust,
4. Erstickungs- oder Beklemmungsgefühle,
5. Benommenheit, Schwindel oder Gefühl der Unsicherheit,
6. Gefühl der Unwirklichkeit,
7. Parästhesien (Kribbeln in Händen oder Füßen),
8. Hitze- und Kältewellen,

Neurosen

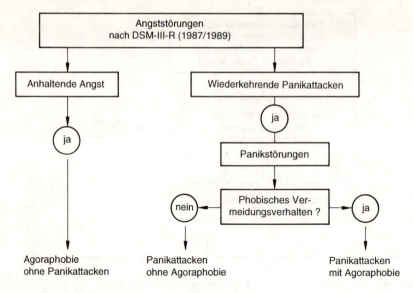

Abb. 23. Angst und mögliche Auswirkungen

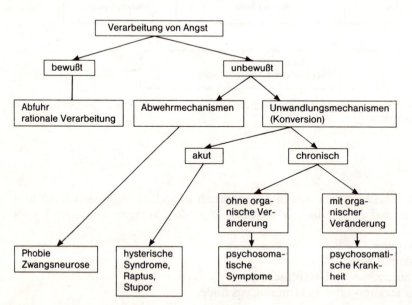

Abb. 24. Möglichkeiten der Angstverarbeitung

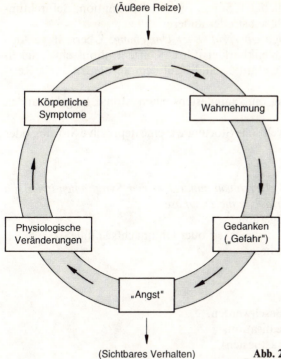

Abb. 25. Teufelskreis bei Angstanfällen

9. Schwitzen,
10. Schwäche,
11. Zittern oder Beben,
12. Furcht zu sterben, verrückt zu werden oder während einer Attacke etwas Unkontrolliertes zu tun.
C) Nicht durch eine körperliche oder eine andere psychische Störung wie typische Depression, Somatisierungssyndrom oder Schizophrenie bedingt.
D) Nicht mit Agoraphobie (Platzangst) verbunden.

Diagnostische Kriterien des Generalisierten Angstsyndroms
A) Generalisierte, anhaltende Ängstlichkeit, die sich in Symptomen aus mindestens drei der folgenden vier Kategorien ausdrückt:
  1. *Motorische Spannung:* Beben, Aufgeregtheit, Sprunghaftigkeit, Zittern, Anspannung, Muskelschmerzen, Ermüdbarkeit, Unfähigkeit, sich zu entspannen, Lidzucken, gerunzelte Brauen, angespannter Gesichtsausdruck, Zappeln, Unruhe, Schreckhaftigkeit;
  2. *vegetative Hyperaktivität:* Schwitzen, Herzklopfen oder -rasen, kalte, feuchte Hände, Mundtrockenheit, Benommenheit, Parästhesien (Kribbeln in Händen oder Füßen), empfindlicher Magen, Hitze- oder Kältewellen, häufige Miktion, Diarrhoe, Unbehagen in der Magengrube, Kloß im Hals, Erröten, Blässe, erhöhte Ruhepuls- und Atemfrequenz;

3. *Erwartungsangst:* Ängstlichkeit, Sorge, Furcht, Rumination, Befürchtungen vor Unglück für sich selbst oder andere;
4. *Überwachheit und ständige Überprüfen der Umgebung:* Übermäßige Aufmerksamkeit, die zur Ablenkbarkeit führt, Konzentrationsschwierigkeiten, Schlaflosigkeit, das Gefühl, „ständig auf dem Sprung zu sein", Reizbarkeit, Ungeduld.

B) Die ängstliche Verstimmung muß mindestens einen Monat lang bestanden haben.
C) Nicht durch eine andere psychische Störung wie eine depressive Störung oder Schizophrenie bedingt.
D) Alter mindestens 18 Jahre.

Symptome der Panikstörung. Vorliegen von mindestens vier Symptomen innerhalb einer oder mehrerer Attacken erlauben die Diagnose
- Atemnot oder Beklemmungsgefühle,
- Benommenheit, Gefühl der Unsicherheit oder Ohnmachtsgefühle,
- Palpitationen oder Tachykardie,
- Zittern oder Beben,
- Schwitzen,
- Erstickungsgefühle,
- Übelkeit oder abdominelle Beschwerden,
- Depersonalisation oder Derealisation,
- Taubheit oder Kribbeln (Parästhesien),
- Hitzewallungen oder Kälteschauer,
- Schmerzen und Unwohlsein in der Brust,
- Furcht zu sterben,
- Furcht, verrückt zu werden, oder Angst vor Kontrollverlust.

Körperliche Symptome
- *kardial:* unregelmäßiges, rasches oder verstärktes Herzklopfen, Brustschmerzen;
- *vaskulär:* Blässe oder Erröten in Gesicht und Extremitäten, kalte Akren;
- *muskulär:* Zittern, Muskelverspannung, weiche Knie, motorische Unruhe;
- *respiratorisch:* beschleunigte Atmung, Gefühl der Enge, Atemnot, Erstickungsangst;
- *gastrointestinal:* Luftschlucken, Aufstoßen, Kloßgefühl im Hals, Magenschmerzen, Erbrechen, Blähungen, Durchfall;
- *vegatatives Nervensystem:* Schwitzen, weite Pupillen, Harndrang;
- *zentrales Nervensystem:* Kopfschmerzen, Augenflattern, Schwindel, Ohnmachtsgefühl, Schlafstörungen.

Von S. Freud als „Angstneurose" bezeichneter „Symptomenkomplex"

1. Allgemeine Reizbarkeit: Unfähigkeit, zusätzliche Reize von innen oder außen zu ertragen; z. B. Überempfindlichkeit gegen Licht oder Geräusche.
2. Ängstliche Erwartung: Sie umfaßt all das, was man als „Ängstlichkeit, Neigung zu pessimistischer Auffassung der Dinge" bezeichnet, geht aber über „plausible Ängstlichkeit hinaus". Die Ängstlichkeit kann die eigene Ge-

sundheit betreffen (Hypochondrie) oder eine Neigung zu Skrupulosität und Pedanterie (Gewissensangst), die sich u. U. zur Zweifelssucht steigert. „Frei flottierende Angst" bestimmt die Auswahl von Vorstellungen und ist „jederzeit bereit", „sich mit irgendeinem passiven Vorstellungsinhalt zu verbinden".

3. Angstanfall: Er entsteht, wenn diese „latente, aber konstant lauernde Ängstlichkeit" plötzlich ins Bewußtsein hereinbricht. Der Angstanfall kann mit körperbezogenen Mißempfindungen und/oder Störungen der Körperfunktionen einhergehen.
4. Angstäquivalente, insbesondere funktionelle Körperstörungen; sie betreffen:

- die Herztätigkeit (Herzklopfen, Arrhythmien), Tachykardien,
- die Atmung (nervöse Dyspnoe, Hyperventilation),
- Schweißausbrüche, auch nachts,
- Zittern und Schütteln,
- Anfälle von Heißhunger,
- Diarrhöen,
- Schwindelgefühl, Parästhesien.

5. Nächtliches Aufschrecken (Pavor nocturnus des Erwachsenen): oft verbunden mit Angst, Dyspnoe und Schweißausbruch.
6. „Schwindel": Oft verbunden mit Gefühlen von Schwäche, Unsicherheit und Hinfälligkeit, die bis zur „Ohnmacht" (Synkope) reichen.
7. Entwicklung von Phobien: Häufig geht chronische Ängstlichkeit in Verbindung mit Symptomen der Angstneurose der Bildung von Phobien voraus. Diese können physiologischer Bedrohung (Schlangen, Gewitter, Dunkelheit, Ungeziefer), angstauslösenden Situationen (enge Räume, Höhen, öffentliche Plätze) und auch Körpersymptomen, die in Angstzuständen aufgetreten waren („Herzklopfen"), gelten.
8. Störungen der Verdauungstätigkeit: Brechneigung, Übelkeit, Heißhunger, Neigung zu Diarrhö sind häufig.
9. Parästhesien und Steigerung der Schmerzempfindlichkeit.
10. Chronifizierung und Symptomwandel: Vor allem Diarrhö, Schwindel und Parästhesien kommen auch chronisch vor. Chronischer Schwindel kann „durch die andauernde Empfindung großer Hinfälligkeit, Mattigkeit und dergleichen vertreten" werden.

Angstformen (1)
- Realangst: objektiv vorhandene Gefahrenquellen – also realistisch;
- neurotische Angst:
  o „objektive" Gefahrenquellen fehlen,
  o irrationaler Charakter, aber
  o subjektiv begründet;
  o Angst- und Gefahrenquelle unbewußt;
- Angstkrankheit zu verstehen aus:
  a) psychosexueller Entwicklung (Triebtheorie),
  b) Entwicklung des Selbst (Narzißmustheorie).

Angstformen (2)
- „Normale" Angst: — Signalangst (z. B. Herzklopfen als affektbegleitende Funktionsänderung),
- Objektbezogener Angstanfall gegenüber:
  - Partner („Monophobie": Angst vor dem Alleingelassenwerden),
  - Tieren (Hunde-, Spinnen-, Schlangenphobie usw.),
  - Situationen: Klaustrophobie = Raumangst, Agoraphobie = Platzangst;
- Angst um ein Körperorgan: — Herzphobie, Karzinophobie usw.
- Überschwemmtwerden mit diffuser Angst: — „Angstkrankheit", Psychose.

Angstformen (3)
- Bindungsangst als depressive Schutzangst (schutzlos ausgeliefert sein),
- Ansteckungsangst: eine Kontaktangst (mit den eigenen Triebelementen),
- Examensangst als Kastrationsangst,
- Angst vor Krankheit: nach innen gewendete Aggression,
- Angst vor Blamage: Scham- und Schuldgefühle über verbotene Antriebe,
- Verarmungsangst: „Mutter läßt mich verhungern", „Ich habe von der Welt nichts bekommen",
- existentielle Angst: frühe Angst (häufig vorkommend), Unfähigkeit zur Hingabe, zum Vertrauenkönnen.

Angsttheorien Freuds

1. Theorie („biochemische Angsttheorie)
   - Unterscheidung von 2 Gruppen von Neurosen:
     a) Aktualneurosen (ohne psychische Ursache, sondern somatisch bedingt):
        ○ Neurasthenie (direkte affektive Reaktionen),
        ○ Angstneurose („gestaute Sexualstoffe"),
        ○ Hypochondrie,
     b) Psycho-Neurosen (mit psychischer Ursache; Ergebnis unbewältigter Triebkonflikte):
        ○ Angsthysterie (passive Angst),
        ○ Zwangsneurose (aktive Angst);
   - Angst entsteht aus unabgeführter Libido,
   - Psychoneurosen gehen auf nicht verarbeitete einmalige psychische Traumen zurück,
   - heute: Angst entsteht aus „unterdrücktem Leben",
   - neurotische Angst entsteht dadurch, daß Libido als innere Gefahr empfunden wird,
   - die eigentliche Angststätte ist das Ich.
2. Theorie
   - Die Angst macht die Verdrängung und nicht umgekehrt.
   - Das Ich schützt sich durch Entwicklung von Signalangst.

- Neurotische Angst: vor dem inneren Objekt; reale Angst: vor dem äußeren Objekt.

Psychophysiologische Zusammenhänge (Abb. 26)

Angst kann einer körperlichen Krankheit vorausgehen.
- Katecholaminstoffwechsel
  Noradrenalinfreisetzung über peripher-sympathisches Nervensystem; Adrenalinfreisetzung aus Nebennierenmark.
  Ängstliche haben höhere Plasmaadrenalinwerte (bedrohliche Situationen mit unsicherem Ausgang).
  Noradrenalinausschüttung bei bedrohlichen, aber vorhersagbaren Situationen, angepaßte Reaktion möglich.
- Kohlenhydratstoffwechsel
  Blutzuckerspiegel steigt bei Diabetikern in Angstsituationen.
- Herzfrequenz, Blutdruck, peripherer Gefäßwiderstand
  Chronisch gehemmte, aggressive Triebe → Blutdruckerhöhung; 2 Typen von Herzinfarktpatienten:
  a) angepaßt-sozial,
  b) dynamisch-impulsiv/ängstlich-aggressiv.
- Plasmalipide
  Triglyceriderhöhung bei Individuen, die mit ihrer Aggressivität ungehemmter umgehen können; Cholesterinerhöhung bei verdrängten Ängsten.
- Atmung
  Angstatmung, Hyperventilation, Seufzeratmung.

Angst ist ein Schlüsselbegriff psychophysischer Zusammenhänge, gilt als „leibseelische Verdichtungsstelle" (Gehlen 1956).

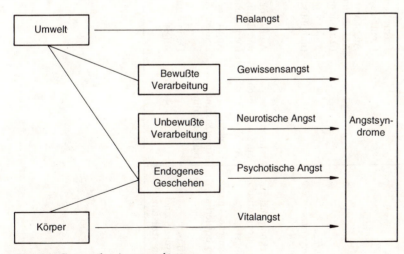

Abb. 26. Genese der Angstsyndrome

Tabelle 18. Zweidimensionales Kontinuum der manifesten Angstzustände (nach Mentzos 1991)

	Angst		Normale Furcht (= Realangst)
Panische Angst der gesunden bei Katastrophen			
	Kastrations-Über-Ich-Angst („reife Psychoneurosen")		„Reife" Phobie
	Angst vor Liebes- oder Autonomieverlust (Autonomie-Abhängigkeitskonflikt)		„Der kleine Hans"?
Diffuse körpernahe Angst	Angst vor Selbstverlust (narzißtische Störungen)		Phobie bei einer narzißtischen Störung
Dekompensierte angstneurotische Angst	typisch angstneurotischer Anfall	Angst vor Verlust der Objekt- und damit Selbstrepräsentanz (Angstneurose)	
panische Angst bei borderline	diffuser Angstzustand bei borderline	Angst vor Vernichtung der „guten" Anteile (borderline)	Phobie bei borderline
diffuser psychotischer Angstzustand		Desintegrations- (psychotische) Angst	*Konkrete, entsomatisierte Furcht (bzw. Signalangst)*

Primäre Angstinhalte

Angst vor dem Objektverlust überhaupt:
- frühe Angst (intentionale, orale Phase),
- z. B. bei anaklitischer Depression (Spitz 1967),
- kann beim Säugling zum Tod führen,
- Angst vor dem Verlassenwerden,
- Todesangst.

Angst vor dem Verlust der Liebe des Objektes:
- Objektbeziehung schon aufgebaut,
- spätere Angst,
- versagende Einflüsse in oraler, analer, sexueller Hinsicht spielen eine Rolle,
- das Kind kann sich Zuwendung erzwingen durch Werben und Stören (mit strafenden Folgen).

Kastrationsangst:
- in phallischer Phase,
- besondere Art des Liebesverlustes,
- Entwicklung expansiver Triebe unterdrückt,
- Kind wird „beschnitten" in jeder Weise.

Über-Ich- oder Gewissensangst:
- Angst vor der eigenen inneren Stimme,
- elterliche Motive sind introjiziert,
- Angst als Schuldgefühl erlebt, mit depressiver Stimmung.

Angst vor dem eigenen Masochismus:
- setzt Bildung eines strengen Über-Ich voraus,
- Forderungen des Über-Ich unerfüllbar →Schuldgefühle →starkes Selbstbestrafungsbedürfnis mit lustvollem, masochistischem Leiden,
- Verbrecher aus Schuldgefühl,
- überwertig gewissensstrenge Menschen,
- Angst vor dem eigenen latenten Selbstmord und anderen Schädigungstendenzen (vom Turm in die Tiefe stürzen zu müssen),
- Grenzsituation: kokettieren mit der Angst als „Angstlust".

Angst vor der eigenen Triebstärke:
- Triebimpulse stark, als Ich-fremd erlebt (Ich-Zerfall), besonders in Umbruchphasen (Pubertät).

Allen ist gemeinsam:
- der vitale Triebanspruch,
- die narzißtische Kränkung, Selbstdemütigung,
- das Ich geht in Abwehrstellung, bildet Abwehrmechanismen →neurotische Symptombildung →neurotische Charakterstruktur.

a) Triebtheorie
1. intentionale Phase
   - Störung: schizoid,
   - Angst vor Selbsthingabe,
   - Angst vor Objektverlust;
2. orale Phase
   - Störung: depressiv,
   - Angst vor Selbstwerdung,
   - Angst vor Liebesverlust durch das Objekt;
3. anale Phase
   - Störung: zwanghaft,
   - Angst vor Wandel,
   - Über-Ich- oder Gewissensangst;
4. phallische Phase
   - Störung: hysterisch,
   - Angst vor Endgültigkeit,
   - Kastrationsangst: Angst, in jeder Weise „beschnitten" zu werden.

b) Narzißmustheorie
1. Vernichtungsangst (früheste Angstform);
2. Desintegrationsangst
   - Zeichen schwerer Fragmentierung (bis zum Persönlichkeitszerfall),
   - starker Antriebsverlust,
   - Absinken der Selbstachtung,
   - Gefühl von Sinnlosigkeit;
3. Angst vor der eigenen Triebstärke
   - im Rahmen der Desintegrationsangst als Furcht vor dem Zerbrechen des Selbst, nicht als Furcht vor der Stärke des Triebes zu verstehen;
4. Angst vor dem „Wiederverschlungenwerden" (Angst vor symbiotischer Vernichtung; klinisch)
   - Angst vor dem Verlust der eigenen Identität (leidenschaftliche Gefühle führen zu einem symbiotischen Verschmelzungszustand);
   - Angst, von anderen eingenommen und verschlungen zu werden, wenn man diesen Menschen entgegenkommt und deren Anforderungen erfüllt;
   - Angst- und Panikreaktionen werden dadurch abgewendet, daß man andere kontrolliert (und damit das Nähe-Distanz-Problem löst).

Symptome von Patienten mit behindertem Individuationsprozeß und mit Angst vor Verlust der omnipotenten Kontrolle über das (als Selbstobjekt erlebte) Objekt:
- Befürchtungen, leidenschaftliche Gefühle führen zu symbiotischem Verschmelzungszustand mit Angst vor Verlust der eigenen Identität;
- Angst vor Verpflichtungen und Anforderungen, die als Schwäche und Eingenommenwerden („Verschlungenwerden") erlebt werden;
- Bedürfnis, über andere verfügen zu können, zur Nähe-Distanz-Kontrolle.

Phobie

Allgemeines:
- Veräußerlichung der Triebgefahr,
- Der Phobiker bleibt mit seinen Triebansprüchen der Außenwelt verpflichtet,
- Regressive Triebansprüche und Inzestobjekte werden verdrängt,
- Unverträglichkeit bestimmter Triebansprüche mit den Forderungen des Über-Ich,
- Dominierende Angst der Phobie ist die Kastrationsangst,
- Regression des Ich auf die phallisch-narzißtische Trieborganisation,
- Situative Angstanfälle sind typisch.

Arten von Phobie

Tierphobie:
- ein Tier wird zum Ersatzobjekt einer Eltern- oder Geschwisterfigur,
- Konflikt mit äußerer Bezugsperson
 (Freud: Beispiel kleiner Hans: das eigentliche Angstobjekt (Vater) wird verdrängt; der Trieb und die dazugehörige Angst wird auf das Tier (Pferd) verschoben: die Aggressionen gegen das Pferd werden schuldfreier erlebt),
- kollektiv-symbolische Bedeutung des Tieres: Schlange: Verführerin, Phallus-Symbol, Erdtier; Spinne: übermächtige Mutter, die aussaugt, Gift spritzt; Skorpion; usw.

Agoraphobie:
- unbewußte Angst vor Versuchung (meist sexueller Art),
- Begleitperson diejenige, vor der man weglaufen möchte, gegen die man Aggressionen hat,
- Aggressionen gegen Vater und/oder Mutter gerichtet,
- Angst, allein auf die Straße oder öffentliche Plätze zu gehen.

Klaustrophobie:
- Angst, in engen Räumen oder unter vielen Menschen zu sein (Kaufhäuser, Theater, Hörsaal),
- Nähe anderer Menschen macht Angst, vor denen man nicht ausweichen kann,
- Nähe weckt vitale Impulse, die nach Erfüllung drängen,
- das Angstmachende ist der Verbindlichkeitsanspruch der eigenen Impulse – bei Nicht-fliehen-können.

Bakteriophobie:
- Angst vor Ansteckungsgefahren,
- grundlegende Angst vor allem Irrationalen, Unberechenbaren,
- Mangel an Vertrauen in das Lebendige,
- Angst vor den eigenen Kontaktwünschen, vor sexuellen und analen Impulsen (Zwangscharakter),
- vitale Impulse auf das Kleinste verschoben: Bakterien) ihnen kann man nicht ausweichen).

Tabelle 19. „Physiologische" Ängste im Kindes- und Jugendalter

Alter	Angstinhalte
0– 6 Monate	laute Geräusche
6– 9 Monate	Fremde
9–12 Monate	Trennung, Verletzung
2. Lebensjahr	imaginäre Figuren, Tod, Einbrecher
3. Lebensjahr	Tiere (Hunde), Alleinsein
4. Lebensjahr	Dunkelheit
6–12 Jahre	Schule, Verletzung, Krankheit, soziale Situationen, Gewitter
13–18 Jahre	Verletzung, Krankheit, soziale Situationen
über 18 Jahre	Verletzung, Krankheit, Sexualität

Ängste und Angstsyndrome im Kindes- und Jugendalter

A) *Ängste und Angstsyndrome, die nur bei Kindern und Jugendlichen auftreten:*
- physiologische Ängste im Kindesalter,
- altersspezifische Angstsyndrome:
  o Trennungsangst,
  o kindliche Phobien,
  o Angstsyndrom mit Scheu, Abkapselung und Vermeidungsverhalten,
  o Schulphobie;
- Angstsymptomatik im Rahmen anderer psychiatrischer Erkrankungen:
  o bei autistischen Syndromen,
  o bei hyperkinetischen Syndromen,
  o bei dissozialen Verhaltensstörungen.

B) *Angstsyndrome, die bei Kindern, Jugendlichen und Erwachsenen auftreten:*
- generalisierte Angststörungen,
- Phobien,
- Angstsymptomatik im Rahmen anderer psychiatrischer Erkrankungen:
  o bei depressiven Syndromen,
  o bei schizophrenen Psychosen,
  o bei Zwangskrankheit.

Angstsymptomatik im Rahmen (anderer) psychiatrischer Erkrankungen:
- Autistische Syndrome:
  o frühkindlicher Autismus = Kanner-Syndrom,
  o Aspergersche Persönlichkeitsstörung;

bei geringen Veränderungen (= Veränderungsängste)
- hyperkinetische Syndrome und
- dissoziale Verhaltensstörungen:
  o ängstlich-depressive Stimmungsänderungen,
  o diffuse Ängste, Verunsicherung, Selbstwertproblematik, Schuldgefühle, Bestrafungsängste.

Therapie der Angst

1. Angst als Notfall:
   - ruhige, sachliche Gesprächsführung; Beruhigung des Patienten;
   - kein Erfolg mit Gespräch – Benzodiazepin (z. B. ®Valium 5–10 mg p.o. oder i.m.);
   - bei agitiert-ängstlicher Depression:
     Antidepressivum (®Aponal 25–50 mg; ®Stangyl 25–50 mg p.o.),
     bei fraglicher Diagnose: Valium
   - bei körperlichen Erkrankungen Benzodiazepin (®Valium).
2. Differentialindikation der Therapie der Angst:
   - Symptomorientierte Therapie:
     o Entspannungsverfahren,
     o Verhaltenstherapie;
   - konfliktaufdeckende Verfahren:
     o psychoanalytisch,
     o kognitiv-verhaltenstherapeutisch.
3. Schwere Angstzustände ohne Möglichkeit zur Psychotherapie:
   - Tranquilizer:
     — (kurzwirkend: z. B. ®Trecalmo, ®Lendormin,
       mittellang: z. B. ®Lexotanil, ®Tavor,
       langwirkend: z. B. Librium, ®Tranxilium, ®Valium);
   - sedierende Neuroleptika: z. B. ®Imap, ®Haloperidol,
   - Antidepressiva: z. B. ®Aponal, ®Ludiomil, ®Tofranil,
   - evtl. Beta-Blocker (z. B. ®Dociton).
4. Medikamentöse Therapie nur bis zum Beginn einer Psychotherapie.

Therapie der Phobie

1. Bei akuten Angst- und Erregunszuständen s. „Therapie der Angst".
2. Indikation zur Psychotherapie abwägen:
   - Verhaltenstherapie,
   - konfliktaufdeckend-psychoanalytisch.
3. Versuch einer medikamentösen Beeinflussung (Kombination mit Psychotherapie immer anstreben):
   - Versuch mit Antidepressiva (75–150 mg Tofranil p.o. oder 75–150 mg ®Anafranil p.o.);
   - möglichst keine Tranquilizer (hypno-sedative Wirkung, Gefahr der Abhängigkeit).

Therapie der Herzneurose/-phobie

1. Notfall (s. Therapie der Angst):
   - Beruhigende, sachliche Zuwendung im Gespräch,
   - medikamentös: Tranquilizer (z. B. ®Valium)
     evtl. Betarezeptoren-Blocker (z. B. ®Dociton)

2. mittelfristig:
- konfliktaufdeckend-psychoanalytisch (in Gruppen),
- evtl. Verhaltenstherapie,
- zusätzlich physikalische Therapie.

Literatur

Bräutigam W (1978) Reaktionen – Neurosen – abnorme Persönlichkeiten. Thieme, Stuttgart
Buchheim P (1990) Wandel in Diagnose und Therapie von Angststörungen. Fortschr Med 108:24–31
Ermann M (1984) Die Entwicklung der psychoanalytischen Angstkonzepte und ihre therapeutischen Folgerungen. In: Rüger K (Hrsg) Neurotische und reale Angst. Vandenhoeck & Ruprecht, Göttingen
Freud S (1895) Über die Berechtigung, von der Neurasthenie einen bestimmten Symptomkomplex als „Angstneurose" abzutrennen. GW X. Imago, London, S 313–342
Freud S (1916/1917) Vorlesungen zur Einführung in die Psychoanalyse. GW XI. Imago, London, S 7–482
Freud S (1925–1932) Hemmung, Symptom und Angst. GW XIV. Imago, London, S 111—205
Gehlen A (1956) Urmensch und Spätkultur. Athenäum, Bonn
Kernberg O (1978) Borderline-Störungen und pathologischer Narzißmus. Suhrkamp, Frankfurt
Klußmann R (1992) Psychosomatische Medizin, 2. Aufl. Springer, Berlin Heidelberg New York Tokyo
Kohut H (1973) Narzißmus. Suhrkamp, Frankfurt
Markgraf J, Schneider S (1990) Panik. Angstanfälle und ihre Behandlung, 2. Aufl. Springer, Berlin Heidelberg New York Tokyo
Marks JM (1986) Epidemiology of anxiety. Soc Psychiatry 21:167–171
Mentzos S (1991) Angstneurose. Fischer, Frankfurt
Mertens W (1992) Psychoanalyse, 4. Aufl. Kohlhammer, Stuttgart
Mertens W (1991/92) Einführung in die psychoanalytische Therapie, Bde I–III. Kohlhammer, Stuttgart
Pöldinger W (1988) Angst und Angstbewältigung. Ther Umschau 45:420–426
Riemann F (1973) Grundformen der Angst. Reinhardt, München
Schmidt H, Blanz B (1991) Spezifische Angstsyndrome im Kindes- und Jugendalter. Dtsch Ärztebl 88:2150–2153
Spitz R (1967) Vom Säugling zum Kleinkind. Klett, Stuttgart
Strian F (1985) Neuropsychologie der Angst. Dtsch Med Wochenschr 110:889–895
Triebel A (1984) Angsterleben und Angstreaktionen aus psychoanalytischer und lerntheoretischer Sicht. In: Rüger U (Hrsg) Neurotische und reale Angst. Vandenhoeck & Ruprecht, Göttingen
Wittchen H-U, Saß H, Koehler K (1989) Diagnostisches und Statistisches Manual Psychischer Störungen DSM-III-R. Beltz, Weinheim

Hypochondrisches Syndrom (Abb. 27)

Neurotische Störung mit ausgeprägter Selbstbeobachtung und starker Krankheitsfurcht; keine nosologische Einheit.

Epidemiologie

Hypochondrische Entwicklungen und Reaktionen:
- in Psychiatrischen Kliniken: 2% der Gesamtaufnahmen,
- bei 8% der konfliktbedingten Störungen,
- häufiger in der 2. Lebenshälfte.

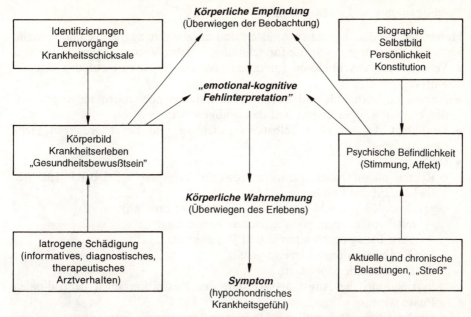

Abb. 27. Pathogenese der hypochondrischen Krankheitsbefürchtungen (nach Hoffmann u. Hochapfel 1991)

Symptome

- an Stelle einer Empfindung ist eine Wahrnehmung gerückt;
- Ängstliche Beobachtung des eigenen Körpers:
  o kleinste Körperhinweise werden zu Symptomen umgedeutet,
  o ständiges Pulsfühlen, Stuhlgang beobachten usw.;
- unbegründete Krankheitsbefürchtungen beziehen sich auf den ganzen Körper:
  o Sorge vor Hirntumor, Darmkrebs, Herzversagen usw.,
  o Körperängste wie Karzinophobie sind der Hypochondrie zuzurechnen, wenn sie nicht panisch-phobisch sind,
  o Organwahl kann an reale Erkrankungen anknüpfen;
- Schongang und Vermeidung von Gefährdungen und Schädlichem:
  o kein Vertrauen in Körperfunktionen,
  o alles vermeintlich Schädliche (Zugluft, Bohnenkaffee usw.) wird ferngehalten,
  o körperlicher Einsatz (Sport, Sexualität) wird vermieden;
- damit (reziproker) Rückzug von der Welt;
- ausgeprägter Realitätsverlust möglich;
- gehen von Arzt zu Arzt;
- Ich-syntone Symptomatik;
- die Angst der Hypochonder ist in den eigenen Körper, die der Phobiker in die Außenwelt gerückt.

Psychodynamik und Entwicklung

Hinter den hypochondrischen Ängsten sind aufgestaute aggressive und sexuelle Phantasien verborgen = Strafe für schuldhaft erlebte Vorstellungen.
- Verschiebung des libidösen Interesses von der Außenwelt auf den eigenen Körper;
- Ängste um Sexualität und Aggressivität durch hypochondrische Ängste um den eigenen Körper ersetzt und damit abgewehrt;
- Krankheit der sexuellen Selbstverwirklichung und des aggressiven Sich-Durchsetzens.
- Genese:
  o Regression auf frühere Entwicklungsstufe: Aufgehen im Erleben koenästhetischer Leibempfindungen;
  o gestörtes Körper-Bild (entwickelt sich parallel zum Ich):
    — mit fremdartigen, phantastischen Vorstellungen,
    — ohne Bezug auf Anatomie und Physiologie;
  o Ich-Funktionen unzureichend gereift;
  o deutliche soziale Störungen;
  o hypochondrische Angst als Abwehr der Kastrationsangst der ödipalen Phase (?);
  o aus Familien mit ängstlicher Überbesorgtheit um die Gesundheit.
- Ersatz der sozialen Beziehung durch Hinwendung zu Teilvorstellungen vom eigenen Körperbild;
- das Ich ist zu schwach, um eine regelrechte Phobie auszubilden.

Auslösesituation

- Schwer zu bestimmen, oft nur bei Monosymptomatik;
- Konflikt- und Belastungssituationen, in denen Behauptung gefordert wird → interpersoneller Rückzug → leiblicher Rückzug.

Differentialdiagnose

- Psychotische Entwicklungen bei
  o Schizophrenien:
    — bizarr wirkende, nicht einfühlbare hypochondrische Inhalte;
    — bei zirkumskripten Hypochondrien mit wahnhafter Gewißheit;
  o endogene, phasische Depressionen:
    — Perioden von Befürchtungen wechseln mit angstfreien Phasen.

Therapie

- Arzt-Patienten-Beziehung:
  o Drängen des Hypochonders nach immer neuen Untersuchungen kann zur Last für den Arzt werden;
  o unterschwellige Aggressivität mit Beharren auf der Krankheit belastet Beziehung;

o klammern sich an, Trennungen werden schwer ertragen;
  o Hypochonder wird oft nicht ernst genommen; Folge:
    — fühlt sich nicht angenommen,
    — körperliche Krankheit wird übersehen,
    — wandern von Arzt zu Arzt;
- schwer zu beeinflussen:
  o geduldige ärztliche Führung,
  o analytische, nichtdirektive Gespräche mit
    — Konzentration auf interpersonelle Probleme und
    — Aufdecken der tieferliegenden Bedeutung der gesundheitlichen Ängste;
  o Übungsbehandlungen wie Autogenes Training steigern eher die hypochondrische Selbstbeobachtung (!);
  o medikamentös: Butyrophenon.

Literatur

Bräutigam W (1978) Reaktionen – Neurosen – Abnorme Persönlichkeiten, 4. Aufl. Thieme, Stuttgart
Feldmann H (1984) Psychiatrie und Psychotherapie. Karger, Basel
Hoffmann SO, Hochapfel G (1991) Einführung in die Neurosenlehre und Psychosomatische Medizin, 4. Aufl. Schattauer, Stuttgart
Rudolf GAE (1992) Therapieschemata Psychiatrie, 2. Aufl. Urban & Schwarzenberg, München

Rentenneurose

Definition (Huber): „Nach Unfällen, zumal nach Schädel-Hirntraumen, sind an die Unfälle anknüpfende Fehlentwicklungen, die meist rein im Dienste des Zweckes, der Rente oder Abfindung oder Befreiung von unangenehmen Verpflichtungen stehen, relativ häufig. Für das Zustandekommen ist die subjektive Unfallverarbeitung maßgeblich. Man sieht alle Übergänge von Simulation über bewußtseinsnahe Entschädigungs- und Sicherungswünsche bis zu psychoreaktiven Störungen, bei denen eine schon vorher bestehende, aber noch nicht mehr oder weniger weitgehend kompensierte Entwicklung durch den Unfall dekompensiert wird. Der Patient nutzt den Unfall und seine Folgen als Alibi, mit dessen Hilfe er sich einer Konfliktsituation entziehen kann. Mehrere Faktoren können zu dieser Reaktion beitragen: neben den Sicherungs- und Entschädigungswünschen die Angst, nicht mehr gesund, invalide zu werden, das Schreck- und Angsterlebnis beim Unfallgeschehen, eine hypochondrische Entwicklung mit Verlust der Unbefangenheit gegenüber den körperlichen und seelisch-geistigen Funktionen sind von Bedeutung."

Krankheit mit moralischer Einschätzung verbunden – löst entsprechende Gegenübertragungsgefühle aus; meist abwertend beurteilt mit:
- „Simulant", „Querulant", „Arbeitsscheuer" oder
- „Tendenzreaktion", „Zweckreaktion", „Rentenwunschreaktion", „Unfallschädigungsneurose", „Pensions- oder Invalidisierungsneurose";

hier: Neurotische Rententendenz mit Symptomcharakter.

Klinische Bilder von:
- der schwersten organischen Gesundheitsstörung (Amputation von Gliedmaßen) über
- funktionelle vegetative Störungen bis zu

- offener Aggravation und
- Simulation.

Psychodynamik

- Erinnerungsmaterial oft schwer zu finden, erweiterte Anamnese schwer zu erheben;
- epidemiologisch:
  ca. 70% depressiv-zwanghafte Mischbilder mit
  o depressiven Reaktionen oder somatischen Äquivalenten,
  o funktionellen Magen-Darm-Störungen (bis ulcus duodeni),
  o funktionelle Herzstörungen;
- frühkindlich:
  o wenig mütterliche Zärtlichkeit, Fürsorge, Geborgenheit,
  o kein Genießendürfen, Nehmendürfen,
  o wenig persönliches Eigentum,
  o kein soziales Selbstwertgefühl;
  o Mütter genußfeindlich, hart, streng oder sie fehlte ganz;
  o Vater fügte sich:
  o viele Geschwister – stellten gewisse Geborgenheit dar, veranlaßten zu Ehrgeizhaltungen;
- Recht auf Versorgung unbewußt abgeleitet aus dem Mangel an frühkindlicher Versorgung;
- Symptom als Folge eines Kompromisses zur Lösung einer Konfliktsituation, wobei es unbewußten Zwecken aus seiner Genese unterliegt:
  o Rentenversicherung als spezielle Versuchssituation;
- soziale Komponenten:
  o Rentenversicherung (speziell Unfallversicherung, Bundesversorgungsgesetz, Bundesentschädigungsgesetz) als Versuchungssituation;
  o Rentengewährung
     — entschuldigt Leistungsversagen und
     — gewährt Anerkennung und Zuwendung;
  o sekundärer Krankheitsgewinn als
     — Existenzsicherung und
     — Verwöhnung (Zeit für Hobbies usw.).

Persönlichkeit

- Resignierte, depressive Grundstimmung,
- extreme Gefügigkeit,
- Hergabebereitschaft,
- ehrgeizige, aggressive Betriebsamkeit bis zu Erschöpfung und Verausgabung,
- Gefühl des Geschädigtseins,
- besonders festgefügte neurotische Haltung mit festen Abwehrformen,
- Unzugänglichkeit,
- berufen sich auf Anspruch, Recht, Moral, Leistung, Ideologien,

- Haltungen:
  o illusionäre Riesenerwartungen und Allmachtsphantasien (Kompensation eigenen Versagens),
  o Anspruchshaltung und Genußunfähigkeit des ewig „Zu-kurz-Gekommenen" (Ersatzbefriedigungen oral-passiven Wunschdenkens),
  o Vorwurfshaltung des Entrechteten, dem kein Kompromiß akzeptabel erscheint, keine Therapie auch nur eine geringe Besserung bringen darf.

Auslösesituationen

- narzißtische Kränkung eigenen Versagens mit Rationalisierung: „Ich bin nicht aus eigener Schuld krank";
- Frustration aus oral-kaptativer Gehemmtheit, durch Rente ausgeglichen, orales Denken befriedigt;
- unerschöpfliches Gebiet für querulatorische Tendenzen sonst gehemmter Aggressivität (Einspruchsrecht legal = immense Ersatzbefriedigung).

Prognose

- abhängig von Symptomdauer und Stand des Rentenverfahrens;
- bei laufendem Rentenverfahren hat Psychotherapie einer Rentenneurose *keine* Chance.

Therapie

- Früherkennung (positive Neurosendiagnostik),
- abschließende Urteile der Organmedizin über Verdachtsdiagnose,
- Beendigung des Rentenverfahrens.

Literatur

Hau TF (1962) Zur Psychodynamik neurotischer Rententendenzen. Psychologische Rundschau XIII/3

Huber G (1974) Psychiatrie – Systematischer Lehrtext für Studenten und Ärzte. Schattauer, Stuttgart

Mollien P (1986) Rentenneurosen. In: Hau TF (Hrsg) Psychosomatische Medizin. Verlag für angewandte Wissenschaften, München

Strasser F (1974) Zur Nosologie und Psychodynamik der Rentenneurose. Nervenarzt 45: 225–232

Weitere Persönlichkeitsstörungen

Borderline-Persönlichkeitsstörungen

Borderline-Syndrom (Abb. 28)

Definition: Pathogene Persönlichkeitsstruktur, die zwischen psychotischen Störungen und der Neurose eingeordnet wird („Stabilität der Instabilität": die Betroffenen müßten psychotisch dekompensieren, tun es aber nicht).

Symptomatik

Klinisches Bild einer schweren Charakterstörung mit der
- Trias:
  o Hypochondrie,
  o Beziehungserleben,
  o Depersonalisation;

anders:
- chaotische Persönlichkeit mit:
  o Panneurose
  o Panangst
  o Pansexualität;
- von Kernberg (1978) genannte Symptome (2 oder mehr sind pathognomonisch)
  o Chronisch frei flottierende Angst (in Verbindung mit verschiedensten anderen Symptomen und pathologischen Charakterzügen),
  o Multiple Phobien (betreffen eigene Körperlichkeit, verbunden mit schweren sozialen Behinderungen),
  o Zwangssymptome, Zwangsgedanken hypochondrischen und paranoiden Inhalts, Ich-synton erlebt, bei intakter Realitätsprüfung,
  o Dissoziative Reaktionen (hysterische Dämmerzustände, Amnesien, Depersonalisations- und Derealisationserlebnisse),
  o Polymorph-perverse sexuelle Neigungen,
  o Hypochondrische Neigungen (Lebensführung darauf abgestimmt),
  o Schwere Depressionen (mit dem Gefühl ohnmächtiger Wut, Hilf- und Hoffnungslosigkeit nach dem Zusammenbruch einer idealisierten Selbstvorstellung);
- Vorübergehender Verlust der Impulskontrolle (Alkoholismus, Kleptomanie, episodische Freßsucht, Drogendurchbrüche, die nach dem Exzeß als Ich-fremd erlebt werden, sexuelle Exzesse),
- häufig diffuse Beschwerden mit
  o Gefühlen von Leere, Sinnlosigkeit, Ohnmacht,
  o Orientierungslosigkeit,
  o Arbeits- und Konzentrationsstörungen,
  o Kontakt-, Bindungs- und Trennungsängsten,
  o Angst vor Autoritätspersonen,
  o (diffuse) psychosomatische Beschwerden.

Persönlichkeitsstruktur

1. Höhere Strukturebene der Charakterpathologie

hysterische Persönlichkeitsstruktur
zwanghafte P.
depressive P.
schizoide P.

2. Mittlere Strukturebene der Charakterpathologie

infantile Persönlichkeitsstruktur
passiv-aggressive P.
sado-masochistische P.
narzißtische P.

3. Niedere Strukturebene der Charakterpathologie

infantile Persönlichkeitsstruktur
narzißtische P.
triebhafte P.
antisoziale P.
paranoide P.
hypomanische P.

schizotypische Persönlichkeitsstruktur
schizophrene Psychosen

Persönlichkeitsorganisation

Meist neurotisches Niveau
(neurotische Persönlichkeitsorganisation)

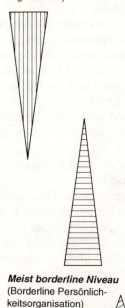

Meist borderline Niveau
(Borderline Persönlichkeitsorganisation)

Meist psychotisches Niveau
(psychotische Persönlichkeitsorganisation)

Abb. 28. Schema zur Strukturdiagnose

Psychodynamik

- unspezifische Manifestation von Ich-Schwäche (fehlende Angsttoleranz, mangelnde Impulskontrolle, mangelnde Sublimierungsfähigkeit),
- Verschiebung von sekundär- zu primärprozeßhaftem Denken (Nähe zwischen Ich und Es),
- spezifische Abwehroperationen;
- Strukturelle Aspekte:
  o spezifische Ich-Störung mit
   — Abwehrleistung archaischen Charakters,
   — Unterentwicklung der synthetischen Ich-Funktionen,
   — Beeinträchtigung der Realitätsprüfung;
- Abwehrstrategien
  o Spaltung = Angstvermeidung mit Erwecken des Anscheins, „als ob" etwas nicht existiere; strikte Aufteilung in „ganz gut" und „ganz böse" (Unfähig-

keit des frühen Ich, Objektbilder mit gegensätzlichen Qualitäten zu vereinen).
Folge:
— geringe Möglichkeit der realistischen Einschätzung anderer,
— fehlende Empathie,
— Flachheit der Emotionen als Selbstschutz,
— mangelnde Wahrnehmung von Schuldgefühlen,
— Vermeidung emotionalen Engagements;
o Hilfsmechanismen zur Aufrechterhaltung der Spaltung:
— Idealisierung (äußere Objekte sind ausschließlich „gut", schützen vor „bösen" Objekten),
— Projektion und projektive Identifizierung (Ausstoßung des verpönten Anteils aus der Selbstrepräsentanz),
— Identifizierung mit dem Angreifer (strenges Über-Ich verinnerlicht, Selbstkritik wird nicht ertragen, Schuld in die Außenwelt projiziert = „Präventivangriff"),
— Omnipotenzgefühl und Abwertung der Objekte (bedingen einander gegenseitig, Objekte nur so lange anerkannt, wie sie der Bedürfnisbefriedigung dienen, „pathologisches Größenselbst");
o Identitätsdiffusion mit instabilem Ich- und Selbstbild;
o Verleugnung (mit Spaltung eng gekoppelt; äußert sich durch „vergessen"; verbunden mit Besetzungsentzug; dadurch Entfremdungserlebnisse);
o Deck-Abwehr:
— scheinbar unverhüllte Es-Inhalte werden dazu eingesetzt, stärker ängstigende zu überdecken; ein Affekt verdeckt einen anderen, eine Erinnerung eine andere; besonders schmerzliche Elemente werden herausgesiebt; oft letzter verzweifelter Strukturierungsversuch,
— diese Abwehr muß ständig agiert werden (= innere Entlastung durch Ablenkung von Triebimpulsen),
— Zwei Merkmale der Deck-Aktivität:
  – magisches Handeln,
  – imitative Annäherung;
— Deck-Identität (bestimmte identifikation hat Funktion, eine darunter liegende, schmerzvollere Identifikation zu „verdecken").
• Pathologie der inneren Objektbeziehungen:
o Regression auf die paranoid-schizoide Position mit „ganz guten" oder „ganz bösen" Objekten,
o Bestehen einer existentiellen Abhängigkeitsproblematik, vorübergehend und unvollkommen verleugnet durch Omnipotenzphantasien und Abwertung der Objekte,
o Das gefährdete Objekt der Abhängigkeit muß vor den eigenen Impulsen mit Hilfe der (auf Spaltung beruhenden) Abwehrmechanismen geschützt werden,
o Angst als Deck-Affekt und Surrogat der Depression,
o Einfrieren des Introjektes:
— herbe Enttäuschungen am äußeren Objekt bewirken Enttäuschungsaggression (narzißtische oder orale Wut), vor der es abgeschirmt werden

muß; deren Aufgabe durch fehlende Trauerarbeit unmöglich gemacht wird (Vorbeugung der Ich-Fragmentierung),
- Übergewicht der inneren über die äußeren Objekte:
  — ständige Gefahr, das Gefühl für die tatsächliche Realität der äußeren Objekte zu verlieren; diese werden zu Projektionsfiguren der eigenen inneren Repräsentanzenwelt; Beziehungen nach außen werden aber aufrecht erhalten,
- Über-Ich und Ich-Ideal;
  — Über-Ich: primäre sadistische Vorläufer des Über-Ich repräsentieren internalisierte böse Objektbilder und werden in Form von bösen äußeren Objekten rückprojiziert,
  — Ich-Ideal: orientiert sich an überidealisierten Objektbildern mit manchmal imperativem Charakter; keine Möglichkeit, beide Anteile zu einer reifen Form zu verinnerlichen; Orientierung an konkreten äußeren Objekten zur Aufrechterhaltung des narzißtischen Gleichgewichtes.

Insgesamt:
Borderline-Patienten scheitern, weil ihr Erfolgsstreben wie ihre Autonomiebestrebungen von unbewußten, nicht neutralisierten *aggressiven* Triebderivaten gespeist werden; Eintreten des angestrebten Erfolgs wird unbewußt als unerlaubter Sieg über ein verbietendes Objekt oder Rivalen erlebt. Das kommt der Realisierung eines Todeswunsches gleich mit der Folge einer Angst vor der Rache.

Differentialdiagnostische Abgrenzung

Abgrenzung gegenüber der Psychose (Borderline ist kein präpsychotischer Zustand!)
- psychotischer Einbruch rasch reversibel (z.T. Spontanremission),
- Realitätsprüfung:
  - intakt und verläßlich,
  - Beeinträchtigungen flüchtig, immer reversibel,
  - „Übertragungspsychose" beeinträchtigt andere Persönlichkeitsanteile nicht wesentlich;
- Objektbeziehungen:
  - relativ stabil oder rasch wechselnd,
  - verlaufen nach konstanten Strukturmustern;
- soziale Funktionstüchtigkeit bleibt erhalten,
- Reaktion auf Deutung der primitiven Abwehroperationen (Spaltung, projektive Identifizierung) hat stabilisierende Wirkung.

Genetische Ansätze

- zeitlich: 2./3. Lebensjahr, wenn das Ich schon stark genug ist, die typischen Abwehrmechanismen gegen eine drohende Ich-Fragmentierung einzusetzen,
- schwerwiegende Frustrationen in Beziehung zu einem Elternteil führen zu überwältigender prägenitaler, vor allem oraler Aggression,

Tabelle 20. Abgrenzung gegenüber der narzißtischen Persönlichkeit

	Borderline	Narzißmus
strukturell	Spaltung von „guten" und „bösen" Objektrepräsentanzen	Fusionierung von grandiosen Selbst- und omnipotenten Objektrepräsentanzen und Fusionierung von Real-Ich, Ideal-Ich und idealisiertem Objekt
Symptome	Unspezifische Ich-Schwäche (geringe Angsttoleranz, schlechte Impulskontrolle und Sublimierungsfähigkeit mit Identitätsdiffusion, nicht durch Größen-Selbst überdeckt	Selbstkonzept besser integriert; Größen-Selbst hat stabilisierenden Einfluß
Übertragung	distanzierende (als Reaktion auf die gewährende Objektbeziehungseinheit) oder klammernde (Reaktion auf entziehende Objektbeziehungseinheit) Übertragung	idealisierende oder Spiegel-Übertragung

- Traumatisierungen vor allem bei den Autonomiebestrebungen des Kindes,
- keine phasenadäquate Bewältigung prägenitaler Konflikte, dadurch
- vorschnelle „Ödipalisierung",
- wichtig: Verdichtung präödipaler und ödipaler Konflikte:
  ○ Beziehung der Eltern kann verleugnet werden (die als einheitliches Objekt wahrgenommen werden) oder
  ○ Aufspaltung zwischen „bösen sexuellen" oder „guten a-sexuellen" Eltern;
- M.S. Mahler:
  ○ Traumatisierung in der Wiederannäherungsphase mit
    — basaler Verunsicherung des Kindes,
    — Enttäuschungsaggression,
    — perpetuierender Trennungsangst,
    — ängstlicher Anklammerung an die Mutter;
  ○ die gesamte exzessive Aggression gilt der „bösen Mutter der Trennung";
- definitive Selbst-Objekt-Differenzierung ist nicht zustande gekommen mit
  ○ mangelhafter Realitätswahrnehmung,
  ○ Schwierigkeiten, zwischen Phantasie und Realität zu unterscheiden,
  ○ Schwierigkeiten, Trennung, Verlust, Kränkung zu tolerieren,
  ○ Unfähigkeit, stabile Beziehungen aufzubauen.

Therapie

Beziehungsaspekte in der Therapie:
- Entwicklungsdefizite (Signalangst nicht erreicht; keine Abgrenzung anderer Menschen von sich selbst; keine Unterscheidung zwischen Phantasie und Realität) nachholen und beheben (nicht Trieb-Abwehr-Konflikte interpretieren),

- Übertragung geprägt von
  o archaischen Selbst- und Objektimagines,
  o projektiven Verzerrungen (Analytiker wird oft zum schlechten Teilselbst des Analysanden),
  o Elternfigur hat Selbst-Objekt-Charakter („Sie sind so") und nicht Als-ob-Charakter („Sie sind so, als ob ...");
- Therapeut wird eher als symbiotisches Objekt, als narzißtische Funktion eines Selbstobjektes wahrgenommen, der Patient kann deshalb kaum Übertragungsdeutungen annehmen,
- Gegenübertragung geprägt von
  o aggressiven Regungen dem Patienten gegenüber aufgrund des Gefühls von Ohnmacht und Hilflosigkeit,
  o abwertender Reaktion („konstitutioneller Defekt"),
  o Wünschen nach masochistischer Unterwerfung unter die Forderungen des Analysanden (Schuldgefühlen entgehen),
  o Wiederbeleben archaischer Ich-Ängste.

Therapeutische Richtlinien zum Umgang mit Borderlinepatienten:
- Generell:
  o modifizierte, intensive psychoanalytische Psychotherapie (aber nur bei Patienten auf „lower level borderline niveau", da stützende Therapie),
  o den Bedürfnissen des Patienten angepaßtes Setting,
  o im Sitzen, 2–4 Stunden pro Woche,
  o Verbesserung des Realitätsbezuges statt Aufforderung zur freien Assoziation,
  o Information des Patienten über
    — Art der Erkrankung,
    — technisches Vorgehen des Analytikers,
    — psychodynamische Zusammenhänge,
  o Forcierung der positiven Gegenübertragung,
  o schnelles Unterbrechen von Schweigepausen;
- zur Deutung:
  o zunächst das wenig konflikthafte Material,
  o zuerst depressives, dann paranoides Material deuten,
  o zuerst masochistische, dann sadistische Tendenzen deuten,
  o wenig genetische Deutungen,
  o Deutungen zur Realitätsverbesserung,
  o Deutungen der pathologischen Abwehr mit ihrer destruktiven Auswirkung auf den Realitätsbezug;
- Mitteilen von Gegenübertragungsgefühlen:
  o Analytiker soll erlebbar werden,
  o Richtigstellen von Verzerrungen, paranoider Wahrnehmung und primitiver Idealisierung des Analytikers;
- Kontrolle des Agierens des Patienten,
- grundsätzliche Liebesfähigkeit des Patienten bestätigen:
  o Deutungen entsprechender Verzerrungen,
  o Aufzeigen befriedigender Möglichkeiten;

- Entzerren der Bilder von frühen Bezugspersonen:
  o Entteufelung,
  o Entidealisierung;
- Technik:
  o Klarifikation der Verzerrung, die der Patient aus den Deutungen des Therapeuten vornimmt,
  o Konfrontation
    — mit dem destruktiven Verhalten des Patienten sich selbst gegenüber,
    — mit den widersprüchlichen Haltungen,
    — mit den Realitätsverzerrungen des Patienten im Hier und Jetzt – dadurch Verbesserung der Realitätskontrolle und der Ich-Stärke;
  o Interpretation erst spät in der Behandlung, wenn „neurotisches" Niveau erreicht ist,
  o positive Übertragung zunächst nicht analysieren,
  o negative Übertragung: sofortige, systematische Konfrontation, um
    — Übertragungsagieren und
    — eine Übertragungspsychose zu vermeiden (Funktion des „beobachtenden Ich" ist beeinträchtigt);
  o Haltung technischer Neutralität (keine Suggestionen, Empfehlungen, Manipulationen) bei ausreichender Strukturierung:
    — außerhalb der Therapie (stationäre Krisenintervention, Hausbesuche von Sozialarbeitern),
    — innerhalb der Therapie (bestimmte Abmachungen treffen);
  o Beachtung der Gegenübertragung:
    — im Therapeuten können „punitive Gefühle" mobilisiert werden,
    — Identität des Therapeuten als Wahrnehmungsvorgang,
    — Therapeut sollte auch in „Gegenübertragungs-Borderline-Psychose" kommen, um Patienten eine allmähliche Trennung von Ich und Nicht-Ich und eine Integration von guten und bösen Objektaspekten zu erreichen.

Fallbeispiel

Die 1945 geborene Erzieherin kommt mit 27 Jahren in die psychotherapeutische Sprechstunde. Sie macht einen ausgesprochen starren, verspannten, dabei glatten Eindruck. Sie spricht kaum, läßt keine Mimik, weder Gestik noch eine Gefühlsäußerung zu. Im Untersucher löst sie fast Erschrecken aus mit der Frage, ob sie wohl psychotisch sei oder ein organisches (zerebrales) Krankheitsbild haben könnte. Sie ist jedoch bewußtseinsklar, geordnet, voll orientiert. Sie ist gut gekleidet und wirkt sehr gepflegt; die weiblichen Formen sind bei sonst guter Figur nicht sehr ausgeprägt.

Sie sei in die Psychotherapie geschickt worden; Beschwerden habe sie eigentlich keine. Langsam gibt sie zu, daß sie erhebliche Schwierigkeiten mit anderen Menschen hat. Sie habe es nie gemocht, wenn jemand seinen Arm um sie lege. Sie habe nie einen Freund, nie intime Beziehungen gehabt. In dem Heim, in dem sie als „Zögling" und später als Praktikantin gewesen sei, habe einmal eine Nonne über ihr Haar gestreift und gefragt, ob sie glücklich sei. „Das konnte ich nicht haben. Dann wurde gelästert, ich sei lesbisch. Alle waren gegen mich. Ich habe mich geniert. Dann habe ich mich in der Schule isoliert und habe mich in mein Zimmer zurückgezogen, habe die Vorhänge zugemacht und bin ins Bett gegangen. Dann bin ich auch weggelaufen und wußte gar nicht mehr, was ich machte. Das ist jetzt auch noch so." Sie rede oft automatisch und unkontrolliert. „Oft denke ich, daß andere Menschen über mich reden. Dann habe ich Angst, es passiert etwas."

Aus der Vorgeschichte ist erwähnenswert, daß sie unehelich geboren ist. Sie sei nur ½ Jahr bei ihrer Mutter gewesen, die sie schon als Baby und ihre um 2 Jahre ältere Schwester „grün und blau geschlagen" habe. Die Mutter sei dann wegen Kindesmißhandlung ins Zuchthaus gebracht worden. Die Patientin sei dann ins Fürsorgeheim gekommen. Die Nonnen dort seien kalt und herzlos gewesen, hätten geschimpft und geschlagen. Später sei alles Sexuelle verpönt gewesen. Als sie ihre erste Periode bekommen habe, habe man sie auf den Dachboden geschickt und ihr gesagt, dort fände sie alte Zeitungen ... Als sie dann in eine Haushaltsschule gegangen sei, habe sie einen Selbstmordversuch unternommen. Deshalb sei sie zurück ins Fürsorgeheim geschickt worden. Später habe sie dann die Kinderpflegeschule, dann die Fachschule für Sozialpädagogik abgeschlossen.

Die Kontaktstörungen der Patientin traten früh auf und wurden durch die Zuwendung der Nonne im Sinne einer Auslösesituation aktualisiert. Gute und böse Imagines existieren nebeneinander; eine Selbst-Objekt-Differenzierung ist nicht zustande gekommen. Die Realitätsprüfung und -wahrnehmung gelingt nur mangelhaft. Die Frage nach der eigenen Existenzberechtigung muß bereits früh aufgetaucht sein durch das „Borderlineverhalten" der Mutter und den wenig empathischen Umgang im Fürsorgeheim. Folgen dieser Entwicklung sind – neben Kontaktstörungen tieferer Art – Störungen im Bereich des Aggressionserlebens mit unkontrollierten, destruktiven Ausbrüchen oder einem Sichzurücknehmen bis zur Erstarrung, einem Perfektionsdrang zur Vorbeugung gegen eine Fragmentierung, aber auch paranoide Erlebnisverarbeitungen mit vorübergehend wahnhaften Inhalten.

Literatur

Frosch J (1964) The Psychotic Character: Clinical Psychiatric Considerations. Psychiatr Q 38:81–96
Giovacchini P (1967) The frozen introject. Int J Psychoanal 48:61–67
Kernberg OF (1978) Borderline-Störungen und pathologischer Narzißmus. Klett, Stuttgart
Kernberg OF (1981) Objektbeziehungen und Praxis der Psychoanalyse. Klett, Stuttgart
Lohmer M (1985) Diagnostik und Therapie des Borderline-Syndroms. Entwicklungstendenzen in der amerikanischen Diskussion. Psychother Psychosom Med Psychol 34:120–126
Mahler MS (1975) Die Bedeutung des Loslösungs- und Individuationsprozesses für die Beurteilung von Borderline-Phänomenen. Psyche 29:1078–1095
Meissner WW (1978) Theoretical assumptions of concepts of the borderline personality. J Am Psychoanal Assoc 26:550–598
Mertens W (1992) Psychoanalyse, 4. Aufl. Kohlhammer, Stuttgart
Rinsley DB (1978) Borderline psychopathology: A review of aetiology, dynamics and treatment. Int Rev Psychoanal 5:45–54
Rohde-Dachser Ch (1979) Das Borderline-Syndrom. Psyche 33:418–527
Rohde-Dachser Ch (1991) Das Borderline-Syndrom, Nachdruck der 4. erg. Aufl. Huber, Bern
Schmiedeberg M (1947) Borderline Patients: The Treatment of Psychopaths. Am J Psychother 1:45–70

Perversionen (Abb. 29)

Allgemeines

- In der Neurose ist der Trieb verdrängt, unbewußt, in der Perversion wird er sichtbar. Der Perverse lebt seinen Trieb aus, in Form des Partialtriebes (nach Freud „das Positiv der Neurose");
- Entwicklungsanomalien des Liebes- und Sexualstrebens;
- das Kind ist in bestimmten Phasen „polymorph-pervers";
- Erwachsener an die frühe Entwicklungsphase fixiert oder regrediert;
- normal bei großer Leidenschaft und Hingabe, vorübergehend;

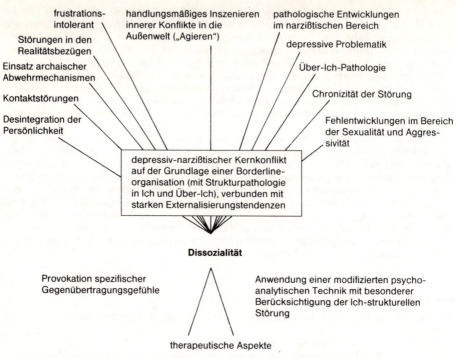

Abb. 29. Schema der Dissozialität. (Nach Hau 1986 u. Rauchfleisch 1981)

- bei Frühformen wird jede Objektbeziehung vermieden;
- bei späteren Formen Objektbeziehung möglich, jedoch unter der Vorherrschaft eines unreifen Partialtriebes;
- ganzheitliche Störung.

5 Bedingungen:
- bisexuelle Veranlagung des Menschen,
- Umweltfaktoren, spezifisches Verhalten der Eltern und Geschwister,
- phasenbestimmte Einflüsse, milieubedingte Verführung in Stadien, in denen Sexualstreben besonders labil ist,
- Gewöhnung an den speziellen Lustgewinn bei Angst vor reifer Liebesbetätigung,
- narzißtische Besetzung („ich bin nicht so wie die anderen"), mit ideologischem Überbau.

3 „Mängel" in der Genese:
- keine adäquate Entfaltung des Zärtlichkeitsbedürfnisses (keine Nestwärme),
- Entwicklung und Findung der eigenen Geschlechtsrolle mißlingt,
- keine Entwicklung eines gesunden Narzißmus mit normalem Selbstwertgefühl.

Phasenspezifische Charakteristik (nach Liebesfähigkeit)

1. Intentionale (sensorische) Phase:
   - Fähigkeit zur naiv-ungehemmten, spontanen Triebäußerung,
   - Rücksichtslosigkeit gegen Partner (sich selbst zum Partner nehmen):
     o exzessive Onanie, ohne Phantasie (rein mechanisch),
     o Transvestitentum,
     o Fetischismus,
     o Sodomie,
     o Nekrophilie,
     o Lustmord.
2. Orale Phase:
   - Fähigkeit zur gefühlsmäßigen Bindung an den Partner,
   - oraler Partialtrieb dominiert:
     o völlige Abhängigkeit vom Objekt,
     o Partner wird „aufgefressen" (aus Verlustangst),
     o Fellatio, Cunnilingus, Penis als Mutterbrustersatz.
3. Anale Phase:
   - Selbstbehauptung und selbstbeherrschte Rücksichtnahme,
   - anal-sadistische/masochistische Perversionen (Libido im aggressiven Partialtrieb „hängengeblieben"):
     o Koprophilie,
     o Sadomasochismus, Autosadismus,
     o Flagellantentum.
4. Phallische (ödipale) Phase:
   - Bejahung der eigenen Geschlechtsrolle,
   - phallisch-narzißtische Perversionen:
     o Päderastie (Angst gegenüber Kindern geringer),
     o Exhibitionismus,
     o Voyeurismus,
     o Homosexualität, Lesbiertum.

Homosexualität/Lesbiertum

- Harte Enttäuschung vom anderen Geschlecht (Versuch des Ausgleichs durch Identifikation), die 3 häufigsten Konstellationen:
  o Narzißtische Objektwahl:
    — im Partner wird der verlorene Ich-Anteil gesucht, bleibt an den anderen gebunden,
    — das eigene Ich-Ideal wird beim anderen geliebt;
  o invertierter Ödipuskomplex:
    — beim Jungen statt einer Rivalität mit dem Vater eine solche mit der Mutter, zunehmend weibliches Verhalten,
    — beim Mädchen Entwicklung umgekehrt, versucht Sohnersatz zu sein, entgeht dem Penis-Neid, ist jedoch hingabeunfähig;
  o Haß überkompensierende Liebe:
    — gleichgeschlechtliche Geschwister schließen sich gegen harte Mutter zusammen: Männerbünde, Gruppen-Ich gegen als gefährlich erlebte Frau,

— entsprechend bei Mädchen nach dem Motto: wir geben die Unterlegenheit nicht zu, weibliche Rivalität im Kampf um den Mann vermieden.

Nach Riemann (1968):
- Partner ist eigentlich eine Frau (als Vorstufe zur heterosexuellen Beziehung möglich),
- Partner entspricht dem eigenen Ideal der Männlichkeit,
- Partner soll so sein wie man selber sein möchte.

Nach Kernberg (1978):
1. Objekt – Selbst (Partner bewundert):
   - genitale, ödipale Faktoren im Vordergrund,
   - sexuelle Unterwerfung unter den gegengeschlechtlichen Elternteil als Abwehr ödipaler Rivalität (das infantile, unterwürfige, ödipale Selbst geht eine Beziehung zum dominierenden, verbietenden Vater ein; Patient schwach, Partner stark).
2. Selbst – Objekt (eigenes infantiles Ich im Partner dominiert):
   - konflikthafte Identifizierung mit dem Bild der Mutter,
   - homosexuelle Objekte werden als Vertretungen des eigenen infantilen Selbst erlebt (Partner schwach, Patient stark).
3. Selbst – Selbst (Größenselbst im Partner bewundert wie das eigene):
   - homosexueller Partner wird „geliebt" als Erweiterung des eigenen pathologischen Größenselbst (Partner sind gleichwertig).

Sadomasochismus

- Zweithäufigste Perversionsform,
- Umweltkontakt – damit auch sexuelles Empfinden – durch Schläge vermittelt,
- sexuelles Empfinden und Schläge assoziativ verbunden,
- Hingabefähigkeit und Selbstbehauptung verzerrt,
- erheblicher Aggressionsstau,
- Kluft zum Partner,
- Kontakt kann nur durch Aggression erlebt werden,
- Wirkung auf den Partner zeigt, daß man ihm nicht gleichgültig ist,
- Sichquälenlassen Beweis dafür, daß man ihm nicht gleichgültig ist,
- der bewußte Sadist ist immer ein unbewußter Masochist und umgekehrt;
- sadomasochistische Partner sind oft unzertrennlich,
- häufiger: verbaler Sadomasochismus (Ehen, Partner brauchen sich!).

Exhibitionismus und Voyeurismus

- Stets Distanz zum Partner,
- eigentlich ein Phantasiepartner, darf nicht näher kommen.

Exhibitionismus:
- „Wenn ich mein Glied zeige, zeigt mir auch der andere seines",
- Wunsch nach Widerlegung der Kastrationsangst,
- will demonstrieren, daß er sein Glied noch hat,

- das Schicksal soll beschworen werden, damit er es nicht verliert,
- Vorstellung: auch die Frau ist phallisch,
- Exhibitionist im Grunde scheu und ängstlich,
- gefährlich für Kinder nur bei Vorschädigung,
- wird erst gefährlich durch Reaktion der Umwelt,
- Exhibitionismus nur bei Männern als Perversion,
- bei Frauen durch Mode erlaubt.

Voyeurismus:
- geht auf Phase kindlicher Sexualneugier zurück,
- Fixierung an das Miterleben elterlichen Sexualverkehrs (deshalb Kinder nur bis 2, 3 Jahre im Schlafzimmer schlafen lassen),
- solche Erlebnisse sind mit Wunschphantasien verbunden,
- Identifikation mit einem Partner,
- Voyeur entgeht der Annäherung an eine Frau und der für ihn selbstverständlichen Ablehnung durch sie.

Therapie
- Heilungschance hängt davon ab, ob der Betroffene echt leidet,
- Schwierigkeit, Lustbetontes aufzugeben (Gegensatz: Neurotiker),
- genaue Prüfung, ob Pervertierte(r) bereit ist zur Introspektion,
- Prognose besser bei Menschen, die zusätzliche Symptome haben,
- mit Ängsten auseinandersetzen!

Literatur

Freud S (1916/17, 1952) Vorlesungen zur Einführung in die Psychoanalyse. Imago, London
Gillespie W (1952) Notes on analysis of sexual perversions. Int J Psychoanal 33:397–402
Kernberg OF (1978) Borderline-Störungen und pathologischer Narzißmus. Suhrkamp, Frankfurt
Kohut H (1966) Formen und Umformungen des Narzißmus. Psyche 20:561–587
Kohut H (1973) Narzißmus. Suhrkamp, Frankfurt
Kuiper PE (1962) Perversionen. Psyche 16:497–511
Loch W (1977) Die Krankheitslehre der Psychoanalyse. Hirzel, Stuttgart
Riemann F (1968) Psychoanalyse der Perversionen. Z Psychosom Med Psychoanal 14:3–15

Charakterneurosen

Definition: Abwehrkonflikt äußert sich nicht in eindeutig isolierbaren Symptomen, sondern in Verhaltensformen, Charakterzügen, in einer pathologischen Organisation der Gesamtpersönlichkeit.
- Ausdruck wird oft sehr ungenau verwendet (bei auffälligen Verhaltensweisen und Beziehungsstörungen zur Umgebung ohne eindeutige Symptomatik),
- „Charakterabwehr" unterscheidet sich vom Symptom durch die relative Integration in das Ich,
- Psychopathologische Struktur mit Infiltration des Ich, die an eine präpsychotische Struktur erinnert,

- Charakteranomalien werden zwischen neurotischen Symptomen und psychotischen Affektionen eingeordnet:
  o diagnostischer Sammeltopf,
  o symptomlose Neurose;
- Störungen Ich-synton (Symptome vom Ich nicht als fremd – Ich-dyston – erlebt), Störung vom Ich integriert,
- neurotische Charakterzüge mit bestimmten Haltungen, ohne lärmende Symptome, die Ich-synton erlebt werden (schlechte Voraussetzung für die Behandlung).

Symptomneurosen

Neurotische Symptome werden als Ich-fremd (Ich-dyston) erlebt (gute Voraussetzung für die Behandlung).

Persönlichkeitsstörungen:
- Paranoide Persönlichkeiten (mit starkem Beziehungserleben);
- zyklothyme Persönlichkeiten (mit starken Stimmungsschwankungen),
- schizoide Persönlichkeiten (mit Unterdrückung von Emotionen und Affekten).

Neurosen:
- Hysterischer Charakter,
- depressiver Charakter,
- zwanghafter Charakter.

Asthenische Persönlichkeit:
- Antisoziale/dissoziale Persönlichkeitsstörung (kriminell, fehlende soziale Einsicht, affektive Kälte, Antriebsarmut).

Psychopathie:
- Betonung des genetischen und konstitutionellen Moments,
- Betroffene leiden an ihrer Abnormität oder
- die Gesellschaft leidet an ihrer Abnormalität,
- ähnlich der Charakterneurose (subjektives Leiden und zugleich Störung der sozialen Beziehungen),
- Externalisieren aller Konflikte,
- Agieren im sozialen Umfeld,
- der Begriff wird (ähnlich dem der abnormen Persönlichkeit) von Psychoanalytikern wie „Charakterneurose" gebracht.

Literatur

Bräutigam W (1978) Reaktionen – Neurosen – abnorme Persönlichkeiten. Thieme, Stuttgart New York
Hau TF (1986) Psychosomatische Medizin. Verlag für Angewandte Wissenschaften, München
Hoffmann SO (1979) Charakter und Neurose. Suhrkamp, Frankfurt
Hoffmann SO, Hochapfel G (1991) Einführung in die Neurosenlehre und psychosomatische Medizin, 4. Aufl. Schattauer, Stuttgart
Laplanche J, Pontalis JB (1986) Das Vokabular der Psychoanalyse. Suhrkamp, Frankfurt

Rauchfleisch U (1981) Dissozial. Vandenhoeck & Ruprecht, Göttingen
Reich W (1931) Die charakterologische Überwindung des Ödipuskomplex. Int Z Psychoanal 17:55–71
Schultz JH (1955) Grundfragen der Neurosenlehre. Thieme, Stuttgart New York
Schultz-Hencke H(1951) Lehrbuch der analytischen Psychotherapie. Thieme, Stuttgart New York

Verlaufs- und Ergebnisforschung

Schwierigkeiten der Erfolgsbeurteilung der Behandlung:
- Der Begriff „Psychotherapie" wird noch uneinheitlich gebraucht.
- Frage: Wird Heilung, Besserung oder Erhaltung des status quo angestrebt?
- „Spontanheilung"?
- Kann zwischen verschiedenen psychotherapeutischen Behandlungsmaßnahmen unterschieden werden?
- Frage der Interpretation des Ergebnisses, wenn keine positive Veränderung erfolgte.
- Kann eine „erfolgreiche Therapie" immer nachgewiesen werden?
- Welche therapeutischen Ziele wurden angestrebt?
- Welche Maßstäbe wurden bei der Untersuchung angelegt?
- Welche Erwartungen und Interessen bestehen von seiten des Patienten, des Therapeuten, der Gesellschaft?
- Ist eine Veränderung der innerpsychischen Dynamik und/oder ein Symptomwandel eingetreten?
- Sind zusätzlich Medikamente gegeben worden?
- Inwieweit wirkt die Persönlichkeit des zusätzlich behandelnden (Allgemein)-arztes eine Rolle?
- Wirken zusätzliche (etwa körperentspannende, psychotherapeutische) Maßnahmen mit?
- Welch eine Rolle spielt die soziale und familiäre Umgebung des Behandelten?

Neurosen

Behandlungserfolge (Abb. 30)

1. Dührssen (1972): Psychotherapie bei 845 Patienten; Nachuntersuchung nach 5 Jahren.
   Ergebnis:
   - 13% Rückfälle,
   - 28,5% sehr gut gebessert,
   - 17% gut gebessert,
   - 13% befriedigend gebessert,
   - 26% genügend gebessert.

   Zwischen behandelten und unbehandelten Patienten ergaben sich folgende statistisch signifikante Unterschiede: Krankenhaustage unter Psychotherapie:
   - Psychoanalytisch behandelte und unbehandelte Patienten lagen vor der Behandlung 26 Tage im Krankenhaus.
   - Nach 5 Jahren waren die psychoanalytisch Behandelten nurmehr 6 Tage im Krankenhaus.
   - Die neurotisch Kranken auf einer Warteliste waren nach wie vor 26 Tage im Krankenhaus.
   - AOK-Versicherte liegen durchschnittlich 10–11 Tage im Jahr im Krankenhaus (Untersuchungen aus dem Zentralinstitut für psychogene Erkrankungen der AOK Berlin).

2. Bellack u. Small (1972): nach psychoanalytischer Kurztherapie 82% Besserungen.
3. Beck u. Lambelet (1972): 66% Heilungen und Besserungen nach analytischer Kurztherapie.

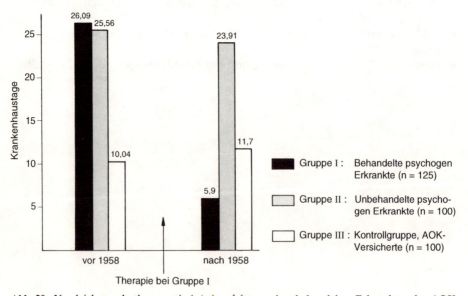

Abb. 30. Vergleich psychotherapeutisch behandelter und unbehandelter Erkrankter der AOK

Tabelle 21. Beobachtungsebenen. (Nach v. Rad u. Senf 1986)

Ebene	Verfahren/Untersuchungsgegenstand
a) *Symptomatik:*	
medizinisch,	Körperliche Untersuchung, Symptomrating, Beschwerdebögen. Labordaten. Arbeitsfehltage, Hospitalisierung
psychologisch,	Subjektive Tests, Fragebögen, Selbstbeurteilungsskalen, projektive Tests, Interviews, inhaltsanalytische Verfahren, Ratingverfahren, Selbst- und Fremdbeobachtung
soziologisch	Soziografische Daten, Kosten-Nutzen-Analyse
b) *Beteiligte:*	
Patient,	Symptomatik; Struktur; Erleben und Verhalten
Therapeut,	Struktur; Erfahrung; Gegenübertragung; Ausbildung; Technik etc.
Arzt-Patienten--Konstellation,	Sympathie; Arbeitsbündnis; Krisen; Strukturgemeinsamkeiten bzw. -unterschiede etc.
Umwelt/Gesellschaft	Sozioökonomischer Status; Bildung; Arbeitsbedingungen; Familie; Kosten-Nutzen-Analyse etc.
c) *Daten*	
objektive,	Arbeitsfehl- und Krankentage; Therapiedauer und Stundenzahl; Alter; Gewicht; Labordaten
subjektive,	Aussagen des Patienten, Therapeuten oder eines unabhängigen Beobachters über den Befund (Selbsteinschätzungen, Therapieretrospektiven, Fremdeinschätzungen durch unabhängige Beurteiler)
standardisierte,	(Mehr subjektiv oder objektiv): Tests, Fragebögen, Ratings
interaktionelle	Erfassung der Arzt-Patienten-Beziehung durch Beobachtungen (z. B. Video, Audio, Sprachinhaltsanalyse) oder Verlaufsberichte

Psychotherapeutische Behandlungsergebnisse einzelner Krankheitsbilder (nach Senf u. Rad 1990)

Anorexia nervosa
- Heilungsquote mit Hilfe von Familientherapie bei pubertätsnah erkrankten Jugendlichen 80%,
- Prognose um so schlechter je länger der Zeitraum zwischen Erstmanifestation der Krankheit und Behandlungsbeginn,
- 53% Heilungs- oder Besserungschancen bei stationärem Setting,
- gute Ergebnisse mit verhaltenstherapeutischen Ansätzen (Essenstraining),
- stationär eingeleitete Behandlungen verlaufen günstiger.

Asthma bronchiale
- günstigere Prognose bei kindlichem Asthma mit Spontanheilungen,
- Patienten mit einer „krankheitsorientierten Gruppentherapie" zeigen erhebliche Besserungen und Heilungen, ebenso
- in Kombination von psychotherapeutischen Einzel- und Gruppenbehandlungen, entspannenden Verfahren und medikamentöser Therapie,
- erhebliche Kostenersparnis zugunsten von psychotherapeutisch (mit)behandelten Patienten.

Ulcus pepticum
- gute Ergebnisse bei Langzeitanalysen (10 von 15 Patienten symptomatisch geheilt und „strukturell" gebessert),
- zusätzlich mit „Hypnotherapie" behandelte Patienten (53%) zeigen eine erheblich geringere Rezidivrate als konservativ behandelte Patienten,
- Erfolg und Mißerfolg eines operativen Vorgehens hängt von Persönlichkeitsvariablen ab.

Colitis ulcerosa
- In einer „Psychotherapiegruppe" deutlichere Symptombesserungen, weniger Operationen und Todesfälle,
- zusätzliche entspannungsfördernde Maßnahmen verbessern die Prognose.

Essentielle Hypertonie
- Nachgewiesene Besserung der Symptomatik bei etwa einem Viertel der behandelten und untersuchten Patienten mit Hilfe von Entspannungstechniken, Biofeedback, transzendentaler Meditation, analytisch orientierten Verfahren,
- komplexes verhaltenstherapeutisches Kurztherapieprogramm (mit guter medizinischer Information, autogenem Training und Verhaltenstherapie) bewirkt Blutdrucksenkung, Reduktion antihypertensiver Pharmakotherapie.

Myokardinfarkt:
- Zur Reinfarktprophylaxe kombiniertes Therapieprogramm mit Beratung, Entspannung und Psychotherapie (mit Reduktion des „Typ-A-Verhaltens" als wirksamer Schutz).

Literatur

Beck D, Lambelet L (1972) Resultate der psychoanalytischen Kurztherapie bei 30 psychosomatisch Kranken. Psyche 26:265-285
Beck D (1974) Kurzpsychotherapie. Huber, Bern
Bellak L, Small L (1972) Kurzpsychotherapie und Notfallpsychotherapie. Suhrkamp, Frankfurt
Cremerius J (1962) Die Beurteilung des Behandlungserfolges in der Psychotherapie. Springer, Berlin Heidelberg New York Tokyo
Dührssen A (1972) Analytische Psychotherapie in Theorie, Praxis und Ergebnissen. Verlag für Medizinische Psychologie, Vandenhoeck & Ruprecht, Göttingen
Göllner R, Volk W, Ermann M (1978) Analyse von Behandlungsergebnissen eines zehnjährigen Katamneseprogrammes. In: Beese F (Hrsg) Stationäre Psychotherapie. Verlag für Medizinische Psychologie, Vandenhoeck & Ruprecht, Göttingen
Klußmann R (1992) Psychosomatische Medizin, 2. Aufl. Springer, Berlin Heidelberg New York Tokyo
Malan DH (1962) Psychoanalytische Kurztherapie. Eine kritische Untersuchung. Klett, Stuttgart
Malan DH (1967) Psychoanalytische Kurztherapie. Huber, Bern
Meyer AE (1984) Grundlagen, Konzepte und Methoden der Psychotherapieforschung. Verh Dtsch Ges Inn Med 90:417-422
Rohrmeier F (1982) Langzeiterfolge psychosomatischer Therapie. In: Albert D, Pawlik K, Stapf KH, Stroebe W (Hrsg) Lehr- und Forschungstexte Psychologie, Bd 3. Springer, Berlin Heidelberg New York Tokyo
Senf W, Rad M von (1990) Ergebnisforschung in der psychosomatischen Medizin. In: Uexküll T von (Hrsg) Psychosomatische Medizin, 4. Aufl. Urban & Schwarzenberg, München

**Teil 3
Moderne Säuglingsforschung
und Psychoanalyse**

Moderne Säuglingsforschung und Psychoanalyse

Biologie der zunehmenden organisierten Komplexität:
Gehirn hat 10^{10} Neuronen mit hunderten von Querverbindungen.
- Folge:
  1. immer mehr Indeterminiertheiten,
  2. Garant für Individualität und
  3. Selbstbestimmung
- Zur Frage des Angeborenseins:
  1. Gene schalten sich im Entwicklungsverlauf ein und aus,
  2. Es hängt z.T. von Umwelteinflüssen ab, welche Erbfaktoren wirksam werden;
- Im Zuge der Entwicklung vom Säugling über die Kindheit und Jugend nimmt der Einfluß der Vererbung auf individuelle Unterschiede im Verhalten zu;
- Säugling = aktives, komplex organisiertes Wesen;
- Vorhersagbarkeit für Verhalten von der frühen Kindheit auf spätere Jahre gering;
- Größeres Defizit oder Trauma der frühen Kindheit ohne nachhaltige Wirkung.

Befunde der Verhaltensgenetik weisen hin auf
- Entwicklungsprozesse des Wandels wie der Kontinuität (z. B.: individuelle Unterschiede können auch später in Erscheinung treten),
- die überragende Bedeutung der spezifisch erlebten Umwelt (d. h. der Kind-Betreuer-Beziehung),
- die besondere Rolle von Temperament und Affektivität für individuelle Unterschiede in der frühen Entwicklung.

Im Säugling vorprogrammierte grundlegende Motivationsprinzipien

1. Anlage zur Aktivität („primäre Affektivität", Bertalanffy)
   → zunehmende Organisation und wachsendes Verstehen der Welt unabhängig von Lernen und Verstärken (z. B.: visuelle Aktivität für räumliche und zeitliche Organisation der Welt, Erwartungen zu entwickeln und entsprechend zu handeln).
2. Anlage zur Selbststeuerung
   - physiologisch im kardio-respiratorischen und Stoffwechselsystem;
   - verhaltenssystemisch;
     - für Aktivierung, Aufmerksamkeit, Schlaf-Wach-Zyklen,
     - für Wachstum und Entwicklungsfunktionen,

○ zielorientierte Entwicklung („Äquifinalität", Bertalanffy) mit Objektkonstanz, Vorstellungsintelligenz, Ich-Bewußtsein mit Anlagen zur ausgleichenden Selbstkorrektur.
3. Anlage zur sozialen Einpassung
→ Voranpassung an menschliches Verhalten, → „Bindungsneigung" (Bowlby, 1969) als biologisch begründetes Motivationssystem;
- Kind für Beteiligung an Interaktionen mit anderen Menschen ausgestattet,
- nimmt Augenkontakt früh auf,
- reagiert auf Stimulusmerkmale, die von Stimme, Gesicht ausgehen,
- Betreuungspersonen reagieren intuitiv, automatisch (elterliches Imitieren des Gesichtsausdruckes, Babysprache, Stimmhöhe),
  ○ gemeinsame visuelle Realität von Mutter und Kind.
4. Anlage zu affektivem Überwachen
→ Neigung, Erfahrung daraufhin zu überwachen, was lustvoll und was unlustvoll ist, → ZNS zur organisierten Grundlage vorangepaßt, Richtung des frühkindlichen Erlebens zu steuern;
- Wahrnehmen und Reagieren der Mutter auf Affektäußerungen des Säuglings (Weinen, Lachen),
- Kind „steuert" eigenes Verhalten.

Biologisch vorbereitet sind:
1. der affektive Kern des Selbst
   - einzelne Muster emotionalen Ausdrucks universal (emotionaler Ausdruck bei Säuglingen, Kindern und Erwachsenen ähnlich organisiert),
   - unser Affektleben gibt unserer Erfahrung Kontinuität,
   - damit wird sichergestellt, daß wir in der Lage sind, andere Vertreter der menschlichen Art zu verstehen,
   - der affektive Kern des Selbst berührt die Aspekte unseres Erlebens und unserer Erfahrungen,
   - im Mittelpunkt steht die soziale Bezugnahme (Mitte des 1., besonders im 2. Lebensjahr) mit der emotionalen Verfügbarkeit des Betreuers: zeigt Weg zur:
     ○ Bedürfnisbefriedigung,
     ○ zum Lernen, Lieben, Erforschen;
   - empfindlicher Indikator für emotionale Zugänglichkeit im frühen Kindesalter sind das Vorhandensein oder Fehlen positiver Affekte,
     ○ positive Gefühle für Entwicklung sehr wichtig,
     ○ sind von negativen Gefühlen isoliert organisiert.
2. die frühe Moralentwicklung
   - früh verinnerlichte Regeln (Verbote und Gebote) haben zweifachen Ursprung:
     ○ angeborener Trieb,
     ○ Erleben der Betreuungsbeziehung (1.–3. Lebensjahr) (Regeln über Kommunikation schon vor Spracherwerb wirksam; Abwechseln der Kommunikation z. B.: Kind reagiert auf Unbehagen eines anderen bekümmert: etwa ab Mitte des 2. Lebensjahres);

- frühe Moralgefühle (2. Lebensjahr) umfassen:
  - das Teilen positiver Affekte und Stolz,
  - die Scham,
  - verletzte Gefühle (mögliche Vorläufer von Schuld);
- frühe Moralgefühle haben folgende Merkmale:
  - sind komplexer als einzelne Emotionen wie Freude, Wut, Ekel, zeigen sich nicht in Gesicht, Stimme, Haltung,
  - basieren auf Beziehungen,
  - basieren auf Empfindungen von Kampf, Dilemma, Konflikt,
  - sind antizipatorisch, sind Signalaffekte;
- Scham als zentrales Gefühl (mit Aversion gegen Blickkontakt, Kraftlosigkeit, Ausdruck von Verlust).

Frühe Beziehungsmotive

- drei interagierende Wege des Selbst (nicht zwei):
  - Ich-Gefühl (Erleben von sich selbst),
  - Gefühl für den anderen (Erleben des anderen z. B. der Bindungsperson)
  - Wir-Gefühl (Erleben von sich selbst mit dem anderen oder des Wir);
- Teilen von Gefühlen (mit-teilen, z. B. Freude am Können):
  - Gefühl für Wechselseitigkeit und Empathie (36. Lebensmonat),
  - elterliche Verbote verinnerlicht;
- Entwicklung des Wir-Gefühls (7.–9. Lebensmonat)
  → Gefühl, der andere ist „bei mir":
  - verstärktes Gefühl von Macht und Kontrolle (verinnerlichte Gefühle ohne Präsenz eines Elternteils);
  - „intersubjektives Selbst" (Stern 1985):
    — Säugling kann „Absichten" (Aufmerksamkeit, Fühlen) mit Betreuer abstimmen,
    — „Ineinandergreifen der Seelen" (Bretherton, 1985) (sozial).

Zur Säuglingsforschung

Baby verfügt über eine große Anzahl angeborener Auslösemechanismen, um die Kontaktaufnahme und Gegenseitigkeit mit der für sein Überleben unerläßlichen Pflegeperson herzustellen.

1. *Angeborene Wahrnehmungsmöglichkeiten:*
Kinder nehmen vor Spracherwerb direkter und globaler wahr als Erwachsene, Denken, Handlung, Wahrnehmung differenzieren sich allmählich;
- „transmodales" Zusammenbringen einzelner Sinneseindrücke durch angeborene cerebrale Verknüpfungen gewährleistet (nicht erlernt, wie Spitz, Piaget es meinten);
Folge: früher Ursprung von Spaltungsmechanismen in Frage gestellt;

- „amodale" = abstrakte Merkmale (z. B. Laut-, Licht-, Berührungsintensitäten, Bewegungsgestalt, Rhythmus, Takt) sind enkodiert.

2. *Angeborene Affektreaktionen und deren Erleben:*
   - Acht angeborene Affekte (bereits 1962, Silvan Tomkins) (Distress als Ausdruck von Qual, Verzweiflung, Traurigkeit, Wut, Freude, Überraschung, Ekel, Interesse, Furcht, Scham),
   - Affekte durch bestimmte quantitative Reizmuster automatisch ausgelöst (z. B. Freude durch schnell abfallende Reizspannung; gleichbleibender starker Reiz bewirkt Wut),
   - Überformung der Affekte erst später,
   - Affekte sind Botschaften an Pflegepersonen,
   - Affekte verbunden mit
      - mimischen Muskelbewegungen (Neugeborene imitieren Gesichtsausdruck, Lächeln, Überraschung, herausgestreckte Zunge),
      - bestimmten Reaktionsmustern des autonomen Nervensystems (z. B. Pulsfrequenz, Atemgeschwindigkeit, Hautwiderstand).

3. *Art der Bindung zwischen Neugeborenen und Pflegepersonen:*
   - Aus der Vielfalt der Eindrücke bildet sich für den Säugling eine Gestalt heraus (Umwandlung von Chaos in Information, Kind orientiert sich an Abläufen zwischen Mutter und Kind, bildet „Arbeitsmodelle" – Bowlby 1969, 1973);
   - Ausbildung eines circadianen, 24stündigen Schlaf-Wach-Rhythmus;
   - Schreien nur nach vorausgegangener Frustration (also nicht Ausdruck eines angeborenen Aggressionstriebes, hemmungsloses Schreien mit der Gefahr der Fragmentierung des Organismus als Vorbild apokalyptischer Angst des Erwachsenen);
   - Wichtig:
      - Eigenrhythmus des Kindes erfassen (keinen festen Zeitplan aufzwingen): Grundlage für Vertrauen und seelisches Wohlbefinden;
      - Bei Aufzwingen des Willens: frühe Entwicklung sadomasochistischer Mechanismen.

4. *Konsequenzen der Säuglingsforschung:*
   - Säugling sucht optimale Stimulation und Austausch mit der Bezugsperson (nicht allein orale Triebabfuhr!),
   - Frühes Selbst des Säuglings ist (nicht „vornehmlich" ein Körper-Ich; Freud) ein
      - „Zustands-Selbst" (Schlaf-Wach-Rhythmus, Panik prägen die ersten Erfahrungen),
      - „Handlungsselbst" (Säugling lebt seine Handlungen);
   - Säugling erlebt „Effektanz" (White 1959), will etwas bewirken (Folge z. B.: der nach Zeitplan Ernährte erlebt weniger Selbständigkeit, aber Zuverlässigkeit),
   - Säugling erfährt sich erst dann als hilflos, wenn er seine Wirkungslosigkeit erfährt,
   Folge: gibt zwischenmenschliche Regulation zugunsten der Selbstregulation auf;

Tabelle 22. Unterschiede der Theorien in der Säuglingsforschung

kognitivistisch	psychoanalytisch
• Baby: aktiv, dynamisch, kompetent	passiv
• Umwelt und Säugling: = Paar, das nach Homöostase strebt	unsymmetrische Beziehung; Abhängigkeit, Hilflosigkeit des Säuglings
• geht aus von: Reiz-Reaktions-Muster	Phantasien
• Identifizierung mit der Mutter: über Sinne Geschmack, Geruch, Gehör	über Tastsinn
• Säugling: aktiv, Suche nach Stimuli, will Welt kreativ formen, Wahrnehmen von Getrenntsein vom Primärobjekt	Postulate der Passivität, Undifferenziertheit, Spannungsabfuhr
• Selbstgefühl als Organisationsprinzip der Entwicklung „self and other"	Selbst als Struktur oder Prozeß
• Selbstgefühl mit verschiedenen sensiblen Entstehungsphasen (Beziehungsstrukturen)	aufeinander folgende Entwicklungsstufen
• 4 Arten von Selbstgefühl: o Vorstufe (bis 2. Monat) „amodale Wahrnehmung"	o autistisch
o Kern-Selbstgefühl (2.–7. Monat): integriert, sich unterscheidend	o undifferenziertes, symbiotisches Erleben, Verschmelzungserfahrungen
o Subjektives Selbst (7.–9. Monat): intersubjektive Erfahrungen	o Ausschlüpfen aus der Symbiose (Mahler)
o Sprachliches Selbst (18. Monat): Koordination zwischen mentalen und motorischen Schemata; neue Ebene geistiger Verbundenheit	o Trennung – Individuation
• „sehender und hörender" Säugling	„oraler Säugling"

- Der Bindungstyp des Kindes stellt Anpassung an die Bezugsperson mit dem häufigsten Kontakt dar, ändert sich nicht zwischen 6. Lebensmonat und 6. Lebensjahr (Großmann, 1989),
- 3 Typen von Bindungsqualitäten:
  o *Sicher* gebundene Kinder (Mütter akzeptieren verständnisvoll Regungen des Kindes),
  o *Beziehungsentwertend* (Mütter eher sadistisch, akzeptieren Kinder am ehesten, wenn sie freudig spielen),
  o *Beziehungsüberwertend* (Mütter ambivalent, gehen auf Kind ein, wenn es Angst hat und anlehnungsbedürftig ist);
- Besonders schädlichen Einfluß auf den affektiven Kern des Säuglings hat eine depressive Mutter.

Folgen der Säuglingsforschung

1. Trieblehre der klassischen Psychoanalyse reicht zum Verständnis einer gestörten Entwicklung nicht aus.
2. Deutlicher wird die Wichtigkeit der „Übertragung" frühkindlicher Beziehungsstrukturen auf die Beziehung des Kindes und Erwachsener zu den Bezugspersonen.
3. Früh erworbene Störungen sind Beziehungsstörungen und nicht allein solche des Individuums (z. B. wo sich Interaktion und Selbstregulation entkoppelt haben, entstehen narzißtische Persönlichkeitsstörungen).
4. Der Säugling ist mit Fähigkeiten des Selbstempfindens und der kommunikativen Kompetenz besser ausgestattet. Neurose zu betrachten unter dem Aspekt eines Entwicklungsdefizites, eine „Entgleisung des Dialoges" (Spitz).

Moderne Säuglingsforschung und Psychoanalyse

Neues theoretisches Verständnis angeborener und motivationaler Faktoren der frühen Kindheit:
1. Es gibt Entwicklungsfaktoren, die biologisch verankert sind.
2. Es lassen sich Kontinuitäten (Gemütsbeschaffenheit, Informationsverarbeitung) von der Säuglingszeit bis zur frühen Kindheit aufdecken.
3. Es gibt bedeutsame erbliche Einflüsse bei der Gemütsbeschaffenheit und bei Geisteskrankheiten.
4. Erbeinflüsse sind generell geringer als Umwelteinflüsse (Interventionen laufen immer über menschliche Beziehungen).
5. Erbeinflüsse werden durch entscheidende Gen-Umwelt-Interaktionen manifest.
6. Durch Evolutionsbiologie vorprogrammiert: artumfassende Regulationsfunktionen der Grundmotive Aktivität, Selbststeuerung, soziale Einpassung, affektive Überwachung;
   Mit verfügbaren Elternfiguren „einzuüben":
   - Konsolidierung des affektiven Kerns des Selbst,
   - Entwicklung des Gefühls von Gegenseitigkeit, Empathie, Regeln; frühe Moral,
   - Entwickeln eines Wir-Gefühls.

Verbindung zu psychoanalytischen Annahmen

- Wo ist der klassische psychoanalytische Triebbegriff (Libido, Aggressionstrieb)?
  - Sandler (1960):
    Triebe verstanden als „die gewünschte Reaktion des Objekts",
  - Kernberg (1976):
    — grundlegende Motivationseinheiten des Säuglingsalters bestehen aus Selbst, Objekt und Affekt,

— klassische Triebkonzepte von Libido und Aggression werden erst nach dem Säuglingsalter relevant,
— Triebäußerungen sind „Wünsche", müssen im Rahmen der Betreuungsbeziehung und emotionaler Verfügbarkeit betrachtet werden.

1. Organisationsmodell von *Affekten*:
Affekte
- schließen unmittelbar Gefühle von Lust und Unlust ein,
- sind biologisch verankert,
- implizieren Wertung und Kognition,
- wirken unbewußt, bewußt und umfassend,
- organisieren seelisches Geschehen und Verhalten,
- sind Signale, die ihren Platz im Ich haben:
  o haben eine automatische, regulative Rolle,
  o Signalangst schützt, von Zuständen von Hilflosigkeit überwältigt zu werden,
  o Signaldepression reguliert das Selbstwertgefühl und hilft, offene Depression zu vermeiden;
- regulieren Interesse, Engagement, Langeweile, Frustration („Barometer der Ich-Funktion", Jacobson, 1957),
- sind wesentlich für soziale Beziehungen:
  o wichtige soziale Kommunikationsfaktoren in der frühen Kindheit.

2. Frühe *Moralentwicklungen*
Wichtige Merkmale von Moralität auf der Basis früher (präödipaler) Identifikation mit den Eltern;
- in Hinblick auf Gebote:
  o mit positiven oder bewundernden Seiten der Beziehung („Ich-Ideal"),
  o über alltägliche Erfahrungen des Kleinkindes mit tröstenden, beschützenden Seiten der Interaktion mit den Eltern;
- in Hinblick auf Verbote:
  o „Sphinktermoral" (Ferenczi, 1925),
  o „Identifikation mit dem Aggressor" (A. Freud, 1936),
  o „semantisches Nein" (2. Lebensjahr; Spitz 1957), Kind übernimmt „nein" als Wort und Geste,
  o „primäre Identifikation der frühen Kindheit" (S. Freud, 1923),
  o „präautonome Über-Ich-Schemata" (Sandler, 1960), frühe Verinnerlichung von Moral in der Art organisierender Aktivitäten, von Schemata.

3. Psychoanalytische „*Entwicklungssystemtheorien*"
→ wachsendes Gefühl sozialer Verbundenheit, → wachsendes Autonomiegefühl.
- „Konzept der Identität" (Erikson, 1962):
  o Identitätsgefühl beginnt im Säuglingsalter,
  o Aktivität gilt als „die Grundsubstanz des Ich";
- Entwicklung des Selbst über „Organisatoren" (Spitz, 1957)
  o Objektivierung des Selbst verbunden mit Objektivierung anderer,
  o Erreichen einer neuen Autonomieebene über das „Nein";

- Entwicklung der Selbststeuerung im Rahmen der Säuglings-Betreuer-Beziehung (Sandler, 1962):
  - Polaritäten (z. B. Differenzierung – Integration; Unruhe – Stabilität; Autonomie – Verbundenheit) als organisierende Prozesse;
- Affekte haben eine steuernde Rolle bei der Entwicklung des Selbst und der Objektbeziehungen (Bowlby, 1969, 1973);
- Entfaltung des Selbst (Stern, 1985)
  - 4 Selbstgefühle:
    — (postnatal) Säugling hat Gefühl, vom Betreuer physisch getrennt zu sein,
    — Entwicklung des Gefühls von Tätigsein und Kohärenz mit verschiedenen affektiven Erfahrungen,
    — (Mitte 1. LJ) „Gefühl des subjektiven Selbst" mit Teilen von Gefühlen, Intentionalität, Aufmerksamkeitsfokus,
    — (15.–18. Lebensmonat) „Gefühl eines verbalen Selbst" im „Bereich verbalen Bezogenseins"; „Wir-Bedeutungen" in Zusammenhang mit der Sprache, „Gefühle des Selbst-mit-anderen"
- Theorie des „affektiven Selbst" (Emde 1984)
  - affektive Signale liefern
    — inneres Feedback (zeigen an, was neu, interessant, angenehm ist),
    — soziales Feedback (zeigen an, was beachtet, belohnt wird).

4. Zur *Objektbeziehungstheorie*
→ frühe Erfahrungen der Pflegebeziehung als Grundlage für Motivationsstrukturen (enthalten affektive Repräsentanzen);
- Bowlby (1969, 1973):
  - Bindungssysteme spiegeln biologisch vorbereitete Aktivitäten im Säuglingsalter wider,
  - Nähe und interaktionsfördernde Verhaltensweisen um Betreuerfigur organisiert;
- Kohut (1977), Kernberg (1976):
  - empathisches Versagen in der frühen Betreuung kann zu narzißtischen – und Borderline-Störungen führen,
  - „Spiegeln" wichtig für normale Selbst-Entwicklung (Mutter spiegelt Affektäußerungen wider: visuell, stimmlich).

Literatur

Bertalanffy L v (1968) General system theory foundations, development, applications. Braziller, New York
Bohleber W (1989) Neuere Ergebnisse der empirischen Säuglingsforschung und ihre Bedeutung für die Psychoanalyse. Psyche 43:564–571
Bowlby J (1969 und 1973) Attachment and loss, vols 1, 2. Basic Books, New York
Bretherton J, Waters E (1985) Growing points in attachment theory and research. Society for Research in Child Development, New York
Dowling S, Rothstein A (1989) The significance of infant observational research for clinical work with children, adolescents, and adults. Madison/CT, International University Press
Emde RN (1984) The affective self: continuities and transformations from infancy. In: Call JD et al. (eds) Frontiers of infant psychiatry, vol II. Basic Books, New York, pp 38–54

Emde RN (1991) Die endliche und die unendliche Entwicklung. Psyche 45:745-779, 890-913
Erikson E (1950) Kindheit und Gesellschaft. Pan, Zürich (1957)
Ferenczi S (1925) Zur Psychoanalyse von Sexualgewohnheiten. In: Bausteine zur Psychoanalyse, Bd 3. Huber, Bern (1939)
Field T (1987) Affective and interactive disturbances in infants. In: Osofsky JD (ed) Handbook of infant development, 2nd edn. Wiley, New York
Freud A (1936) Das Ich und die Abwehrmechanismen. Kindler, München (1964)
Freud S (1923) Das Ich und das Es. GW XIII. Imago, London, S 237-289
Großmann KE, August P, Fremmer-Bombik E et al. (1989) Die Bindungstheorie: Modell und entwicklungspsychologische Forschung. In: Keller H (Hrsg) Handbuch der Kleinkindforschung. Springer, Berlin Heidelberg New York Tokyo
Jacobson E (1957) Normal and pathological moods: their nature and functions. Psychoanal Study Child 12:73-126
Kernberg OF (1976) Objektbeziehungen und Praxis der Psychoanalyse. Klett-Cotta, Stuttgart 1981
Kohut H (1977) Die Heilung des Selbst. Suhrkamp, Frankfurt 1979
Köhler L (1990) Neuere Ergebnisse der Kleinkindforschung. Ihre Bedeutung für die Psychoanalyse. Forum Psychoanal 6:32-51
Lazar RA (1986) Die psychoanalytische Beobachtung von Babys innerhalb der Familie. In: Stork J (Hrsg) Zur Psychologie und Psychopathologie des Säuglings – neue Ergebnisse in der psychoanalytischen Reflexion. Fromann-Holzboog, Stuttgart
Lichtenberg JD (1991) Psychoanalyse und Säuglingsforschung. Springer, Heidelberg
Mahler MS, Pine F, Bergman A (1975) Die psychische Geburt des Menschen. Fischer, Frankfurt 1978
Papoušek H, Papoušek M (1983) Biological basis of social interactions: implications of research for an understanding of behavioral deviance. J Child Psychol Psychiatry 24:117-129
Papoušek M (1989) Frühe Phasen der Eltern-Kind-Beziehungen. Ergebnisse der entwicklungspsychologischen Forschung. Prax Psychother Psychosom 34:109-122
Platt JR (1966) The step to man. Wiley, New York
Sandler J (1960) On the concept of the superego. Psychoanal Study Child 15:128-162
Spitz RA (1957) Nein und Ja. Ursprünge der menschlichen Kommunikation. Klett, Stuttgart 1959
Stern D (1985) The interpersonal world of the infant. Basic Books, New York
Tomkins S (1962) Affect, Imagery, Consciousness. vol I & II. Springer, Berlin Heidelberg New York
White R (1959) Motivation reconsidered: the concept of competence. Psychol Rev 66:297-333

**Teil 4
Diagnostik**

Allgemeines und Diagnostik (Abb. 31)

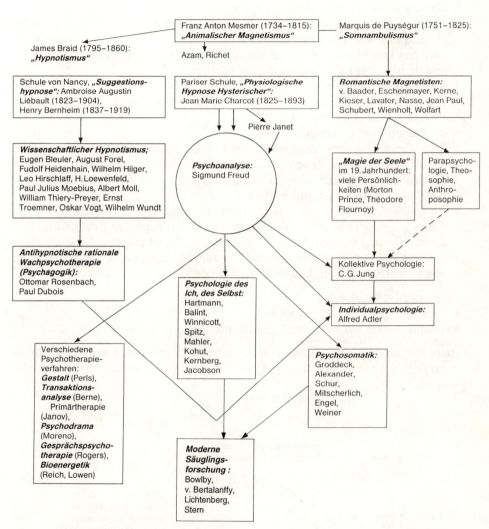

Abb. 31. Wissenschaftsgeschichtliche Übersicht

Diagnostisches Vorgehen

Drei Ziele der Diagnostik:

1. Erkennung der Krankheit:
   Mittels positiver Kriterien ist zu bestimmen, welche neurotische (und/oder psychosomatische) Störung/Erkrankung vorliegt, wobei der Zusammenhang zwischen krankheitsauslösender Konfliktsituation und der (äußeren) Lebens- und der (inneren) Erlebensgeschichte nachzuweisen ist.
2. Vorschlag zur Therapie:
   Die Frage ist zu entscheiden, ob die Erkrankung mit psychotherapeutischen Verfahren zu bessern/zu heilen ist.
3. Aufbau eines Arbeitsbündnisses:
   Eine Grundlage der Zusammenarbeit muß geschaffen werden zwischen Arzt/Therapeut und Patient einerseits, zwischen dem Erstuntersucher und weiterbetreuenden und/oder -behandelnden Kolleg(inn)en andererseits.

Bei der Untersuchung kommt es darauf an,
- ein tragfähiges Arbeitsbündnis zwischen Arzt und Patient aufzubauen,
- die biographische Situation des Patienten bei Ausbruch der Erkrankung und deren Wirkung auf den Patienten und dessen Umgebung zu erfassen,
- die Beschwerden des Patienten und das zugrundeliegende Krankheitsbild im Sinne einer vorläufigen Diagnose zu erhellen.

Diagnostiziert werden
- Prozesse: Trieb-Abwehr-Abläufe,
- Interaktionen: Subjekt-Objekt-Beziehungen.

Ziel: Herstellen eines verstehbaren Zusammenhangs zwischen der scheinbar unerklärlichen Symptomatik und der äußeren Lebens- und inneren Erlebensgeschichte.

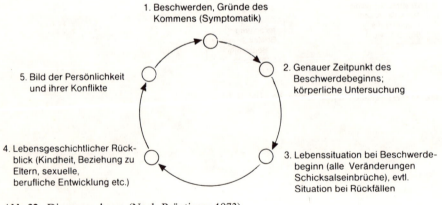

Abb. 32. Diagnoseschema (Nach Bräutigam 1973)

Vorgehen:
Herausfinden eines zeitlichen Zusammenhangs zwischen Beginn der Symptomatik und einer biographisch faßbaren, lebenswichtigen Veränderung vor dem Hintergrund
- der Gesamtpersönlichkeit,
- der Lebensbedingungen in der frühen Kindheit,
- der Sozialisationskonflikte,
- der Fixierungen (bis in die Gegenwart),
- einer lebensgeschichtlichen Rückblende.

Fragen hinsichtlich:
1. Beschwerden („Was führt Sie zu mir?"),
2. Zeitpunkt des Beschwerdebeginns („Wann haben Sie das zum erstenmal gehabt?"),
3. Lebenssituation zum Zeitpunkt des Beschwerdebeginns („Was war damals, als das in Ihrem Leben auftrat?" „Was hat sich damals in Ihrem Leben verändert?" „Wer ist in Ihr Leben eingetreten, wer ist daraus verschwunden?"),
4. lebensgeschichtlichen Ereignissen: Kindheit – Jugend – Reifezeit („Erzählen Sie doch noch mehr von sich, aus Ihrer Kindheit." „Erzählen Sie mir von Ihren Eltern!" „Wie waren Sie als Kind?"),
5. Bild der Gesamtpersönlichkeit („Was bedeutete das damals für Sie?" „Wie haben Sie das erlebt?").

Bedingungen für die Anamneseerhebung

- Patienten einen breiten Freiraum geben,
- dem Patienten die Aktivität überlassen,
- den Patienten nicht drängen,
- auf Wünsche nur so weit eingehen, wie es der Realität entspricht,
- viel Zeit einplanen zum Erstinterview,
- keine Störungen (Telefonanrufe) von außen,
- keine Ungeduld, kein Zeitmangel,
- behagliche räumliche Umgebung,
- Gesprächshaltung des Interviewers:
  - keine Kritik, kein Urteil,
  - Versuch, einen Sinn hinter Äußerungen zu finden,
  - frei schwebende Aufmerksamkeit des Untersuchers,
  - jeder Auseinandersetzung mit dem Patienten aus dem Weg gehen,
  - verständnisvolle Zurückhaltung des Untersuchers.

Arten von Patienten, die den Psychotherapeuten aufsuchen

1. Der vorgeschickte oder vorgeschobene Patient:
   - ist eine Art Sündenbock, das eigentliche Krankheitsgeschehen umfaßt eine größere Anzahl von Personen;
   - das soziale Umfeld ist krank.

170 Allgemeines und Diagnostik

2. Der anspruchsvolle Patient:
   - fordert bestimmten Arzt, bestimmte Zeit,
   - geringes persönliches Engagement,
   - leichte Kränkbarkeit,
   - ist schwer in eine konstante analytische Behandlung zu bekommen.
3. Der unergiebige Patient:
   - farblos, kein Problembewußtsein,
   - Ich-syntone Symptomatik,
   - starr, emotionslos, alexithym,
   - kaum analysierbar.
4. Der aufgeklärte Patient:
   - zur Mitarbeit bereit,
   - oft im rational-emotionalen Bereich verhaftet,
   - spürt brachliegende Gefühlswelt,
   - bereit zum Engagement,
   - bietet gute Voraussetzungen für Analyse.

Diagnostische Handlungsschritte der erweiterten Anamnese (Nach Morgan u. Engel 1977) (Abb. 33 und 34)

Insbesondere bei psychosomatisch Kranken sind die folgenden 9 Schritte empfehlenswert:
1. Der Arzt begrüßt den Patienten, stellt sich vor und erklärt seine Rolle als Arzt.
2. Der Arzt erkundigt sich nach dem augenblicklichen Befinden des Patienten.
3. Der Arzt fordert den Patienten auf, seine Beschwerden zu schildern.
4. Der Arzt analysiert zusammen mit dem Patienten die Symptome entsprechend der Reihenfolge ihres Auftretens, achtet auf ihre Merkmale und Wechselbezie-

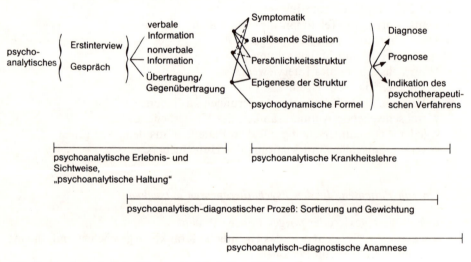

Abb. 33. Psychoanalytische Diagnostik (Nach Hau 1986)

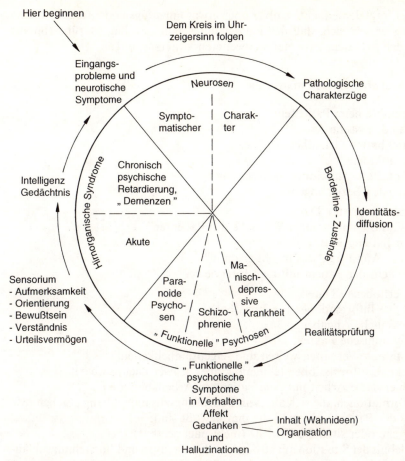

Abb. 34. Diagnostisches Vorgehen (nach Kernberg 1988)

hungen (Lokalisation, Qualität und Intensität der Beschwerden, zeitliche Zusammenhänge, eventuelle Begleitumstände und -symptome und Einflüsse, welche die Beschwerden verstärken oder lindern). Spontane Äußerungen des Patienten zu begleitenden Lebensumständen, früheren Krankheiten, zum Gesundheitszustand der Familie und zu zwischenmenschlichen Beziehungen werden sorgfältig beachtet.

5. Der Arzt versucht, frühere Leiden des Patienten zu verstehen, indem er zurückfragt und an Erwähntes anknüpft.
6. Der Arzt fragt nach dem Gesundheitszustand der Familienmitglieder und deren Beziehungen untereinander.
7. Der Arzt erkundigt sich nach den jetzigen Lebensumständen des Patienten, nach seiner Entwicklung und bezieht sich auf bereits Gesagtes.
8. Der Arzt fragt systematisch nach Beschwerden in jeder Körperregion (Systemübersicht).

9. Der Arzt fragt den Patienten, ob er noch etwas hinzufügen oder fragen möchte und vergewissert sich, daß der Patient ihn verstanden hat. Darüber hinaus erklärt der Arzt dem Patienten die weiteren Untersuchungen.

Zum psychoanalytischen Erstinterview

1. Schwerpunkte beim Patienten:
   Zu ergründen ist die Art
   - der triebhaften Grundbedürfnisse,
   - der Konflikte,
   - der Konfliktverarbeitung/-bearbeitung,
   - der sozialen Beziehungen.
2. Inhalt der rezipierten Daten:
   - Was sind die unbewußten Wünsche des Patienten?
   - Wovor hat er Angst?
   - Wenn er Angst hat, was macht er dann?
   - Was macht der Patient mit dem Interviewer?
3. Art der erhobenen Daten:
   a) objektive Informationen (nachprüfbar):
      - persönliche Angaben,
      - biographische Fakten,
      - bestimmte Verhaltensweisen und -eigentümlichkeiten;
   b) subjektive Informationen (eindeutig, aber schwer nachprüfbar);
      - gemeinsame Arbeit mit dem Patienten (Arbeitsbündnis),
      - Informationen, die sich aus dem Bedeutungszusammenhang ergeben, wie ihn der Patient sieht, und die ihm bewußt sind;
   c) szenische oder situative Evidenz (nicht nachprüfbar):
      - Erlebnis der Situation mit all den Gefühlsregungen und Vorstellungsabläufen des Patienten dominiert als solches.

Wichtige Voraussetzungen:
- geübte und disziplinierte Selbsteinschätzung und Selbstbeobachtung des Interviewers (Basis: Selbsterfahrung in Psychoanalyse),
- Untersucher muß die eigenen Reaktionen auf den Patienten und sein Verhalten abschätzen, seine eigene Pathologie gleichsam subtrahieren: „Was macht der Patient mit mir?"

Praktische Hinweise zur Anamneseerhebung

Gliederung:
1. Beschreibung der *Symptomatik* im psychischen, charakterologischen und körperlichen Bereich.
2. Darstellung der inneren und äußeren *Situation des Patienten* bei
   - Beginn der Symptomatik,
   - wesentlicher Verbesserung,

- wesentlicher Verschlechterung,
- Symptomwandel.
3. *Persönlichkeitsstruktur* bei Beginn der Erkrankung und zum Zeitpunkt der Untersuchung (Reaktion auf die Symptomatik, Konstitution, Intelligenz, Begabung usw.).
4. *Genetische Faktoren*, die zu dieser Persönlichkeitsstruktur geführt haben (frühkindliche Situation, vermutliche Anlagefaktoren, spätere Entwicklung).
5. *Zusammenfassung und prognostische Beurteilung.*
6. Aufstellung eines *Therapieplanes.*

Zweck: Die erweiterte Anamnese ist andersartig als die übliche klinische: sie stellt keine Einleitung oder Ergänzung eines Untersuchungsverfahrens dar, sondern ist das Untersuchungsverfahren selbst; sie dient
- der Diagnosestellung,
- der ersten prognostischen Orientierung,
- der Differentialindikation psychotherapeutischer Verfahren.

Untersucherverhalten:
- Möglichst passiv bleiben,
- den Patienten mit sparsamen Anregungen viel sprechen lassen,
- ihn aufmerksam beobachten,
- „Abfragetechnik" unbedingt vermeiden.

Anamnestische Fragen

1. Symptomatik:
   a) „Was hat Sie zu uns geführt? Worunter leiden Sie? Weswegen haben Sie den Arzt aufgesucht?"
      - Spontane Äußerungen abwarten,
      - Sich ein Bild von den subjektiv quälendsten Symptomen machen.
   b) Welche Symptomatik, über die der Patient spontan berichtet, ist zu beobachten (Tic, Tremor usw.)? Welche sichtbaren Symptome erwähnt er nicht?
   c) Zusätzliche Fragen nach
      - Wahrnehmungsstörungen,
      - Stimmungslage,
      - Zwangsvorstellungen, -impulsen, -handlungen,
      - Angst,
      - Merkfähigkeit, Gedächtnis
      - körperlichen Störungen (Appetit, Stuhlgang, Schlaf, Gewicht, Magen-Darm-/Herzbeschwerden usw.),
      - auffälligem Verhalten, Fehlleistungen.
   d) Welche Befunde und Diagnosen liegen vor? Sind noch Ergänzungsuntersuchungen notwendig und zu veranlassen?
   e) Frühere körperliche Erkrankungen und Behandlungen?

2. Konfliktauslösende Situation:
   a) Beginn der Symptomatik (möglichst genau, besonders im letzten halben Jahr; Lebensalter und Jahr für jede Symptomatik angeben)?
   b) Wie war die damalige Lebenssituation?
      - Familie und Beziehungspersonen (ist jemand gestorben, neu in die Familie gekommen oder in Beziehung zu dem Patienten getreten? Verlobung, Heirat, Kinder, sonstige Veränderungen, Sexualität),
      - Berufssituation (Veränderungen, Pläne, Fehlschläge, Wünsche),
      - Besitzverhältnisse (Erbschaft, Änderung des Einkommens, Ansprüche, Verpflichtungen, Schulden),
      - besondere Erlebnisse (Krieg, Gefangenschaft, Umzug, Flucht, politische Schwierigkeiten).
   c) Charakteristisches Verhalten?
      - Was vergißt der Patient?
      - Was äußert er nicht spontan?
      - Wo verhält er sich auffällig, abartig?
      - Versuchungs- und Versagungssituation in Beziehung bringen mit Erleben, Fehlverhalten und Symptomatik.
3. Persönlichkeitsstruktur: Zum prämorbiden Zustand:
   a) Wie hat der Patient damals erlebt und sich verhalten?
      - Allgemeines Lebensgefühl, Wünsche, Pläne, Hoffnungen, Religiosität, Freizeit;
      - mitmenschlicher Kontakt, Einordnung, Geselligkeit,
      - dem Besitz gegenüber (im weitesten Sinne),
      - im Bereich des Geltungs- und Aggressionsstrebens,
      - in bezug auf Liebesfähigkeit und Sexualität.
   b) Was hat sich demgegenüber heute geändert (Verschlechterung, Besserung, Reaktionen auf die Symptomatik)?

Bei a) und b) sind neurosenstrukturelle Zusammenhänge (Bequemlichkeit, Riesenansprüche, -erwartungen, -wünsche, Überkompensationen, Schuldgefühle, Ideologien usw.) besonders zu beachten, auch hinsichtlich der auslösenden Situation.

Beschreibung des Patienten
   c) Außer den tiefenpsychologischen Fakten sind zur Beurteilung der Persönlichkeit wichtig:
      - Konstitution (evtl. familiäre Belastung),
      - äußeres Aussehen (schön, häßlich, durchschnittlich, Größe, Gewicht, Gebrechen usw.),
      - Intelligenz (evtl. mit Test zu erfassen),
      - besondere geistige und handwerkliche, praktische Begabungen und Mängel,
      - Beruf (Ausbildung, Wissen, Können).
   d) Wenn nötig Tests:
      - Intelligenz,
      - Charakter,
      - Initialtraum,

- „3 Wünsche",
- „das Liebste" usw.

4. Genese: Zur Entwicklung der Persönlichkeitsstruktur: Wie ist gerade diese Persönlichkeitsstruktur zustande gekommen, auf deren Boden die Symptomatik entstanden ist? Anzustreben ist ein möglichst genaues Bild von den Lebensumständen und Beziehungspersonen in der frühen Kindheit sowie von der Art, wie der Patient damals erlebt, sich verhalten und weiterentwickelt hat.
   a) Aus welchem sozialen Milieu stammt der Patient?
      (Berufs- und Ehesituation der Eltern, Wohnung, Hausangestellte, Großeltern usw., sozialer Auf- oder Abstieg?)
   b) Charakteristik der Eltern?
      (Vater und Mutter getrennt, Alter usw.: zu erfragen wie die Persönlichkeitsstruktur. Wer hat in der Ehe dominiert? Welche geistigen Bezugspersonen waren vorhanden?)
   c) Was ist über die Geburt, den Schwangerschaftsverlauf bekannt?
      (Erwünschtes Kind? Auch im Geschlecht? Seelische Reaktionen und Gesundheitszustand der Mutter vor, während und nach der Geburt. Ist das Kind gestillt worden?)
   d) Datum der Eheschließung der Eltern; deren Alter?
   e) Auffälligkeiten in früher Kindheit (Primordialsymptomatik)?
      (Nägelkauen, langes Daumenlutschen, Eß- und Sprachstörungen, Emesis, Einnässen, Einkoten, Pavor nocturnus, Anfälle, Haarausreißen; frühkindliche Erkrankungen wie Ernährungsstörungen, Hypermotilität, Dreimonatskolik, Krankenhausaufenthalte?)
   f) Stellung in der Geschwisterreihe und Beziehung zu den Geschwistern?
      (Geschlecht, Altersunterschiede, Reaktionen auf die Geburt neuer Geschwister; Erlebnisse mit ihnen; spätere Beziehungen; „Familienanekdoten"?)
   g) Verlauf der Kindheit?
      - Nach frühesten Erinnerungen fragen (wörtlich, direkte Rede, oft entstellt, Deckerinnerungen),
      - Was ist aus Berichten von Angehörigen bekannt?
        (Sauberkeitsgewöhnung, motorische Entwicklung, Trotzphase, Sprachentwicklung, Fragealter, Erziehungsprinzipien, Tischgewohnheiten: mußte aufgegessen werden oder nicht? Sprechen bei Tisch?)
      - Eigene Erinnerungen:
        o Vorschulalter?
        o Spiele, Spielfähigkeit?
        o Einzelgänger – Rädelsführer?
        o lebhaftes – stilles Kind?
        o verträglich – unverträglich?
        o schüchtern – aggressiv? Störer, Klassenclown?
        o Schulzeit (Art der Schule, Abschluß, Leistungen, Lieblingsfächer)?
        o Spitznamen?
   h) Späterer Lebensweg?
      (Pubertät, Aufklärung, Onanie, erster Sexualverkehr, sexuelle Entwicklung. Berufsausbildung, Ehe, Entwicklung bis zum Beginn der Symptomatik?)

5. Zusammenfassung:
- Alter des Patienten,
- Symptome mit Dauer,
- neurosenpsychologischer Hintergrund,
- erschwerende und begünstigende Faktoren für die Therapie,
- Diagnose,
- Prognose,
- Therapieplan.

Literatur

Adler R, Hemmeler W (1992) Anamnese und Körperuntersuchung. 3. Aufl. G. Fischer, Stuttgart

Argelander H (1970) Das Erstinterview in der Psychotherapie. Wissenschaftliche Buchgesellschaft, Darmstadt

Balint M, Balint E (1962) Psychotherapeutische Techniken in der Medizin. Klett, Stuttgart

Balint M (1957) Der Arzt, sein Patient und die Krankheit. Klett, Stuttgart

Bräutigam W (1973) Wie erkennt man psychosomatische Krankheiten? Dtsch Ärztebl 4:206–208

Bräutigam W, Christian P (1981) Psychosomatische Medizin. Thieme, Stuttgart New York

Dührssen A (1972) Analytische Psychotherapie in Theorie, Praxis und Ergebnissen. Verlag für Medizinische Psychologie, Vandenhoeck & Ruprecht, Göttingen

Dührssen A (1986) Die biographische Anamnese unter tiefenpsychologischem Aspekt. Verlag für Medizinische Psychologie, Vandenhoeck & Ruprecht, Göttingen

Hau TF (Hrsg) (1986) Psychosomatische Medizin. Verlag für angewandte Wissenschaften, München

Hoffmann SO, Hochapfel G (1991) Einführung in die Neurosenlehre und Psychosomatische Medizin, 4. Aufl. Schattauer, Stuttgart

Kernberg OF (1988) Schwere Persönlichkeitsstörungen. Klett-Cotta, Stuttgart

Klußmann R (1992) Psychosomatische Medizin, 2. Aufl. Springer, Berlin Heidelberg New York Tokyo

Morgan WL, Engel GL (1977) Der klinische Zugang zum Patienten. Anamnese und Körperuntersuchung. Huber, Bern

Thomä H, Kächele H (1986) Lehrbuch der analytischen Therapie. Springer, Berlin Heidelberg New York Toyko

Therapieformen

Psychoanalytische Psychotherapie (Abb. 35)

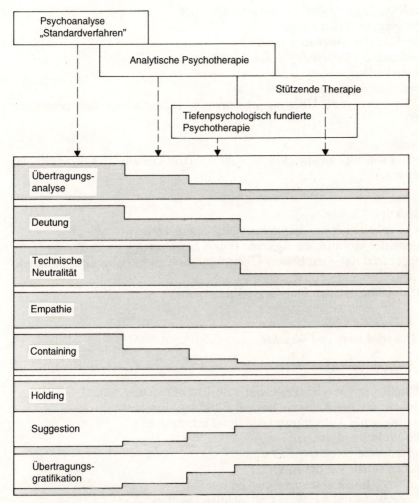

Abb. 35. Spektrum der bei psychoanalytischer Therapie zum Einsatz kommenden psychoanalytischen und therapeutischen Verfahren

Allgemeine Richtlinien:
- Strukturwandlung im Unbewußten wird angestrebt,
- keine aktive Beeinflussung des Patienten,
- keine Stellungnahme, Lenkung, Führung,
- Entscheidungen werden dem Patienten nicht abgenommen,
- Therapeut versucht, den Patienten zu Entschlüssen kommen zu lassen.

Äußerlicher Gang der Analyse:
- Erstbesprechung zum Kennenlernen („Erstinterview"),
  - Überblick über Beschwerden und Biographie,
  - der Patient soll dabei sprechen,
  - subjektive Dinge sollen zur Sprache kommen,
  - keine eingrenzenden Fragen:
- Ist eine Therapie überhaupt ratsam?
- Besprechung der Bedingungen der Analyse:
  - innerer Verlauf,
  - äußere Bedingungen (Zeit, Honorar),
- erster Kontakt, erste Übertragungsvorgänge (damit erster therapeutischer Schritt).

Grundregel:
- Analysand soll alles aussprechen, was ihm einfällt: Gedanken, Körpergefühle, Assoziationen.

Warum Couch?
- Introspektion leichter,
- peinliche Inhalte können leichter ausgesprochen werden,
- Stillegung des motorischen Agierens (nur Verbalisieren!),
- Therapeut sitzt dahinter: bessere Übertragungsmöglichkeiten, nicht dauernde Beobachtung,
- Schutz des Therapeuten (vor Gegenübertragung).

Ablauf, Hauptfaktoren und -aspekte

Verlauf der Analyse (Abb. 36)

- 2–4 Stunden pro Woche (insgesamt 150–250 Stunden, s. unten),
- das Unbewußte des Analysanden soll Führung übernehmen,
- „frei schwebende Aufmerksamkeit" des Therapeuten,
- gezielte Widerstandsanalyse später:
  - Wo steckt die blockierende Angst?
  - Welchen Inhalt hat die Angst?
- Vermutlicher Inhalt soll angesprochen werden:
  - heftiger Widerstand bedeutet oft richtige Deutung,
  - positive Zustimmung kritisch betrachten;
- Mitteilungen führen in genetisch frühere Phasen:
  - Übertragung wird stärker,
  - Therapeut Stellvertreter früherer Bezugspersonen,

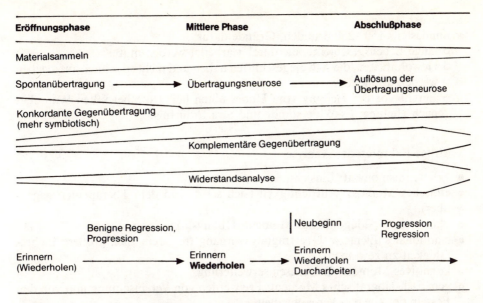

Abb. 36. Fiktiver Standardverlauf der psychoanalytischen Kur

- o an Therapeuten richten sich alle Hoffnungen, Erwartungen, Aggressionen (wie an erste Bezugsfiguren),
- o starke emotionale Erlebnismöglichkeit,
- o dadurch Einschmelzen der Symptome möglich;
- wesentliches Geschehen: Widerstand und Übertragung.

Mittel der Analyse

- Mitteilung der bewußten Faktoren,
- Mitteilen von Träumen und Assoziationen,
- Gesamtverhalten des Analysanden, das unbewußte Dinge signalisiert,
- Fehlhandlungen,
- Abwehrmechanismen, aus denen sich der Widerstand aufbaut,
- Übertragungssituation.

Förderung des analytischen Prozesses durch:
- rechtes Zuhören,
- rechtes Fragen („in Frage stellen"),
- ständiges Beobachten,
- sich identifizieren mit dem Analysanden,
- sich distanzieren vom Analysanden,
- verbalisieren (deuten),
- achten auf Gegenübertragung,
- Analytiker hat nur katalysatorische Funktion.

Dauer der Analyse:
- mindestens 150–250 Stunden, Gründe dafür:
  - lange Lebensgeschichte, die durchgearbeitet werden muß,
  - Gewohnheiten, die sich eingeschliffen haben und nicht so schnell aufgegeben werden können,
  - Furcht vor der Heilung vom Unbewußten her, trotz bewußten Wunsches nach Heilung: Es-Widerstände und Strafbedürfnis.

Wichtige Faktoren der Analyse

- Erkenntnismoment: Einsicht,
- ethisches Moment: Aufrichtigkeit (sich selbst und dem Therapeuten gegenüber),
- ökonomisch-pädagogisches Moment: Übungsfaktor,
- emotionales Element: Übertragungsvorgang (mit dem Ziel, größere Liebesfähigkeit zu gewinnen),
- kognitives Moment: Bewußtseinserweiterung,
- genetisch-biografisches Moment: Freiwerden von Vereinsamung und von den Fesseln der eigenen Vergangenheit,
- adäquates Durchschreiten der Lebensaltersstufen: wachsende Realitätsannahme in innerer und äußerer Hinsicht.

Indikation und Gegenindikation

- Der zu behandelnde Zustand muß innerem Konflikt entspringen (Psychoneurose).
- Der Konflikt muß eine realisierbare Lösung erlauben:
  - Ist die bestehende Neurose die beste Lösung für den Patienten?
  - Bringt ihn eine Heilung in eine schlechtere Situation?
- Der Patient muß in der Lage sein,
  - aktiv mitzuarbeiten,
  - Introspektionsfähigkeit zu zeigen,
  - großen Leidensdruck auszuhalten,
  - Motivation zur Änderung des Lebensplanes zu haben.

Prognose

Diese ist um so günstiger,
- je größer der Leidensdruck,
- je größer die Ich-Stärke,
- je besser die Motivation zur Änderung des Lebensplans,
- je besser die Introspektionsfähigkeit,
- je schwerer und jünger die symptomauslösende Situation,
- je geringer die Ideologiebildung,
- wenn wenig persistierende Frühsymptomatik vorliegt,
- wenn keine hoffnungslos verfahrene oder festgelegte äußere Situation vorliegt (Ehe, Beruf, unlösbare Verpflichtungen, Rente),

- wenn der Analysand jung ist (am besten zwischen 20 und 40),
- Körperliche Defekte sind erschwerende Faktoren.

Heilungsergebnisse

- Kriterium der Heilung ist Strukturwandel, nicht das Verschwinden der Symptome.
- Faustregel für die Allgemeinpraxis (bei guter Auswahl der Patienten):
  - 50% Strukturheilung,
  - 25% erhebliche Besserung,
  - 25% vorübergehende Entlastung.

Übertragung

- Erleben von Gefühlen, Phantasien, Abwehrhaltungen, Beziehungsrepräsentanzen, in die früher konflikthaft erlebte Interaktionsprozesse mit wichtigen Bezugspersonen des Kindes eingegangen sind. Der Analytiker schafft den Raum, die Atmosphäre, um dieses Erleben zu ermöglichen.
- Möglichkeit, unbewußte Wünsche und Konflikte des Analysanden zu bearbeiten;
- „positiv" und „negativ" = liebevolle und feindselige Übertragungsgefühle (enthält jede Übertragung).

Konservative Kritiker:
„Übertragung"
- verzerrte Wahrnehmung des Analytikers von Seiten des Analysanden = neurotische Übertragung: Analytiker als unpersönlicher Projektionsschirm (realistische Wahrnehmung außerhalb der Übertragung angesiedelt).

Radikale Kritiker:
„Übertragung"
- mitbestimmt durch Beziehung zum Analytiker im Hier und Jetzt (keine Diochotomie zwischen Übertragungsbereich als Verzerrung und des Nicht-Übertragungs-Bereichs als realitätsorientierte Wahrnehmung).
- keine Verzerrung der Realität, sondern selektive Aufmerksamkeit und Empfänglichkeit einer Reaktion des Analytikers.

Dimensionen der Übertragung:
- In der Übertragung werden fehlgeschlagene Problemlösungsversuche reinszeniert angesichts traumatisierend erlebter Beziehungserfahrungen
  - existieren als „falsche Überzeugungen" weiter,
  - führen zu Persönlichkeitseinschränkungen und Symptomen;
- Entwicklungspsychologische Entstehung und Herkunft:
  - praeverbal, sensumotorisch,
  - verbal-symbolisch,
  - praeoedipal, oedipal;
- Grad der erreichten Selbst- und Objekt-Differenzierung:
  - Selbst-Selbstobjekt-Übertragungen,
  - objektale Übertragungen;

- Modi der Übermittlung:
  - projektive Identifizierung,
  - Projektion, Verschiebung,
  - Rollendialog.

Inhalte der Übertragung
1. triebtheoretisch (S. Freud):
   - Bei der Übertragung kommt es zu einer Verschiebung der Triebenergie von der ursprünglichen Repräsentanz auf diejenige des Analytikers.
2. Vom Ich ausgehend (Übertragung und Abwehr, A. Freud):
   - spezieller Modus der Triebabwehr (Widerstand in der Analyse).
3. Vom Über-Ich ausgehend:
   - Vorstellung des Analysanden, der Analytiker verurteile ihn (usw.).
4. Objektbeziehungspsychologisch;
   - energetische Besetzung des Objektes,
   - Vorstellung über die Erwartung des Gegenübers („Aushandeln" der Erwartungen von
     - bewußten und unbewußten Affekten,
     - einer Vielzahl von Affekten).

Inhalte zusammenfassend (= Verlagerung von unbefriedigten Es-Impulsen hin zu komplexen Beziehungserfahrungen)

- Triebimpulse,
- Über-Ich-Haltungen,
- Kompromißbildungen,
- Introjekte,
- Objektbeziehungen,
- transaktionelle Erfahrungen.

Sexuelle Gegenübertragung
(Massing und Wegehaupt, 1987):

Zeichen sexueller Gegenübertragung:
- Phantasien über berühren, streicheln, eindringen, anschauen, beißen, küssen,
- Auftauchen sexueller Szenen aus eigener Sexualpraktik, Filmen usw.,
- Affekte freudiger Spannung, stimulierender Unruhe tauchen auf,
- Wünsche nach Hingabe, Verschmelzung, Bewunderung, Bewundertwerden, Beherrschung und Unterwerfung steigen auf.

Dimensionen:
- sexuelles Erleben setzt plötzlich ein, bleibt kurzfristig bestehen,
- dauert längere Zeit an.

Qualität sexuellen Empfindens:
- bei Ichstrukturell gering ausgebildeter Liebesfähigkeit: abgespaltene, schizoide Form der Sexualität,
- bei gut entwickelter Selbst-Objekt-Differenzierung und Empathiefähigkeit im Rahmen eines oedipalen Konfliktes: als Anzeichen gehemmter Sexualität.

„Der Analysand ist ein potentieller Sexualpartner."

Übertragungsabläufe. (Nach Kohut 1987):
Übertragungsabläufe wiederholen Entwicklungsabläufe in umgekehrter Reihenfolge:

3 Studien:
- Phase allgemein starker Widerstände mit nachfolgender Phase ödipaler Erfahrungen im traditionellen Sinn, dominiert von der Erfahrung schwerer Kastrationsangst („Ödipuskomplex"),
- Phase sehr schwerer Widerstände mit nachfolgender Phase von Desintegrationsangst,
- Phase von meist milder Angst, abwechselnd mit Vorfreude, gefolgt von einer Phase des Beginns eines geschlechtsdifferenzierten, festen Selbst, das in eine erfüllende, produktiv-kreative Zukunft weist.

Gegenübertragung

1. Unbewußte Reaktion des Psychoanalytikers auf die Übertragung des Analysanden (Freud 1912);
2. Pendant zur Übertragung, das aus unverarbeiteten und ungelösten Konflikten des Psychoanalytikers besteht;
3. ganzheitliche Definition:
   - Gegenübertragung = alle Gefühle, die der Analytiker seinem Analysanden gegenüber verspürt (Heimann 1950):
     o unbewußte Haltung dem Analysanden gegenüber,
     o neurotische Übertragungselemente (Analytiker erlebt Analysanden wie ein Elternteil),
     o nicht-neurotische Elemente (= „normale Gegenübertragung"),
     o Gesamt der Haltungen des Analytikers dem Analysanden gegenüber (Little 1951).

Übertragungsgefühle des Analytikers auf den Analysanden:
- Analytiker muß sich seiner (Haß- und Liebes)gefühle bewußt werden, um sie nicht auf den Analysanden zu übertragen,
- Ehrgeizhaltungen, Heilfanatismen schaden der Analyse,
- Abstinenzregel: keine eigenen unkontrollierten Wünsche und Bedürfnisse in die Analyse bringen,
- Bei Angst vor zu großer Gegenübertragung kann sich der Analytiker in Distanz retten (unbewältigte eigene Ängste),
- Es sollte keine Beziehung zwischen Analytiker und Analysand über die Stunde hinaus geben:
  o klar abgestecker Beziehungsrahmen,
  o der Patient kann fühlen, ohne überschwemmt zu werden,
  o kann Antriebe erleben, ohne überwältigt zu werden,
  o kann Spannungen aushalten, ohne zerrissen zu werden.

Gegenübertragungswiderstand = Widerstand gegen das Bewußtwerden und der Auflösung der Gegenübertragung;
Gefahr: Analytiker verbündet sich mit der Abwehr seines Analysanden.

Gegenübertragungsneurose = Übertragungsneurose des Analytikers.

Projektive Identifizierung

- Damit möglich, non-verbale Interaktionen zwischen Analytiker und Analysand zu erfassen;
- wichtiger Modus der Objektbeziehung zwischen Analytiker und Analysand insbesondere bei regressivem Verstricktsein;
- 3 Entwicklungsstadien des Konzepts der projektiven Identifizierung (Sandler 1988):
  - 1. Stadium:
    Bei der Projektion werden Aspekte der Selbstrepräsentanz einer Objektrepräsentanz zugeschrieben, bei der Identifizierung Teile der Objektrepräsentanz in die Selbstrepräsentanz hineingenommen;
  - 2. Stadium:
    Gegenübertragung = Auswirkung der unbewußten Phantasien im Analysanden, dabei:
    — Identifizierung des Analytikers
    – konkordant mit Selbstrepräsentanzen des Analysanden,
    – komplementär mit Objektrepräsentanzen in den Übertragungsphantasien;
  - 3. Stadium:
    Externalisierung von Selbst- und Objektrepräsentanzen erfolgt via Interaktion im Interaktionspartner (Konzept Container-contained von Bion).

Verschiedene Gegenübertragungs-Phänomene bei Patienten mit
- Über-Ich-Störungen (Cremerius 1977),
- suizidalen Tendenzen (Kind 1988, Reimer 1988),
- Selbstobjekt-Übertragungen narzißtischer Analysanden (Köhler 1988),
- psychosomatischen Patienten (Lowental 1988),
- schweren Charakterpathologien (Kernberg 1988, Rosenfeld 1988).

Widerstand

- Der Widerstand hängt mit Übertragung zusammen (Angst, alles auszusprechen),
- Abwehrmechanismen schalten sich dazwischen,
- Der Patient muß lernen, Widerstand zu überwinden,
- Widerstandsanalyse durch Verstehen:
  - Warum setzt der Widerstand gerade jetzt ein?
  - Warum setzt er in dieser Weise ein?
  - Welche Angst steht dahinter?
- Widerstand ist notwendige Verhaltensweise, hat gesunde Funktion des Selbstschutzes; der Patient weiß nicht, daß Angst „verjährt" ist.

5 Formen des Widerstands:
- Widerstand des Es (unbewußtes Agieren):
  - unbewußtes Agieren unter Umgehung des Ich,
  - Strebungen des Es sollen befriedigt werden,
  - besondere Intensität der Partialtriebe („Zähflüssigkeit der Libido" nach Freud);

- Widerstand des Ich (a) Übertragung):
  o bezieht sich auf die Person des Analytikers,
  o keine eigenen Einfälle, nur Reaktionen auf die des Analytikers,
  o Betroffener möchte Lieblingspatient sein;
- Widerstand des Ich (b) Verdrängung):
  o Bestreben, bestimmte Bilder und Inhalte zu verschweigen, v. a. peinliche, auch scheinbar unbedeutende;
- Widerstand des Ich (c) sekundärer Krankheitsgewinn):
  o Lustanteil des Symptoms (Waschzwang am Genitale gleich verkappte Onanie),
  o Ausweichen vor realen Lebensanforderungen,
  o narzißtische Befriedigung durch Zuwendung zum Kranken,
  o ideologische Befriedigung des Depressiven,
  o Neurose ist zur lieben Gewohnheit geworden;
- Widerstand des Über-Ich (negative Reaktion):
  o zutreffende Deutungen ins Gegenteil verkehrt (haben keine befreiende Wirkung),
  o Bestrafungstendenz: jeder reale Fortschritt muß mit vermehrtem neurotischen Leid bezahlt werden,
  o Gefahr der unendlichen langen Neurose und Analyse,
  o Therapeut wird zur strafenden Figur gemacht,
  o masochistische Lust.

Überblick über phänomenologische und strukturelle Kriterien der Eignung für eine Psychoanalyse und psychoanalytische Psychotherapie (nach Heigl 1972)

Tabelle 23.   Ziele der psychoanalytischen Therapie nach Knight (1941|42)

1. Verschwinden der anfangs geäußerten Symptome
2. Wirkliche Verbesserung im psychischen Funktionieren
   a) Erwerb von Einsicht, sowohl kognitiv als auch gefühlsmäßig, in die auf die Kindheit zurückgehenden Ursachen der Konflikte, in die in der Gegenwart liegenden Auslösefaktoren und in die Methoden der Abwehr, welche die Persönlichkeit und die spezifische Persönlichkeitsstruktur der neurotischen Erkrankung zur Folge haben
   b) Entwicklung von Toleranz gegenüber den Triebimpulsen
   c) Entwicklung der Fähigkiet, sich selbst objektiv einschätzen zu können, seine eigenen Stärken und Schwächen
   d) Erreichen einer relativen Freiheit gegenüber Spannungen und Hemmungen, welche die eigenen Fähigkeiten lahmlegen
   e) Verfügenkönnen über aggressive Kompetenzen, die für die eigene Selbstbewahrung, Leistenkönnen, Konkurrieren und Schutz der eigenen Rechte benötigt werden
3. Verbesserte Realitätseinstellung
   a) Konsistentere und loyalere zwischenmenschliche Beziehungen mit sorgfältig ausgewählten Personen
   b) Freie Verfügbarkeit von Fähigkeiten bei produktiver Arbeit
   c) Verbesserte Sublimierung in Erholung und Beruf
   d) Heterosexuelle Beziehungen mit Potenz und Lust

Tabelle 24. Überblick über Zielvorstellungen der Psychoanalyse (nach McGlashan und Miller 1982, S. 377ff.)

Entwicklungshemmungen aufheben	Urvertrauen und Sicherheit
	Trennung und Individuation
	Gewissen
	konstruktive Aggression
	Sexualität
Aspekte des Selbst	Selbst-Verantwortlichkeit
	Selbst-Identität
	Selbstwertgefühl
Bezogenheit auf Mitmenschen	Außen- versus Innenorientierung
	Beziehung zu den Eltern
	Beziehung zu Gleichaltrigen und Gruppen
	Empathie
	Intimität
	Generativität
Akzeptierung der Realität	verringerte Omnipotenz
	Fähigkeit zum Trauern
	Triebkontrolle und Frustrationstoleranz
	Loslassen können
	Realitätsprüfung
Erlebnisfülle und Lebendigkeit	Gefühle
	Energie
	Entspannung
	Fähigkeit zur Freude
Coping-Mechanismen	Abwehrmechanismen
	Soziokulturelle Anpassung und Veränderung
Integrative Kapazität	Ambivalenztoleranz
	kognitive Ökonomie
	Übergangs-Kapazität
Selbstanalytische Fähigkeiten	Selbstbeobachtung und Selbstanalyse
	Auflösung der Übertragung

Tabelle 25. Psychoanalytische Psychotherapie

Technische Mittel	Wirkungsmechanismen	
	bei guter Ichstärke	bei Ichschwäche
Deutung	erlaubt durch Verminderung der Abwehrmechanismen das Auftauchen verdrängter Inhalte	erhöht die Ichstärke durch Auflösung primitiver Abwehrmechanismen
Übertragungsanalyse	von ausgewählten Übertragungen: ermöglicht ihre allmähliche Auflösung	ermöglicht durch Umwandlung von primitiven Übertragungen in höherstufige deren schließliche Auflösung
Technische Neutralität	fördert die Übertragungsregression; erlaubt eine Deutung durch Nichtbefriedigung von Übertragung	schützt die Realität in der therapeutischen Situation; erlaubt die Deutung von primitiven Übertragungen

Tabelle 26. Grundlegende Unterschiede zwischen Psychoanalyse und analytischer Psychotherapie. (Nach Mertens 1991)

Psychoanalytische Standardverfahren	Analytische Psychotherapie
• Mehr an den infantilen Strukturen und Konflikten oder am „Vergangenheits-Unbewußten" orientiert.	• Mehr an den Konfliktabkömmlingen oder am „Gegenwarts-Unbewußten" (Sandler und Sandler 1988) orientiert.
• Entwicklung einer regressiven Übertragungsneurose, die eine systematische Aufdeckung und Erforschung der ungelösten Kindheitskonflikte ermöglicht. Die Durcharbeitung der Ü.neurose ermöglicht eine Änderung der primärprozeßhaft organisierten Über-Ich-Introjekte, eine grundlegende Reorganisation synthetischer und defensiver Ich-Funktionen, eine Nachreifung primitiver Selbst- und Objektrepräsentanzen.	• Änderung der verschiedenen Ebenen des Gegenwarts-Unbewußten (Sandler und Sandler sprechen von einer „Schichtung"; „auf der tiefsten Ebene spiegeln sich am stärksten jene Phantasien, die wir dem früheren Unbesußten zuschreiben", (1988, S. 154/155). In einer genetischen Abfolge können dies auch Konflikte des jungen Erwachsenen, des Adoleszenten oder des Latenzkindes sein.
• Die Regression wird gefördert.	• Das Ausmaß der Regression wird begrenzt, indem auf die Ebenen des Gegenwarts-Unbewußten fokussiert wird.
• Die Durcharbeitung der Übertragungsneurose steht im Mittelpunkt (wenngleich auch diese Forderung mehr ein Ideal darstellt, das immer nur annäherungsweise erreicht werden kann).	• Während Übertragungsreaktionen gefördert werden, wird die regressive Übertragungsneurose nicht gefördert; Anteile der Übertragungsneurose lassen sich allerdings auch in der analytischen Psychotherapie bearbeiten.
• Die Übertragung wird überwiegend auf die infantilen Objekte bezogen (aber auch auf andere Personen außerhalb der analytischen Situation).	• Die Übertragungsreaktionen werden dahingehend gedeutet, daß Parallelen zwischen Wahrnehmungen gegenüber anderen Personen außerhalb der analytischen Situation und der Wahrnehmung des Therapeuten gezogen werden;
• Die Übertragungsdeutungen können ziemlich genau und umfassend sein, weil durch die tiefere und längerfristige Behandlung mit der Zeit viele Daten und Bestätigungen der Deutungen erhalten werden.	• Die Übertragungsdeutungen müssen manchmal unvollständig bleiben, aber auf jeden Fall macht der Therapeut auf nicht deutende Weise von der Übertragung Gebrauch.
• Der Einfluß des Analytikers auf die Ausgestaltung der Übertragungsneurose und Übertragungsreaktionen (bzw. der Themen, in denen versteckte Übertragungsanspielungen auftreten) muß erkannt werden, ebenso wie die Gegenübertragung und der Einfluß spezifischer persönlichkeitsstruktureller Haltungen.	• Ebenso
• Die Verankerung der Übertragung in der Realität der Analytiker-Patient-Beziehung muß erkannt werden, um die Übertragung des Vergangenen von realistischen Eindrücken unterscheiden zu können (siehe hierzu die Einschränkungen in Bd. 2, Kap. 10: Übertragung).	• Ebenso. Allerdings bleibt der Therapeut bei der analytischen Psychotherapie eher ein „reales Objekt"; Übertragungsverzerrungen werden schneller aufgelöst.

Tabelle 26 (Fortsetzung)

Psychoanalytische Standardverfahren	Analytische Psychotherapie
• Die Übertragungsanalyse im Verbund mit genetischen Deutungen und Rekonstruktionen dient der Entdeckung und Reorganisierung von Erinnerungen und ist ein zirkulärer und synergistischer Vorgang.	• Ebenso.
• Die Rekonstruktion des Vergangenheits-Unbewußten („Urphantasien": Primärszene, Verführung, Geschlechtsunterschiede, vgl. Loch 1979) soll möglichst umfassend sein.	• Die Rekonstruktion der Vergangenheit tritt zurück gegenüber der Erforschung des Gegenwarts-Unbewußten; gegenwärtige Konflikte stehen eher im Vordergrund als tiefe unbewußte Konflikte.
• Analyse findet im Liegen statt.	• Analyse findet im Liegen statt.
• Dauer: vier bis fünf Jahre und länger.	• Dauer: zwei bis drei Jahre und länger.
• Stundenfrequenz: vier- bis fünfmal in der Woche.	• Stundenfrequenz: zwei- bis dreimal in der Woche.
• Auch bei der Psychoanalyse ist die Deutung nicht der einzige Wirkfaktor, sondern auch die neue Objektbeziehung und die Verinnerlichung der empathischen und analytischen Funktionen des Analytikers sind von Bedeutung (vgl. Bd. 3, Kap. 22: Wirkfaktoren).	

Phänomenologische Kriterien
1. Symptomatik
    a) Art der Symptomatik
    b) Krankheitswert körperlicher oder seelischer Symptome
    c) Dauer der psychogenen Symptomatik
    d) Relation von Dauer der Symptome und Schwere der Neurose
    e) Primordialsymptomatik
    f) Einstellung des Patienten zu seinen Symptomen
    g) Umgang mit der Symptomatik
    h) Leiden an der Symptomatik
    i) Auslösung der Symptomatik

2. Soziale Situation
    a) Soziale Bewährung und Leistungstest
    b) sozial geprägter Defekt
    c) chronifizierende soziale Faktoren
    d) Persönlichkeit des Partners

3. Biologische Gegebenheiten
    a) Alter
    b) Intelligenz
    c) Talente und Begabungen
    d) genotypische und angeborene Faktoren

Tabelle 27. Psychotherapie auf psychoanalytischer Grundlage

klassische Psychoanalyse siehe S. 187f.	Psychoanalytische Psychotherapie (konzentrierte Psychotherapie auf psychoanalytischer Grundlage)
	• Kürzere Behandlungsdauer (ein bis drei Jahre)
	• Geringere Häufigkeit der Sitzungen pro Woche (zwei oder drei)
	• Begrenztes Behandlungsziel
	• Es kommt nicht die volle regressive Übertragungsneurose zur Ausbildung, sondern lediglich umschriebene Übertragungskonstellationen, d.h. es kommt zu einer Akzentuierung bzw. Fokussierung entscheidender Objektbeziehungskonstellationen.
	• Anforderungen an die Technik sind größer: das Vorgehen ist konzentrierter.
	• Die Bearbeitung des zentralen Konflikts muß nicht unbedingt und jederzeit in der Übertragung auf den Analytiker geschehen.
	• Trotzdem soll nach Möglichkeit immer versucht werden, im „Hier und Jetzt" der analytischen Situation zu bleiben.
	• Derjenige Konflikt, der sich in der Übertragung auf den Analytiker konstelliert, entspricht meist demjenigen, der die aktuelle Symptomatik ausgelöst hat. Auf die Analyse und Durcharbeitung anderer Konflikte (die derzeit keine gravierende Symptomatik unterhalten) wird verzichtet. Durch die Konzentrierung auf Teilthemen kommt es zu einer Kurzform der Psychoanalyse. Die Deutungsarbeit bezieht sich deshalb auch nicht auf das gesamte Spektrum der Übertragungen, sondern nur auf solche, die in besonders dringlicher Weise reaktiviert werden.

4. Strukturelle Kriterien
   a) Art des Leidensgefühls (Gehemmtheits- oder Haltungsstruktur)
   b) Gestörtheit des Selbstwertgefühls (Kränkbarkeit, aktive und passive Rachetendenzen, geringe Frustrationstoleranz)
   c) neurotische Ideologiebildung
   d) Ausmaß illusionärer Erwartungen (Mitarbeitsbereitschaft)
   e) Ersatzbefriedigung
   f) Art der Freizeitgestaltung

Analytische Kurz- oder Fokaltherapie

- Hauptkonflikt (Fokus) wird bearbeitet,
- umgrenzter Bereich des Erlebens und Verhaltens,
- Fokus bestimmt Therapieplan,
- aktive Behandlungstechnik,
- Konfrontation des Patienten.

Tabelle 28. Psychoanalytisch begründete Verfahren nach den Psychotherapie-Richtlinien, gültig ab 1. Oktober 1987, und den Psychotherapie-Vereinbarungen (RVO- und Ersatzkassen), gültig ab 1. Juli 1988

Analytische Psychotherapie	tiefenpsychologisch fundierte Psychotherapie
als Einzeltherapie (auch in Form von psychoanalytischer Kurz- und Fokaltherapie)	als Einzeltherapie auch in Form von: Kurztherapie Fokaltherapie Dynamische Psychotherapie Niederfrequente Therapie
Kassenleistungen: 160–240 / in Ausnahmefällen: 300 Std.	Kassenleistungen: 50–80 / in Ausnahmefällen: 100 Std.
als Gruppentherapie	als Gruppentherapie
Kassenleistungen: 80–120 Dst./ in Ausnahmefällen: 150 Std.	Kassenleistungen: 40–60 Dst./ in Ausnahmefällen: 80 Std.
Bei dieser Therapieform sollen zusammen mit der neurotischen Symptomatik der neurotische Konfliktstoff und die zugrundeliegende neurotische Struktur des Patienten behandelt werden und dabei das therapeutische Geschehen mit Hilfe der Übertragungs-, Gegenübertragungs- und Widerstandsanalyse unter Nutzung regressiver Prozesse in Gang gesetzt und gefördert werden.	Bei diesen Therapieformen soll die unbewußte Dynamik aktuell wirksamer neurotischer Konflikte unter Beachtung von Übertragung, Gegenübertragung und Widerstand behandelt werden. Angestrebt wird eine Konzentration des therapeutischen Prozesses durch Begrenzung des Behandlungszieles, durch ein vorwiegend konfliktzentriertes Vorgehen und durch Einschränkung regressiver Prozesse.

Vorgehen:
- Patient schildert Beschwerden,
- psychische Belastungssituationen breiter dargelegt,
- Arzt hört aufmerksam-empathisch zu,
- Arbeitsbündnis herstellen,
- Belastungsfaktoren aufnehmen und bearbeiten,
- Patient sucht selbst Konfliktlösungen:
  - Reaktionen auf Objektverlust,
  - narzißtische Kränkbarkeit,
  - Angewiesensein auf Schlüsselfiguren,
  - emotionale Ohnmacht;
- Therapeut (be-)deutet, sucht roten Faden, faßt zusammen.

Fokaltherapie [1]

- definiert durch Konzentration der psychoanalytisch deutenden Arbeit auf einen Fokus, daher besonders geeignet für Kurztherapie, aber nicht darauf

---

[1] Nach Lachauer R.: Der Fokus in der Psychotherapie, Pfeiffer Verlag, München 1992

beschränkt, auch für tiefenpsychologisch fundierte und analytische Verfahren geeignet,
- Definition des Fokus: Der Fokus ist ein Satz, der in zwei Zentrierungsschritten erarbeitet wird und der ein aktuelles Hauptproblem mit einer Hypothese über dessen zentralen unbewußten Hintergrund verbindet. Beispiel: „Ich muß immer Retter sein, weil ich sonst Opfer oder Täter bin",
- Vorgehen zur Erarbeitung eines Fokalsatzes in einer Gruppe:
  1. Freie Darstellung des Falles, einschließlich des Problems, das der Therapeut in dieser Behandlung aktuell hat.
     Begleitendes Ausfüllen eines Formulars (Dreieck der Einsicht (= Symptomatik mit Auslöser, Biographie und Szene mit Übertragungs-Gegenübertragungsgeschehen), vermutete gemeinsame Nenner) durch die Zuhörer,
  2. Klärende Nachfragen,
  3. Freie, assoziative Diskussion in der Gruppe,
  4. Erarbeitung des aktuellen Hauptproblems (Erste Zentrierung)
     Als Hilfe für das konkrete Vorgehen bei der „Ersten Zentrierung" ist folgendes Schema zu empfehlen:
     Frage 1:
     Liegt ein Problem in der therapeutischen Beziehung vor?
     Wenn ja – Dieses Problem als Hauptproblem definieren, möglichst in Parallele zu allgemeinen Problemen und dem Verhalten des Patienten
     Wenn nein –
     Frage 2:
     Läßt sich die Symptomatik direkt verstehen und aus einer unbewußten Dynamik ableiten?
     Wenn ja: Symptomatik = Hauptproblem
     Wenn nein: Neuformulierung des Problems (z. B. Verhaltensmuster);
  5. Erarbeitung der unbewußten Hintergründe (Zweite Zentrierung),
  6. Zusammenfügen der beiden Bereiche zu einer „Gestalt", einem Fokalsatz,
  7. Reaktion des Therapeuten auf die Fokusformulierung beachten, mit dem Verhalten des Patienten vergleichen, Ergebnis evtl. einbeziehen in eine Umformulierung,
  8. Durchphantasieren einiger „Variationen des Themas" in freier Assoziation;
- Indikationen: Ein Fokus ist immer zu erarbeiten, aber das ist nicht gleichbedeutend mit einer Indikation zu einer Kurztherapie. Die Indikationen für eine Kurztherapie sind im Kapitel „Kurztherapie" dargestellt,
- Therapeutische Haltung bei Fokaltherapie als Kurztherapie: Cave „Anpassungstherapie", welche die soziale Bedingungen vernachlässigt. Die Achtung vor den autonomen psychischen Leistungen eines Patienten als Richtschnur im Umgang mit den Phänomenen von Übertragung und Widerstand sollte als zentraler Wert einer psychoanalytischen Behandlung mit bedacht werden – auch wenn die Auswirkungen dieser Leistungen, etwa in Form von Widerstand in der therapeutischen Situation, zunächst oft als hinderlich erscheinen,
- Motivation und Behandlungsbündnis: Der Erarbeitung einer im Patienten selbst, seiner Erfahrung, Überzeugung und autonomen Entscheidung veran-

kerten Motivation und der Herstellung eines stabilen Arbeitsbündnisses auf dieser Basis ist größte Aufmerksamkeit zu schenken,
- Therapeutische Umsetzung eines Fokus in einer Kurztherapie: Fokaltherapie, besonders in ihrer Form als psychoanalytische Kurztherapie, spielt sich immer im Spannungsfeld zwischen fokalem Thema einerseits und Begrenzung andererseits ab,
- Wichtiger Hinweis: „Fokus erarbeiten und Mund halten". Der Fokalsatz ist nur eine „Hypothese im Hinterkopf des Therapeuten" und stellt für den konkreten, in kleinen Schritten sich abspielenden Deutungsprozeß eine Hilfe dar. Wenn im Laufe der Behandlung immer mehr Aspekte und Details der im Fokalsatz angesprochenen Thematik in kleinen Schritten erarbeitet sind, eröffnen sich dem Patienten die Zusammenhänge, die im Fokus formuliert sind, von selbst; er lernt dann seinen Fokus kennen,
- Die Entwicklung des therapeutischen Prozesses kann unter 4 Dimensionen betrachtet werden:
  1. Testen des Therapeuten, seines Umgangs mit dem Patienten als „autonomer Person"
  2. Übertragung der Objektbeziehungserfahrung – Therapeut als Objekt (Komplementäre Übertragung)
  3. Übertragung der eigenen Konfliktdynamik – Therapeut als Modell (Konkordante Übertragung)
  4. Umgang mit Zeit und Begrenzung

Analytische Gruppentherapie (Abb. 37, 38)

Definition: Latente pathogene Konflikte werden mit Hilfe der freien Assoziation erfaßt. Lösen der Konflikte durch:
1. deutende Bearbeitung von Übertragung und Widerstand,
2. Bewußtwerden der symbiotischen Bedürfnisse und Phantasien der Patienten.

3 Ebenen der Objektbeziehungen
1. Beziehungen auf
   - narzißtisch-fusionärem Basisniveau – unreflektierte Nähe (jedes Gruppenmitglied nimmt zunächst über sein eigenes Selbstbild, seine Selbstrepräsentanz, Kontakt auf),
   - differenzierterem Niveau der aktiven Ich-Leistungen, reflektierte (Abgrenzung von Objekten, Identifikation, Projektion usw.), Nähe,
   - reifem Niveau – kontrollierte Nähe und Distanz (freier Entscheid für oder gegen Aufnahme von Kontakten);
2. 5 Phasen der Gruppenentwicklung:
   - explorativer Kontakt,
   - Regression,
   - Katharsis,
   - Einsicht,
   - sozialer Lernprozeß und Wandlung;

Analytische Gruppentherapie   193

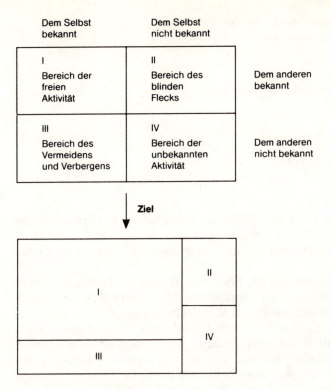

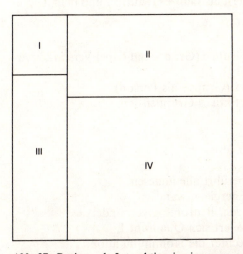

Abb. 37. Beginnende Interaktion in einer neuen Gruppe

	Der Gruppe bekannt	Der Gruppe nicht bekannt
Anderen Gruppen bekannt	I	II
Anderen Gruppen nicht bekannt	III	IV

Abb. 38. Interaktion zwischen Gruppen

3. 4 Arten von Kollusion
- narzißtisch-fusionäre Kollusion: Mitglieder verhalten sich so wie die anderen es erwarten; Ich und Objekt werden nicht als getrennt erlebt; Eintritt in regressive Phase: Patient erwartet vom Therapeuten exklusive Aufmerksamkeit,
- oral-abhängige Kollusion: auf der Ebene der aktiven Ich-Leistung Mutter-Übertragung der Mitglieder auf Therapeuten (Mutter gibt alles, und immer das, was sie zu benötigen glauben, z. B. mit Themen zu „füttern"),
- sadomasochistische Kollusion: Mitglied wird zum „freiwilligen Opfer" (scheinbar zum Wohle der Gruppe), berichtet, um kritisiert zu werden; andere mißbrauchen das „Opfer" für ihre sadistischen Zwecke (Phänomen der „Opferung Isaaks"): Mitglied spielt unbewußt die Rolle des Opfers, Gruppenmitglieder gebrauchen es unbewußt für ihre eigenen Wünsche,
- ödipale Kollusion: unbewußte trianguläre Situation zwischen einem Patienten, den übrigen Gruppenmitgliedern als Ganzes (Mutter) und dem Therapeuten (Vater).

Technik:
- zuerst Analyse des Einzelnen in der Gruppe (Gruppe hat dabei Verstärkerwirkung),
- dann Analyse der Gruppe als Ganzes (Gruppe als Person),
- bipersonale Beziehung: Therapeut – fiktives Gruppen-Ich.

Ziel der Gruppenpsychotherapie (s. Abb. 38)

- Veränderung in einem Quadranten berührt alle anderen,
- Verbergen in der Interaktion heißt Energieaufwand,
- Vertrauen erhöht Erkennungsvermögen, Bedrohung vermindert es,
- Durch interpersonales Lernen vergrößert sich Quadrant I,
- Je kleiner Quadrant I ist, desto schlechter die Kommunikation,
- den andern respektieren; ihm erlauben, einen Bereich zu verbergen,
- Unbekannte Bereiche wecken Neugier; Sitten, Ängste halten sie in Schach.

Rangstruktur der Gruppenteilnehmer

1. *Alpha:* Repräsentanz der Aktion gegenüber dem Gegner: „Ich repräsentiere die Gruppe" – Oberhaupt, Anführer;
2. *Gamma:* Teilaspekt des Partizipierens, 3 Subpositionen:
   - identifikatorisch partizipierende Gammas: Stimmen überein (Adjutant, Assistent),
   - komplementär partizipierende Gammas: ergänzen (Mitglied, Mitläufer),
   - kritisch überwachende partizipierende Gammas: eiferndes Überwachen (Beichtvater, Inquisitor);
3. *Beta:* Beteiligung mit Einschränkung, auf Distanz:
   - bedingtes Pro: „Ja, aber...",
   - bedingtes Kontra: „Nein, außer...",
   - Schwankende: „Teils... teils".
   Rolle von Fachmann, Trainer, Kritiker, Rezensent, grauer Eminenz;
4. *Omega:* Repräsentanz des Gegners, „Gegenalpha": Teilaspekt des Protestierens, auf der Basis der Schwäche (Sündenbock, Prügelknabe, Hofnarr).

Weitere Formen der Gruppenpsychotherapie

(Siehe dazu die entsprechenden Abschnitte im Kapitel „Andere psychotherapeutische Verfahren".)

1. Aktivitätspsychotherapiegruppen: bei Kindern; Gestalttherapie nach Perls: Ausagieren der Affekte,
2. Direktiv-suggestive Gruppenpsychotherapie:
   - autogenes Training,
   - Gruppen werden gelenkt;
3. Psychodrama:
   - Rollenspielmethode,
   - persönlichkeitsspezifische Konflikte mit Rollen bearbeitet;
4. Sozialkommunikative Methode: Verbesserung der sozialen Wahrnehmung und Interaktion.

Tiefenpsychologisch fundierte Psychotherapie

Definition: ein aus der Psychoanalyse abgeleitetes Prinzip, abgegrenzt
- einerseits gegen die klassische Psychoanalyse,
- andererseits gegen das interaktionelle Prinzip der Ich-Psychologie.

Anwendung (Psychotherapie-Richtlinien):
- behandelt aktuell wirksam neurotische Konflikte, bei
- begrenztem Behandlungsziel mit Hilfe von
- konfliktzentriertem Vorgehen und
- Einschränkung regressiver Tendenzen.

Vorgehen

- Drei Fokussierungen: Aufmerksamkeit richtet sich
  1. auf spezifisch auslösende Situation für die Symptomatik,
  2. auf das pathogene Feld, in dem sich die auslösenden Konflikte immer wieder neu konstellieren,
  3. auf die interpersonelle Beziehung zwischen Patient und Therapeut unter Berücksichtigung von
     - Übertragung und
     - Widerstand,

     hier spiegeln sich wider
     - die Sozialbeziehungen des Patienten und
     - seine inneren Konflikte;

     (= „triangle of insight" (Menninger, Holzmann) = Einsichtsvermittlung im Dreieck:
     - aktuelle interpersonelle Beziehung Patient-Therapeut,
     - symptomauslösende (oder -verstärkende) interpersonelle Situation,
     - das dazugehörige pathogene Umfeld;
- Arbeit ausgehend von der Schnittpunkt-Metapher der Neurosenentstehung Kreuzung der
  - vertikalen Achse der Lebensgeschichte mit der
  - horizontalen Achse der Aktual-Situation,

  → latent neurotische Konflikte werden aktuell wirksam;
- Folge für die tiefenpsychologisch fundierte Psychotherapie: Möglichkeit der Fokussierung (s.o.): Aufspüren
  - der spezifisch auslösenden Situation (Versuchungs- bzw. Versagungssituation),
  - des pathogenen sozialen Feldes (mit Konstellation der auslösenden personellen Situation),
  - der aktuellen interpersonellen Beziehung Patient – Therapeut;
- Mittel, das Ziel zu erreichen; spezielle(s)
  - Setting,
  - Behandlungsarrangement,
  - therapeutische Interventionen.

Behandlungsziel

Einsicht vermitteln in:
- momentane interpersonelle Konfliktsituationen (weniger in basale Konflikte frühgenetischen Ursprungs),
- das pathogene Feld:
  - Ehe- und Familiensituation,
  - Arbeitsfeld,
  - Freizeitbeschäftigung;
- die innere Konflikt-Dynamik.

Behandlungstechnik

- „...dem Patienten den Spielraum gewähren, der ihm die Lösung aus seiner Bindung an die unbewußten Determinanten zu vollziehen gestatten." (Loch),
- Setting/Behandlungsarrangement:
  - Bemühen um Neutralität des Therapeuten,
  - Abstinenz des Therapeuten (d. h. dem Patienten Befriedigung seiner Triebwünsche in der Behandlungssituation versagen, möglichst wenig Ersatzbefriedigung ermöglichen);
- Gegenübersitzen (nur ausnahmsweise auf der Couch), Ausbildung der Übertragungsneurose und eine tiefere Regression nicht erwünscht,
- Zeitdauer:
  - Wochen bis Monate (nicht Jahre); Eingrenzung der Ziele,
  - 50 Minuten bei
  - einer Frequenz von 1–2 Wochenstunden
    (im klinischen Setting kürzere Sitzungen, häufiger).

Spezifische Interventionen

- leitende, themensetzende Fragen: Fragen dienen dazu
  - vom Patienten eingebrachtes Material zu fokussieren,
  - wichtige Themen ins Gespräch zu bringen;
  - Fragen beziehen sich auf die aktuelle interpersonelle Situation (horizontale Achse),
    seltener auf die vertikale Achse („Woran erinnert Sie das?"),
  - Ziel: aktuelle Konflikte herausarbeiten;
- Klarifikation:
  - das jeweilige psychische Phänomen wird in seinen bedeutungsvollen Einzelheiten eingekreist,
  - vom Therapeuten wird klargestellt, worum es seiner Ansicht nach im Augenblick geht,
  - auch Verhaltensweisen des Patienten werden identifiziert,
  - Ziel: aktuelle Konflikte herausarbeiten;
- Deutung:
  - gerichtet auf zentralen pathogenen Konflikt,
  - vom Verhalten des Patienten auf den aktuellen sozialen Kontakt-Konflikt schließen,
  - „Unvewußtes bewußt machen" (Freud).

Indikationsbereich

positive Kriterien:
- Dich Ich-Struktur des Patienten erlaubt eine erfolgversprechende Bearbeitung intrapsychischer und interaktioneller Konflikte mit Konzentration auf einen Fokus, mit der Aussicht, daß der Patient – angeregt und ermutigt durch die

Tabelle 29. Neurosen werden an einem Schnittpunkt der Lebensgeschichte des Patienten als vertikaler Achse und seiner Aktualgeschichte als horizontaler Achse manifest: Tabelle Tiefenpsychologisch fundierte Psychotherapie (TFP) versus analytische Psychotherapie (PA)

TFP	PA
Arbeiten auf der	
horizontalen Achse: (Aktualgeschichte des Kranken: soziokulturelle und -ökonomische Gegebenheiten, soziale Umfelder, interpersonelle Konstellationen, schicksalhafte Ereignisse: dabei Aufspüren innerer Konflikte → Fokalkonflikte)	vertikalen Achse: (Lebensgeschichte mit frühkindlichen Konflikten und deren Anteilen in Form von Repräsentanzen von Trieben, vom Selbst, von Objekten und Objektbeziehungen, von Affekten und Abwehrmechanismen → mit Hilfe von Übertragung, Gegenübertragung, Widerstandsbearbeitung)
Einsichtvermittlung im Dreieck („triangle of insight"):	
1. aktuelle interpersonelle Beziehung Patient – Therapeut 2. symptomauslösende (oder -verstärkende) interpersonelle Situation 3. das dazugehörige pathogene Umfeld	– Übertragung auf den Therapeuten – gegenwärtige Beziehung des Patienten – frühere Beziehung des Patienten
keine – Erhellung der gesamten Lebensgeschichte – volle Aufhebung der kindlichen Amnesie – freie Assoziation – konsequente Traumanalyse – tiefe Regression	sehr wohl
Gegenübersitzen Wahrnehmung feiner averbaler Signale Einbeziehung Dritter (Partner) gelegentliche Empfehlungen und Ratschläge	Couch höchsten zu Beginn der Analyse keine Anweisungen
Einhalten von Neutralität, Anonymität, Abstinenz, Arbeiten mit Übertragung, Gegenübertragung, Widerstand	

erfolgreiche Lösung des fokalen Konfliktes – noch nicht bearbeitetes Konfliktmaterial selbst bewältigen kann;
- eine umschriebene neurotische Konfliktlage erlaubt bei weitgehend stabiler Ich-Struktur und positiver Motivationsbilanz eine ausreichende Behandlung durch kurzdauernde Therapieformen.

negative Kriterien:
- Die Belastbarkeit des Patienten für eine höherfrequente Langzeittherapie und eine ätiologisch orientierte Bearbeitung unbewußter intrapsychischer Prozesse ist eingeschränkt;
- die Indikation für eine analytische Psychotherapie wird durch Gegebenheiten im Umfeld und in der Lebenssituation des Patienten in Frage gestellt.

Literatur

Argelander H (1968) Gruppenanalyse und Anwendung des Strukturmodells. Psyche 22:913-933
Balint M (1965) Psychotherapeutische Techniken in der Medizin. Klett, Stuttgart
Balint M (1973) Therapeutische Aspekte der Regression. Rowohlt, Reinbek
Balint M, Ornstein PH, Balint E (1973) Fokaltherapie. Suhrkamp, Frankfurt am Main
Battegay R (1992) Kollusion: Die verschiedenen Formen des unbewußten Rapprochements in der Gruppenpsychotherapie. Gruppenther Gruppendynamik 28:2-16
Beck D (1974) Die Kurzpsychotherapie. Huber, Bern
Bellack L, Small L (1972) Kurzpsychotherapie und Notfallpsychotherapie. Suhrkamp, Frankfurt
Bion WR (1959) Attacks on linking. Int J Psychoanal 40:308-315
Blomeyer R (1990) Behandlungsziele: Gewünschtes - Bedachtes - Erreichtes. Anmerkungen zur tiefenpsychologisch fundierten Psychotherapie. Prax Psychother Psychosom 35:285-293
Cremerius J (1977) Übertragung und Gegenübertragung bei Patienten mit schwerer Über-Ich-Störung. Psyche 31:879-896
Dührssen A (1972) Analytische Psychotherapie in Theorie, Praxis und Ergebnissen. Vandenhoeck & Ruprecht (Verlag für Medizinische Psychologie), Göttingen
Freud A (1964) Das Ich und die Abwehrmechanismen. Kindler, München
Freud S (1904) Über Psychotherapie. Imago, London, GW Bd 5, S 11-26
Freud S (1912) Ratschläge für den Arzt bei der psychoanalytischen Behandlung. GW Bd 8, S 375-387
Freud S (1919) Wege der psychoanalytischen Therapie. GW Bd 12, S 181-194
McGlashan ThH, Miller GH (1982) The goals of psychoanalysis, psychoanalytic psychotherapy. Arch Gen Psychiatr 39:377-388
Greenson RR (1973) Technik und Praxis der Psychoanalyse. Klett, Stuttgart
Heigl F (1987) Indikation und Prognose in Psychoanalyse und Psychotherapie. Vandenhoeck & Ruprecht (Verlag für Medizinische Psychologie), Göttingen
Heigl F, Triebel A (1977) Lernvorgänge in der psychoanalytischen Therapie. Huber, Bern
Heigl-Evers A (1972) Konzepte der analytischen Gruppentherapie. Vandenhoeck & Ruprecht (Verlag für Medizinische Psychologie), Göttingen
Heigl-Evers A, Heigl F (1982) Tiefenpsychologisch fundierte Psychotherapie - Eigenart und Interventionsstil. Z Psychosom Med Psychoanal 28:160-175
Heigl-Evers A, Heigl F (1984) Was ist tiefenpsychologisch fundierte Psychotherapie? Prax Psychother Psychosom 29:234-244
Heigl-Evers A, Nietzschke B (1991) Das Prinzip „Deutung" und das Prinzip „Antwort" in der psychoanalytischen Therapie. Z Psychosom Med Psychoanal 37:115-127
Heimann P (1950) On counter-transference. Int J Psychoanal 31:81-84
Hoffmann SO (Hrsg) (1983) Deutung und Beziehung. Kritische Beiträge zur Behandlungskonzeption und Technik der Psychoanalyse. Fischer, Frankfurt am Main
Kernberg OF (1978) Borderline-Störungen und pathologischer Narzißmus, Suhrkamp, Frankfurt am Main
Kernberg OF (1981) Objektbeziehungen und Praxis der Psychoanalyse. Klett, Stutgart
Kernberg OF (1988) Innere Welt und äußere Realität. Verlag Internationale Psychoanalyse, München Wien
Kind J (1986) Manipuliertes und aufgegebenes Objekt. Zur Gegenübertragung bei suizidalen Patienten. Forum Psychoanal 2:215-226
Knight RP (1941/42) Evaluation of the results of psychoanalytic therapy. Am J Psychiatry 98:438-446
Köhler L (1988) Probleme des Psychoanalytikers mit Selbstobjektübertragungen. In: Kutter P, Paramo-Ortega R, Zagermann P (Hrsg) Die psychoanalytische Haltung. Auf der Suche nach dem Selbstbild der Psychoanalyse. Verlag Internationale Psychoanalyse, München Wien
Kohut H (1979) Die Heilung des Selbst. Suhrkamp, Frankfurt am Main
Kohut H (1987) Wie heilt die Psychoanalyse? Suhrkamp, Frankfurt am Main
Kutter P (1976) Elemente der Gruppentherapie. Vandenhoeck & Ruprecht, Verlag für Medizinische Psychologie, Göttingen
Lachauer R (1992) Der Fokus in der Psychotherapie. Pfeiffer, München

Loch W (1983) Die Krankheitslehre der Psychoanalyse. Hirzel, Stuttgart
Loch W (1979) Tiefenpsychologisch fundierte Psychotherapie – Analytische Psychotherapie. Wege zum Menschen 31:177–193
Lowental U (1988) Spezielle Probleme der psychosomatisch gestörten Patienten. In: Kutter P, Paramo-Ortega R, Zagermann P (Hrsg) Die psychoanalytische Haltung. Auf der Suche nach dem Selbstbild der Psychoanalyse. Verlag Internationale Psychoanalyse, München Wien
Luft J (1973) Einführung in die Gruppendynamik. Klett, Stuttgart
Massing A, Wegehaupt H (1987) Der verführerische und verführte Analytiker. Bemerkungen zur sexuellen Gegenübertragung. In: Massing A, Weber I (Hrsg) Lust und Leid. Sexualität im Alltag und alltägliche Sexualität. Springer, Berlin Heidelberg New York Tokyo
Melan DH (1967) Psychoanalytische Kurztherapie. Huber, Bern/Klett, Stuttgart
Menninger K, Holzmann P (1977) Theorie der psychoanalytischen Praxis. Frommann-Holzboog, Stuttgart
Mertens W (1991) Psychoanalyse, 4. Aufl. Kohlhammer, Stuttgart
Mertens W (1991/1992) Einführung in die psychoanalytische Therapie. Bd 1–3. Kohlhammer, Stuttgart
Peters UH (1977) Übertragung – Gegenübertragung. Kindler, München
Reimer C (1986) Risiken im Umgang mit suizidalen Patienten. Prax Psychother Psychosom 31:201–212
Rosenfeld H (1988) Narzißmus und Aggression. In: Kutter P, Paramo-Ortega R, Zagermann P (Hrsg) Die psychoanalytische Haltung. Auf der Suche nach dem Selbstbild der Psychoanalyse. Verlag Internationale Psychoanalyse, München Wien
Sandler J (1988) Das Konzept der projektiven Identifizierung. Z psychoanal Theorie Prax 3:147–164
Thomä H, Kächele H (1986) Lehrbuch der psychoanalytischen Therapie. Springer, Berlin Heidelberg New York Tokyo

Verhaltenstherapie

Definition
Grundannahme der Verhaltensmodifikation besteht in der Annahme, daß menschliches Verhalten – wie das anderer Organismen – determiniert ist.

Diagnostik – Verhaltensanalyse
1. Funktionales Bedingungsmodell erfassen durch:
   - die Topographie des symptomatischen Verhaltens,
   - die Reizbedingungen, die dem Verhalten mehr oder weniger unmittelbar vorausgehen oder folgen,
   - erfolgreiche oder erfolglose Selbstkontrollversuche,
   - Genese des Symptoms und seiner Veränderungen im Laufe der Symptomgeschichte.

2. Typ der vorliegenden Symptomatik
   - völlig unangemessenes Verhalten,
   - an sich normales Verhalten, das zu häufig auftritt,
   - Verhalten fehlt völlig (Verhaltenslücke).

Methoden der Verhaltensmodifikation in der Psychosomatik
- Klassisches Konditionieren:
  o systemische Desensibilisierung (graduelle Konfrontation mit angstauslösenden Reizen),

- Reizüberflutung („flooding") (Konfrontation mit angstauslösenden Reizen in stärkster Ausprägung);
- Operante Methoden (Verhaltensänderung, indem die Konsequenzen des Verhaltens geändert werden):
  - positive oder negative Verstärkung,
  - operante Löschung (Verhalten durch Fortfall der Verstärkung gelöscht),
  - Verhaltensformung („shaping") (Erweiterung des Verhaltensrepertoires),
  - Münzverstärkersystem („token economy") (späteres Eintauchen einer Münze/Marke gegen einen primären Verstärker),
  - Stimuluskontrolle (unerwünschtes Verhalten durch Kontrolle beeinflussen),
  - operantes Lernen = Biofeedback (motorische und vegetative Körperfunktionen, die normalerweise der Beobachtung nicht zugänglich sind, werden mit Hilfe speziell konstruierter Geräte rückgemeldet, wahrnehmbar gemacht und damit der willkürlichen Kontrolle unterworfen);
- Komplexe Therapiepläne (Änderung des Verhaltensgefüges, nicht nur einer isolierten Verhaltensweise):
  - Selbstkontrolle (-training) – Selbstbeobachtung („self monitoring"), Bewertung und Zielanalyse, Selbstverstärkung,
  - Streßmanagement – Konzeptualisierung (Datenerhebung und Integration, Training der Fähigkeiten der Selbstbeobachtung); Aneignen und Üben von Bewältigungsfähigkeiten (Kommunikation, Selbstsicherheit; Rollenspiele); Anwendung und „Durcharbeiten";
- Gegenkonditionieren (z. B. zur Beseitigung von Angst),
- Aversionstechniken (z. B. bei Alkoholismus, Rauchen),
- negative Übung (Extinktion bedingter Reflexe): Bei Tics z. B. dadurch, daß man den Patienten dazu bringt, willentlich das zu tun, was er eigentlich nicht will (*paradoxe Intention*).

Literatur

Blöschl L (1970) Grundlagen und Methoden der Verhaltenstherapie. Huber, Bern
Fliegel S (1981) Verhaltenstherapeutische Standardmethoden. Urban & Schwarzenberg, München
Miltner W, Birbaumer N, Gerber WD (1986) Verhaltensmedizin. Springer, Berlin Heidelberg New York Tokyo
Schonecke OW, Muck-Weich C (1990) Verhaltenstheorie. In: Uexküll Th v (Hrsg) Psychosomatische Medizin. Urban & Schwarzenberg, München

Andere psychotherapeutische Verfahren

Ärztliches Gespräch

Richtlinien:
- Gesprächseröffnung mit einer allgemein gehaltenen Frage („Was führt Sie zu mir?"),

- mehr offene als geschlossene Fragen stellen,
- erst zuhören, dann Fragen stellen,
- Fachausdrücke, Schlagwörter, Wertungen vermeiden,
- Monologe durch Gespräch ersetzen,
- selber ruhig sein, sich nicht stören lassen,
- eigene Gefühlregungen im Gespräch beachten,
- Gesundungswillen und Motivation des Patienten vorsichtig stärken,
- Beruhigungen nur gezielt und sparsam einsetzen,
- „Arbeitsbündnis" stärken,
- beiderseitige Verantwortung zum Ausdruck bringen,
- nachfragen, ob der Patient alles verstanden hat,
- das Wichtigste im Gespräch zusammenfassen,
- sich nicht durch einseitige Symptomorientierung verleiten lassen,
- das Gespräch strukturieren, aber nicht einengen,
- sich mit seinen Einwänden auf den situativen Zusammenhang einstellen.

Ziele (s. auch Kap. „Diagnostisches Vorgehen"):
- Diagnostische Orientierung über Beschwerden, Symptome, Störungen hinsichtlich einer nosologischen Einordnung,
- Beantwortung der Frage, ob ein Zusammenhang zwischen der Symptomatik und Konflikten der Lebensgeschichte besteht,
- einen biographischen Überblick verschaffen,
- Bild der Persönlichkeitsstruktur erarbeiten,
- prognostische Abklärung hinsichtlich der Therapierbarkeit des Beschwerdebildes,
- Aufstellen eines Behandlungsplans.

Literatur

Adler R, Hemmeler W (1992) Anamnese und Körperuntersuchung. 3. Aufl. G. Fischer, Stuttgart

Argelander H (1970) Das Erstinterview in der Psychotherapie. Wissenschaftliche Buchgesellschaft, Darmstadt

Wesiack W (1980) Psychoanalyse und praktische Medizin. Klett, Stuttgart

Gesprächspsychotherapie

„Klientenzentrierte Therapie" (Rogers 1977)

Grundannahme/Besonderheiten:
- Jeder Mensch besitzt Kräfte genug, seine eigenen Probleme zu lösen. Die Kräfte müssen aber erst gelockert und befreit werden,
- Eine spezielle Neurosenlehre fehlt,
- Mischform zwischen konfliktzentrierten, übenden und erlebnisorientierten Psychotherapieverfahren.

Therapieziele:
- Verbesserung seelischer Funktionsfähigkeit im emotionalen und sozialen Bereich,
- größere Selbstachtung, Selbstannahme, Selbstaktualisierung.

Zur Technik:
- Betonung des Hier und Jetzt,
- Der Therapeut bemüht sich, die kognitiven Möglichkeiten des Klienten zu erweitern.
- Der Therapeut bringt dem Klienten viel Wärme, Einfühlung, Verständnis entgegen.
- Der Therapeut ermuntert den Klienten in permissiver, nichtdirektiver Weise, Probleme und Gefühle frei in Worte zu fassen.
- Der Therapeut faßt das Verstandene in Worte.
- Keine Versuche der Interpretation, Deutung, Überredung,
- Entwicklung von Strategien zur Problembewältigung,
- Der Therapeut fordert den Klienten auf, sich angstmachende Situationen vorzustellen.
- Dem Klienten wird nur sein Verhalten und Erleben „gegenübergestellt" (konfrontierendes „Spiegeln" nach Rogers).

Therapieerfolg bei folgenden Therapeuteneigenschaften:
- Anteilnahme, Achtung, Wärme,
- Verbalisieren des geäußerten emotionalen Erlebnisverhaltens des Klienten,
- Echtheit in der Selbstdarstellung,
- Fähigkeit zur Selbstöffnung.

Grundhaltung des Therapeuten:
- Akzeptanz (vorbehaltloses Wahrnehmen und Respektieren des Klienten),
- Empathie (emotionales Zugewandtsein, einfühlendes Verstehen),
- Kongruenz (befindet sich in Übereinstimmung mit dem, wie er es erlebt; offen für seine Selbstwahrnehmung und bereit, dieses Erleben seinem Klienten mitzuteilen).

Literatur

Gerl W (1983) Klientenzentrierte Psychotherapie (Gesprächspsychotherapie). In: Kraiker C, Burkhard P (Hrsg) Psychotherapieführer. Beck, München
Rogers C (1977) Therapeut und Klient. Kindler, München
Wendlin ET (1980) Focussing. Müller, Salzburg

Logotherapie

Definition: Methode nach Viktor E. Frankl, die auf der Sehnsucht nach dem Sinn des Menschen beruht und seelische Konflikte als Sinndefizite interpretiert. Die Methode ist beratend (auch persuasiv) und direktiv.

Besonderheiten:
- Die individuellen Sinn- und Wertmöglichkeiten werden im Rahmen der Biographie besonders beachtet.
- Frankl stellt neben den „Willen zur Macht" (Adler) und den „Willen zur Lust" (Freud) den „Willen zum Sinn".
- Bei unerfüllten oder falsch erfülltem Sinn kommt es zur „existentiellen Frustration".
- Sinn des Seins:
  - ungestörtes Schaffen, Erleben, Lieben,
  - Erleiden des Schicksals (Ertragenkönnen).
- Behandlung der „existentiellen Frustration", um das „existentielle Vakuum" aufzufüllen, mit „Logotherapie":
  - Logos (im Unbewußten vorhandenes „Geistiges"): Sinn der personalen Existenz, der analytisch erhellt werden soll,
  - Ermutigung zum Annehmen des Schicksals („Mut zum Leiden"),
  - Auffinden des „Daseinssinns".
- Vorgehen u. a. mit der „paradoxen Intention":
  - Der Leidende wird aufgefordert, sich intensiv das zu wünschen, was er befürchtet,
  - dadurch Distanzierung von der neurotischen Angst (anwendbar besonders bei phobischer, anankastischer und Erwartungsangst).

Literatur

Frankl VE (1966) Ärztliche Seelsorge. Grundlagen der Logotherapie und Existenzanalyse. Deuticke, Wien

Frankl VE (1967) Logotherapie und ihre klinische Anwendung. Wien Klin Wochenschr 117:1139–1143

Katathymes Bilderleben (Abb. 39)

Definition: Das katathyme Bilderleben ist eine psychotherapeutische Methode, die nach tiefenpsychologischen Gesichtspunkten strukturiert ist. Primäre Grundlage ist die Imaginationsfähigkeit des Menschen.

Besonderheiten:
„Katathymer Zustand" gekennzeichnet durch:
- Senkung und gleichzeitig Einengung des Bewußtseins,
- Erhöhung der Suggestibilität,
- Aufhebung des Zeitgefühls,
- Schwächung der rationalen Anteile der Abwehr,
- „kontrollierte Ich-Regression",
- Abgabe der reifen Ich-Funktionen an den Therapeuten,
- Vertiefung der Versenkung durch die Imagination.

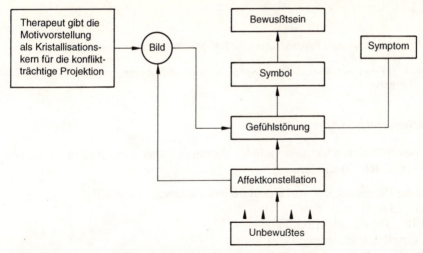

Abb. 39. Katathymes Bilderleben, Handlungs- und Erlebnisablauf

Wirkungsweise:
Die imaginativen Inhalte werden von 3 Determinanten bestimmt:
- die unbekannte/unbewußte, das Bild gestaltende Affektkonstellation,
- die genannte/bewußte Motivvorstellung als Kristallisationskern für die konflikträchtige Projektion,
- die angesichts der Bilder aufkommende Gefühlstönung, die als Indiz für den Zusammenhang zwischen Symptom und Symbol gelten kann.

Literatur

Krapf G (1977) Das katathyme Bild-Erleben. Fortschr Med 95:2603–2612
Leuner H (Hrsg) (1980) Katathymes Bilderleben. Huber, Bern

Psychodrama

Definition: Es handelt sich um eine erlebnisorientierte, auf Moreno zurückgehende Psychotherapieform, die aus den spontanen Rollen- und Stegreifspielen von Kindern abgeleitet ist.

Verlauf in 3 Phasen:
- Erwärmungsphase, Erinnern und Sammeln von Erlebnis- und Konfliktmaterial,
- Spielphase: mit psychokathartischer Zielsetzung; durch Wiederholen im Rollenspiel wird emotionale Erfahrung gewonnen,
- Integrationsphase: mit analytisch-kommunikativer Zielsetzung und Vermittlung rationaler Einsichten.

Literatur

Leutz A (1974) Das klassische Psychodrama nach J. L. Moreno. Springer, Berlin Heidelberg New York

Yablonski L (1978) Psychodrama. Die Lösung emotionaler Probleme durch das Rollenspiel. Klett, Stuttgart

Transaktionsanalyse (Abb. 40–50)

Definition: Verbaler oder nichtverbaler Austausch von Information zwischen 2 Personen, 2 Ich-Zuständen.

Zuwendung (Stimulus, der von einem anderen Menschen ausgeht):
- positiv: „Du bis o.k.",
- negativ: „Du bist nicht o.k.".
  Vier Grundhaltungen:
  – „Ich bin o.k."   – „Du bist o.k."
  – „Ich bin nicht o.k."   – „Du bist o.k."
  – „Ich bin o.k."   – „Du bist nicht o.k."
  – „Ich bin nicht o.k."   – „Du bist nicht o.k."
  „Entscheidung" über die Grundhaltung „Ich bin o.k." oder „Ich bin nicht o.k." wird in der frühen Kindheit getroffen.
  Neue Entscheidungen können vom Erwachsenen-Ich zusammen mit dem Kindheits-Ich getroffen werden (therapeutischer Ansatz);
- *„Rabattmarken sammeln":* negative Gefühle bei Transaktionen „sammeln" und eines Tages gegen Depressionen „eintauschen",
- *Strukturanalyse:* Erkennen verschiedener Ich-Zustände (die rasch wechseln können),
- *Spielanalyse:* Spiele als in sich geschlossene, wiederholbare Kommunikationsmuster mit berechenbarem Ausgang. Positionen: Opfer, Retter, Verfolger,
- *Skriptanalyse:* Skript = Lebensmanuskript = Leben von einem Manuskript gestaltet, von Eltern übernommen (oft von Namensgebung ausgehend); Skriptgefühle verleihen Geborgenheit, können aber eigene Freiheit einengen,

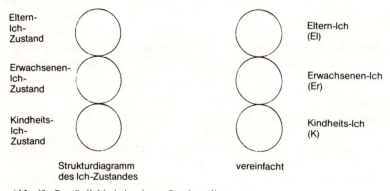

Abb. 40. Persönlichkeit in einem Strukturdiagramm

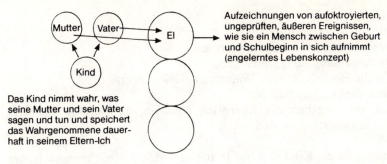

Abb. 41. Eltern-Ich

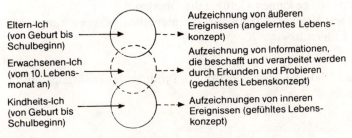

Abb. 42. Entstehung des Erwachsenen-Ich (ab 10. Monat)

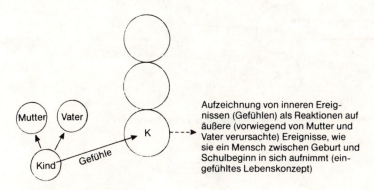

Abb. 43. Kindheits-Ich

- *Ziel der Therapie:* Aufdecken der echten Gefühle (des wahren Selbst).
- *Eltern-Ich:* Inhalte entstehen bis zum 6. Lebensjahr (alle aufokroyierten, ungeprüften äußeren Ereignisse); enthält Einstellungen und Verhaltensweisen, die von äußeren Vorbildern übernommen wurden:
  ○ Ermahnungen, Regeln, Verbote, Gebote,
  ○ Botschaften (werden als Wahrheit aufgenommen!),
  ○ Inhalte oft wie „Gebrauchsanweisungen";

- *Erwachsenen-Ich:*
  - hat nichts mit Alter zu tun,
  - objektives Sammeln von Informationen,
  - geordnet, anpassungsfähig, intelligent,
  - überprüft die Realität, schätzt Wahrscheinlichkeiten ein,
  - verarbeitet alles leidenschaftslos,
  - überprüft, ob Angaben aus Eltern-Ich stimmen, ob Gefühle aus dem Kindheits-Ich angemessen sind;
- *Kindheits-Ich:*
  - alle Impulse, die ein Kind von Natur aus hat sowie Aufzeichnungen früher Erfahrungen und der Reaktion darauf,
  - Reaktionen des kleinen Menschen auf das, was er sieht und fühlt; wenn Zorn stärker als Vernunft, gewinnen Gefühle die Oberhand,
  - positive Seiten wie Neugier, Kreativität, Abenteuerlust, Wissensdrang, Lust am Berühren, Fühlen usw.

Beispiel:
1. „Aus welch einem Material besteht bei Ihrem Produkt der Dichtungsring?"
2. „Aus Karaya."

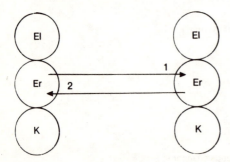

Abb. 44. Komplementärtransaktion (Erwachsenen-Ich – Erwachsenen-Ich)

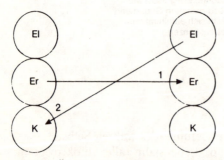

Abb. 45. Überkreuztransaktion

Beispiel:
Ehemann: „Weißt du vielleicht, wo ich meine Uhr heute hingelegt habe?"
Ehefrau: „Immer mit deiner Uhr. Leg sie doch auf einen bestimmten Platz, dann verlierst du sie auch nicht. Kümmere du dich doch um deine Sachen."

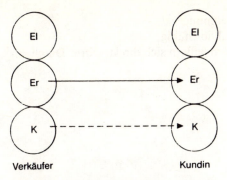

Abb. 46. Verdeckte Transaktion

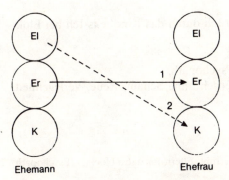

Abb. 47. Zweiebenen- oder Duplextransaktion

Beispiele:
1. Wenn ein Mantelverkäufer in einem Pelzgeschäft zu einer Kundin sagt: „Dieses hier ist zweifellos unser schönster Mantel, und passen würde er Ihnen auch wunderbar. Aber ich denke, der ist Ihnen wohl zu teuer", spricht er das Erwachsenen- wie das Kindheits-Ich an. Die Kundin würde mit ihrem Erwachsenen-Ich antworten: „Ach, Sie haben mir die Anregung dazu gegeben, einen so teueren Mantel brauche ich wirklich nicht, wo ich mit meinen kleinen Kindern im Augenblick doch nicht so viel fortgehen kann". Das Kindheits-Ich der Kundin würde vielleicht antworten: „O ja, da sehe ich immer hübsch drin aus, alle bewundern mich, und warm bin ich auch immer darin."
2. Autoverkäufer: „Das ist unser bester Sportwagen, aber der ist Ihnen sicher zu schnell."
Kunde (im Erwachsenen-Ich): „Sie haben recht, solch einen schnellen Wagen brauche ich in meinem Beruf nicht."
(im Kindheits-Ich): „Den Wagen nehme ich. Er ist genau der, den ich wollte".

Beispiel:
Ehemann: „Wo hast Du den Bierflaschenöffner versteckt?" Hinter dem Wort „versteckt" liegt ein Reizwort mit dem Hintersinn: der Haushalt ist mies geführt – wenn ich meine Arbeit so angehen würde, wo käme ich da hin.

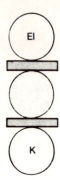
- Fehlende Realitäts-Wahrnehmung,
- Erwachsenen-Ich nicht funktionsfähig,
- Eltern-Ich und Kindheits-Ich äußern sich direkt, wirres Durcheinander ...

Abb. 48. Erwachsenen-Ich blockiert oder außer Dienst gestellt (Psychose)

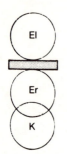
- Trübung des Erwachsenen-Ich durch das Kindheits-Ich bei Blockade des Eltern-Ich,
- gefährlich für Gesellschaft,
- Mensch ohne Gewissen, Psychopath,
  Erkennungsmerkmale: Mensch ohne Scham, Reue, Verlegenheit, Schuld.

Abb. 49. Erwachsenen-Ich durch Kindheits-Ich getrübt, Eltern-Ich dabei blockier (Psychopath)

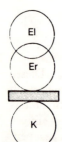
- Unfähigkeit zu spielen,
- Blockierung kindlicher Impulse,
- Angleichung des Erwachsenen-Ich an das Eltern-Ich („Werde endlich erwachsen.", „Kinder soll man sehen, nicht hören". „Geh in dein Zimmer!"),
- völlige Anpassung, Fleiß, Anstrengung, Unterwürfigkeit, Befehlserfüllung.

Abb. 50. Erwachsenen-Ich durch Eltern-Ich getrübt, mit blockiertem Kindheits-Ich

Der Hauptreiz kommt aus dem Erwachsenen-Ich: er sucht Information. Den Hintersinn liefert das Eltern-Ich.

Literatur

Berne E (1967) Spiele der Erwachsenen. Rowohlt, Reinbek
Berne E (1972) Was sagen Sie, wenn Sie guten Tag gesagt haben? Kindler, München
English F (1976) Transaktionale Analyse und Skriptanalyse. Altmann, Hamburg
Harris TA (1982) Ich bin o.k. – Du bist o.k. Rowohlt, Reinbek
James M, Jongeward D (1974) Spontan leben. Rowohlt, Reinbek

Gestalttherapie

Definition: „Gestalt" bezeichnet ein sinnvolles Ganzes und ist mehr als die Summe seiner Teile.
Psychotherapeutische Methoden nach Fritz Perls auf der Grundlage der humanistischen Psychologie, der Gestaltpsychologie, der Psychoanalyse, des Existentialismus.

Grundannahmen:
- Es gibt für das Individuum keine verbindliche Norm, jedoch eine inhärente Kraft zu wachsen und eigene Bedürfnisse zu befriedigen („organismische Selbstregulation").
- Der Mensch ist zu seiner sozialen und ökologischen Umwelt interdependent, weder abhängig noch unabhängig.
- Der Mensch ist (in unterschiedlicher Ausprägung) zu Selbstverantwortung fähig („response-ability").
- Selbstannahme ist die Grundlage für Veränderung („Akzeptiere dich wie du bist, und du wirst dich ändern").

Hauptanliegen:
- Integration der Anteile des Selbst, die im Widerstreit liegen, neurotisch blockiert sind oder die Persönlichkeit zu spalten drohen,
- Fragmentierung und konflikthafte Blockierungen sollen überwunden werden.

Hauptmerkmale des therapeutischen Prozesses:
- Gewahrsein („awareness"):
  - Förderung des Gewahrseins der inneren und äußeren Realität,
  - Kontakt mit eigenen Bedürfnissen und Empfindungen schafft Erleichterung und ermöglicht eine positive Beziehung zum Gegenüber,
  - keine Interpretationen (aus Respekt);
- Erlebnisnähe:
  - Betonung des Hier und Jetzt,
  - gegenwärtiges Durchleben von Erinnerungen, Zukunftserwartungen, Träumen, Phantasien; Identifizierungen,
  - Untersuchen des aktuellen Erlebens, Blockierens, Loslassens;
- Kontaktprozeß:
  - Aufmerksamkeit auf befriedigende und nicht befriedigende Kontakt- und Vermessungsmuster,
  - Wiederherstellung von Kontaktfähigkeit;
- Selbstunterstützung („self-support"):
  - Patient wird angehalten, für affektive Beeinträchtigungen, die er der Umwelt anlastet, selber die Verantwortung zu übernehmen und sich gegen die Einschränkungen zu entscheiden, die er sich selbst auferlegt,
  - Individuum aus seinen bequemen Haltungen der vermeintlichen Abhängigkeit lösen (Symptome sind bequem, weil sie entlasten = „Nachsozialisation");

- Begegnungscharakter der therapeutischen Beziehung:
  ○ authentische Präsenz des Therapeuten – anstelle von Distanz,
  ○ gemeinsames Untersuchen der Übertragung im persönlichen Kontaktprozeß – anstelle von Vertiefung und Durcharbeiten der Übertragung.

Vorgehensweisen:
- Konfrontieren im Sinne von Wahrnehmenlassen innerer und äußerer Realitäten („was siehst du?" – statt zu phantasieren),
- Den Klienten anhalten, sich angenehme und unangenehme Regungen zuzugestehen und sie zu durchleben,
- Entdecken lassen, wo und wie der Klient Kontakt und Gefühle vermeidet,
- Keine „Warum?"- sondern „Wie?"- und „Was?"-Fragen, um nicht nur den Kopf, sondern vor allem die Sinne anzusprechen,
- Angemessenes Frustrieren, d.h. im Maße der gegebenen Ich-Stärke des Klienten, etwa durch freundliche aber eindeutige Verweigerung von gewünschten Fremdunterstützungen, führt dazu, daß der Klient auch in für ihn schmerzlichen Abgrenzungen die Beständigkeit einer guten Beziehung erfahren und so in seinem Selbstgefühl wachsen kann,
- Erkennen des Gesunden gerade auch im scheinbar „Pathologischen".

Anwendung/Indikation:
- vielseitig als einzel-, gruppen-, paar-, familientherapeutische Maßnahme,
- bei Erwachsenen, Kindern, Jugendlichen, auch älteren Patienten,
- verschiedene neurotische und psychosomatische Störungen als
  ○ Heilungsaspekt, aber auch als
- Erhaltungsaspekt (Gesundes zu erhalten) und als
- Wachstumsaspekt (Fördern vorhandener Potentiale).

Literatur

Bünte-Ludwig C (1984) Gestalttherapie – Integrative Therapie. In: Petzold H (Hrsg) Wege zum Menschen, Bd II. Junfermann, Paderborn
Fagan J, Shepherd IL (Hrsg) (1970) Gestalt therapy now: Theory, techniques, application. Science & Behavior, New York
Perls FS (1973) Grundlagen der Gestalttherapie. Pfeiffer, München
Polster E, Polster M (1973) Gestalttherapie. Kindler, München
Revenstorf D (1983) Gestalttherapie. In: Kraiker C, Peter B (Hrsg) Psychotherapieführer. Beck, München
Yontef G (1983) Gestalttherapie als dialogische Methode. Integrative Ther 2/3

Bioenergetik

Definition: Körperarbeit nach Alexander Lowen auf der Basis der Psychologie Wilhelm Reichs.

Konezpt: Seelische Energie bewegt sich in körperlichen Strömungen. Die Blockade löst seelische Störungen aus. Erlebnistechniken und Massage sollen den Energiefluß befreien und ihn dem Patienten erfahrbar machen.

- „Bioenergie" entspricht „Orgon" bei Reich (Ausg. 1970),
- Mensch wird als energetisches System begriffen,
- durch aufgeladene, nicht abgeführte Energie kommt es zu Muskelverspannungen und zum
- „Charakterpanzer" zur
- Unterdrückung der Sexualinstinkte zugunsten des Machtstrebens,
- Energiefluß und -blockierung bestimmt die Art und Weise wie ein Mensch denkt, spricht, geht, fühlt, zu seinem Körper steht, Kontakte herstellt, Symptome entwickelt,
- die körperorientierte Psychotherapie soll zu einer grundsätzlichen, strukturellen Veränderung des Klienten führen,
- keine Symptombehandlung.

Literatur

Lowen A (1979) Bio-Energetik. Therapie der Seele durch Arbeit mit dem Körper. Rowohlt, Reinbek
Reich W (1970) Charakteranalyse. Fischer, Frankfurt

Primärtherapie

Definition: Tiefenpsychologische Methode nach Arthur Janov, mit suggestiven und autosuggestiven Techniken extreme Gefühlserlebnisse (Katharsis) hervorzurufen, die als Wiedererleben des Geburtsschmerzes gedeutet werden. Die therapeutische Wirkung wird von der Abfuhr des „abgewehrten" Schmerzes erwartet. Außerdem spielt das suggestiv erzeugte „Wiedererleben der Geburt" und die angebliche Rückführung in intrauterine Erlebnisse eine Rolle.

Besonderheiten:
- Ähnlichkeiten mit der Neurosentheorie der frühen Psychoanalyse,
- Theorie:
  - Jedes Trauma (körperlich wie seelisch) hinterläßt eine Art Schmerzenergie im Organismus („Primär"- oder „Urschmerz"),
  - In unserer Gesellschaft wird jedes Kind traumatisiert,
  - Die Schmerzenergie wird verdrängt und verursacht Muskelspannungen,
  - Muskelspannungen und neurotische Symptome, die damit zusammenhängen, können durch „Primär"- bzw. „Urerlebnisse" beseitigt werden;
- Methodik:
  - schallisolierter Raum,
  - Liegen auf Matten,
  - Erzählen und Vertiefen in Erfahrungen der frühen Kindheit mit der Aufforderung, sich besonders in schmerzliche Erinnerungen fallen zu lassen,
  - Nacherleben (schmerzhafter) kindlicher Erfahrungen,
  - Prozeß wird gefördert durch Aufforderung zu hyperventilieren.

Literatur

Görres A (1976) Der Urschmerz als Streßfaktor. Die Primärtherapie Arthur Janovs und die Streßforschung. In: Eiff AW (Hrsg) Seelische und körperliche Störungen durch Streß. Thieme, Stuttgart New York

Janov A (1981) Gefangen im Schmerz – Befreiung durch seelische Kräfte. Fischer, Frankfurt

Biofeedback (Abb. 51)

Definition: Rückmeldung über den Ablauf von Körperfunktionen (Hirnströme, Herzschlag usw.) mit technischen Mitteln. Der Patient trainiert die Selbstbeeinflussung.

Besonderheiten:
- Aktive Kontrolle sichtbar gemachter unbewußt ablaufender vegetativer Funktionen,
- Unterbrechung der psychophysiologischen Regelkreise mit Herabsetzung des allgemeinen Erregungsniveaus,
- Kontrolle mit Hilfe eines elektronischen Gerätes,
- optische und akustische Rückmeldung von Muskelaktivität, Atmung, Gefäßdurchblutung, Hautwiderstand, Herzfrequenz, Hirnwellen,
- Wirkungsprinzip der Desensibilisierung als Konditionierung auf Entspannung (operante Konditionierung: Lernen am Erfolg),
- Ablauf in 2 Phasen:
  - Erarbeiten und Definieren des Lernkriteriums,
  - Konditionierungsphase mit Einsatz der Reduzierung von z. B. Muskelspannungen;

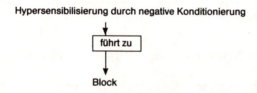

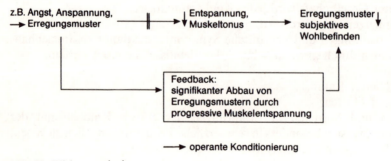

Abb. 51. Wirkungsprinzip

- besonderer Stellenwert bei
  - der Schmerztherapie,
  - als Atemfeedback,
  - Entspannung allgemein,
  - natürlichem Feedback ohne Geräte (autogenes Training).

Anwendungsgebiete:
- Spannungskopfschmerz, Migräne,
- HWS-Syndrom,
- spastischer Schiefhals,
- Stottern, Tremor, Tics,
- Bluthochdruck,
- Herzangst,
- Magengeschwüre,
- chronische Obstipation,
- Impotenz, Vaginismus,
- Schlafstörung,
- epileptische Anfälle.

Literatur

Budzynski TH, Stoya JM, Adler CS, Mullaney D (1973) EMG biofeedback and tension headache: a controlled outcome study. Psychosom Med 35:484–496

Miltner W, Birbaumer N, Gerber WD (1986) Verhaltensmedizin. Springer, Berlin Heidelberg New York Tokyo

Schenk C (1985) Biofeedback – eine neue Heilmethode bei psychosomatischen Erkrankungen. Med Prax 80:16–24

Themenzentrierte Interaktion (Abb. 52)

- „Living learning",
- persönliche Beteiligung,
- Gefühle wahrnehmen.

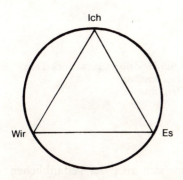

1. Sei dein eigener Chairmann.
2. Störungen haben Vorrang.
3. Achte auf Körpersignale.
4. Sage „ich" statt „man" und „wir".
5. Aussagen sind besser als Fragen.
6. Wem möchtest Du etwas geben, von wem möchtest Du etwas bekommen?
7. Versuche einmal eine andere Rolle.

Abb. 52. Schema (nach Cohn 1979)

Literatur

Cohn R (1979) Themenzentrierte Interaktion. Kindler, Zürich

Familientherapie

Definition: Gegenstand der Behandlung ist das Miteinanderumgehen zwischen Individuen in einer natürlichen Gruppe:
- Krankheit als Ausdruck einer Kommunikationsstörung,
- *aber auch:* jede Krankheit belastet das Familiensystem.

Aufgaben:
- Erstellung einer Diagnose (betrifft das Problem ein Mitglied oder die ganze Familie?),
- Veränderung der krankmachenden Beziehungen.

Therapiekonzept: Fünf Perspektiven:
- bezogene Individuation (Bindung und Ausstoßung),
- Delegation (Aufladen von Problemen),
- Vermächtnis,
- Verdienst,
- Gegenseitigkeit („maligner Clinch").

Indikationen:
1. Psychosomatik:
   - Anorexia nervosa,
   - Colitis ulcerosa, M. Crohn,
   - Asthma bronchiale,
   - Herzphobie,
   - Herzinfarkt,
   - Diabetes mellitus,
   - je nach Familiensituation;
2. Psychiatrie:
   - Schizophrenie,
   - Drogenabhängigkeit;
3. Adoleszentenkrisen.

Literatur

Cierpka M (Hrsg) (1987) Familiendiagnostik. Springer, Berlin Heidelberg New York Tokyo
Minuchin S (1977) Familie und Familientherapie. Lambertus, Freiburg
Wirsching M, Stierlin H (1982) Krankheit und Familie. Klett, Stuttgart

Autogenes Training

Definition: Autogenes Training ist stumm, bedient sich aber der gedanklichen Vorstellung. Jedes Wort hat eine Wirkung. Jede gedankliche Vorstellung ist ein

Wort für sich selbst. *Folge:* Ein an sich selbst gerichteter Gedanke muß eine Wirkung haben (z. B. Pendelversuch).

Ziel des AT:
- Entspannung, tiefgehende Beruhigung,
- durch vermehrte Selbstkontrolle besseres Umgehen mit den eigenen Möglichkeiten,
- Resonanzdämpfung der Affekte,
- Schmerzbekämpfung,
- vertiefte Innenschau mit Selbsterkenntnis (Ansatz zu Problembewältigungen),
- neue Wege der Selbstbesinnung und Selbstentfaltung,
- Leistungssteigerung,
- Verbesserung des Körpergefühls.

Wirkungsweise:
- Probleme werden aus anderer Perspektive angeschaut,
- durch innere Ruhestörung Abbau von Spannung und Enge,
- Circulus vitiosus von Unruhe-Spannung-Enge-Angst wird unterbrochen.

Voraussetzungen:
- Grundmaß an Intelligenz,
- bei Kindern ab 8.–10. Lebensjahr,
- Bereitwilligkeit,
- Stetigkeit,
- Sympathie (zwischen Arzt und Patient),
- Motivation,
- gewisser Leidensdruck.

Gesundes wird gestärkt, Ungesundes gemindert oder abgebaut.

Literatur

Eberlein G (1985) Autogenes Training für Kinder. Springer, Berlin Heidelberg New York Tokyo
Eberlein G (1987) Autogenes Training. Lernen und Lehren. Springer, Berlin Heidelberg New York Tokyo
Krapf G (1973) Autogenes Training aus der Praxis. König, München
Schultz JH (1950) Das autogene Training. Thieme, Stuttgart

Hypnose

Definition: Durch Suggestion herbeigeführter schlafähnlicher Zustand.
- Bewußtsein eingeengt,
- besonderer Kontakt zum Hypnotiseur (Rapport),
- Befolgung der Anweisungen nach Auflösung dieses Zustands (posthypnotischer Auftrag).

Besonderheiten:
- Bei einem gesunden Probanden können folgende Phänomene bewirkt werden:
  o totale posthypnotische Amnesie (evtl. mit zeitlicher Begrenzung),
  o Ausführung des Auftrags zu einer bestimmten Zeit,

- Auslösung körperlicher Störungen (z. B. Brandblase),
- Auslösung von Affekten (z. B. Angst, Ekel, Trauer),
- Wecken von Grundantrieben (z. B. Hunger),
- Veränderung der Funktionen der Sinnesorgane (Gehör, Geruch),
- Beeinflussung der Sensibilität (Juckreiz),
- Veränderung der Motorik (Lähmungen),
- Vasokonstriktion oder -dilatation,
- Steigerung der Magensaftproduktion,
- Änderung des Menstruationszyklus,
- Beeinflussung des Mineralstoffwechsels,
- Senkung des Blutkalziumspiegels,
- Auslösung von Fieber;
• Experimente sind wiederholbar (Eignung der Methode für experimentelle Forschungen),
• Wichtig ist das Erleben der „realen Situation" (z. B. einer Verbrennung), nicht der kategorische Befehl: sinnliche Anschaulichkeit und intensive Affektbesetzung sind Voraussetzung für die Verwirklichung der Experimente,
• Indikationen:
  - Kopfschmerzen, Obstipation (Suggestion gegen ein Symptom),
  - Bewußtmachen verdrängter Erlebnisse (Hypnokatharsis),
  - als Heilschlaf (hypnotisch herbeigeführter Schlaf).

Literatur

Kemper W (1954/55) Erwägungen zur psychosomatischen Medizin. Z Psychosom Med 1:38–44
Stocksmeier U (1984) Lehrbuch der Hypnose. Karger, Basel

Konzentrative Bewegungstherapie

Definition: Körperorientierte psychotherapeutische Methode, bei der Wahrnehmung und Bewegung als Grundlage des Denkens, Fühlens und Handelns genutzt werden.

Besonderheiten:
• Proband konzentriert sich auf den eigenen Körper,
• es geht um die Erfahrung äußerer Objekte im aktiven Erspüren, Ertasten, Bewegen,
• meist als Gruppenübung,
• steigert das Selbstwertgefühl,
• konzentrative Beschäftigung mit frühen Erfahrungsebenen (einfühlend und handelnd),
• Belebung von Erinnerungen, die sich im körperlichen Ausdruck als Haltung, Bewegung, Verhalten zeigen,
• Förderung der Wahrnehmungsfähigkeit der Sinne,
• differenzierte Beschäftigung mit dem eigenen Körper.

Indikationsgebiete:
- bei psychosomatischen Beschwerden zusätzlich zu verbalen Verfahren,
- bei „alexithymen" Patienten, die schwer Zugang zu ihren Gefühlen finden,
- bei Patienten mit gestörtem Körperschema,
- Motivationsstärkung für psychotherapeutisch-aufdeckende Verfahren.

Ziele:
- Förderung des Selbstverständisses und des Selbstbewußtseins,
- Vermittlung von Sinnhaftigkeit,
- Berücksichtigung psychodynamischer Faktoren,
- Anregung von Lernprozessen im sozialen Feld,
- körperliche Entspannung.

Literatur

Gräff C (1983) Konzentrative Bewegungstherapie in der Praxis. Hippokrates, Stuttgart
Stolze H (1984) Die konzentrative Bewegungstherapie. Grundlagen und Erfahrungen. Mensch & Leben, Berlin

Stationäre Psychotherapie (Abb. 53–55)

Beurteilung der Indikation für Psychotherapie
1. Psychisch-unbewußter Bereich:
   - Motivation,
   - Introspektionsfähigkeit,
   - Flexibilität,
   - Verwöhnungshaltungen,
   - sekundärer Krankheitsgewinn,
   - Regressionstendenz.
2. Realitätsbereich:
   - Familie,
   - partnerschaftliche Situation,
   - berufliche Lage,
   - Alter.

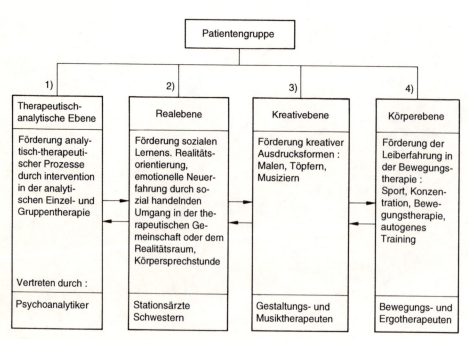

Abb. 53. Modell stationär analytisch-psychotherapeutischer Organisationsform

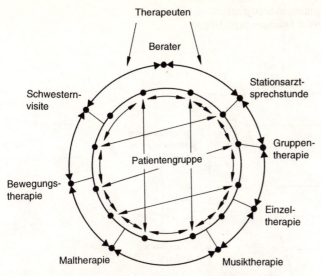

Abb. 54. Integratives Modell stationärer Psychotherapie

Indikationen zur klinischen Psychotherapie
1. Die ständige ärztliche Überwachung in der Klinik:
   internistisch: Anorexia nervosa,
   Asthma bronchiale,
   Colitis ulcerosa,
   Morbus Crohn,
   sonstige Organfunktionsstörungen;
   psychiatrisch: Borderlinepatienten,
   Suizidgefahr,
   Sucht (?).
2. Das Schonklima der Klinik:
   - Krisenschutz für Patienten in Psychotherapie,
   - präpsychotische Grenzfälle, Suizidgefahr,
   - lebensbedrohliche Symptome, Agieren,
   - Schutz für die Beziehungspersonen bei Charakterneurosen, Willkürdurchbrüchen, Unruhe- und Verwirrtheitszuständen,
   - keine ambulante Behandlung möglich bei schweren Phobien und Angstneurosen, gewissen Zwangssymptomen, Gangstörungen,
   - Schutz vor negativem Einfluß der Umgebung, Fixierung an das häusliche Milieu, Ehekristen.
3. Größere Effektivität zeitlich limitierter Therapie:
   - Kurztherapie (Gruppen-, Einzeltherapie) zur Vorbehandlung und Vorbereitung zur Langzeittherapie,
   - Behandlungsversuch,
   - Diagnose- und Prognoseabklärung,
   - Intervalltherapie.

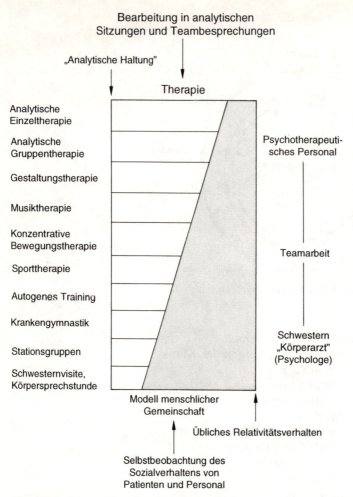

Abb. 55. Stellenwert der eingesetzten Therapieformen

4. Mehrdimensionales therapeutisches Angebot insbesondere bei:
   - Rehabilitationspatienten,
   - Patienten mit Defekten ihrer Ich-Funktionen,
   - psychosomatisch Kranke mit Ich-syntoner Symptomatik.
5. Indikation aus regionalen Gründen.

Kontraindikationen für stationäre Psychotherapie
- akute, ernsthafte Suizidimpulse,
- sexuelle Perversionen als Hauptsymptom,
- neurotische Erkrankungen, bei denen eingefahrene Ersatzbefriedigungshaltungen im Vordergrund stehen (Sucht),
- Verwahrlosungshaltungen („Psychopathien"),
- hirnorganische Persönlichkeitsveränderungen,

- endogene und exogene Psychosen,
- epileptische Wesensveränderungen.

Grundannahmen:

- Der Umgang mit den stationären Rahmenbedingungen ist Aufgabe in jeder therapeutischen Beziehung.
- Die multipersonalen Beziehungen sind ein multipersonales Übertragungsangebot.
- Der therapeutische Prozeß ist ein wechselseitiger Grundprozeß zwischen Patientengruppe und Therapeutengruppe.

3 Formen von Gruppentherapie im Rahmen stationärer Behandlung:
- In der analytisch-therapeutischen Gruppe stehen die interaktionell sich anbietenden Konflikte im Vordergrund des Geschehens mit der Möglichkeit frühkindliche, familiäre Muster, die sich szenisch gestalten, aufzudecken, in Verbindung mit auftretenden Widerständen und den damit häufig verbundenen Somatisierungen erkennbar zu machen und durchzuarbeiten.
- In der Stationsgruppe treten die realen Gegebenheiten im Beziehungskontext in den Mittelpunkt und ermöglichen dem Patienten stärker eine Korrektur seiner Wahrnehmungsmöglichkeiten und tragen zur Veränderung seines sozialen Verhaltens bei.
- In den sich ständig bietenden Gruppensituationen, etwa beim Essen, im Krankenzimmer, bei Sport und Spiel, bei Ausflügen, auf der Parkbank, ergibt sich die Möglichkeit eines gegenseitigen Austausches – gleichsam ohne therapeutische Aufsicht. Die Auseinandersetzung mit dem anderen fördert (auch) das Einüben erkannter und erwünschter Verhaltensänderungen.

Literatur

Arfsten AF, Auchter T, Hoffmann SO, Kind H, Stemmer T (1975) Zur stationären Behandlung psychotherapeutischer Problempatienten oder: Noch ein Modell stationärer Psychotherapie. Gruppenpsychother Gruppendyn 9:212–220

Heigl F (1987) Indikation und Prognose in Psychoanalyse und Psychotherapie, 2. Aufl. Vandenhoeck & Ruprecht, Göttingen

Janssen PL (1987) Psychoanalytische Therapie in der Klinik. Klett, Stuttgart

Klußmann R (1992) Psychosomatische Medizin, 2. Aufl. Springer, Berlin Heidelberg New York Tokyo

Balint-Arbeit

Definition: Gruppenarbeit von Ärzten zur Erweiterung der Umgangsmöglichkeiten mit dem Patienten hinsichtlich des affektiven Interaktionsaspektes der Arzt-Patienten-Beziehung.

Ablauf auf 4 Ebenen:
1. Sachebene:
   - fachliche Kompetenz des Arztes,
   - Realität des sozialen Gesundheitswesens;
2. Informationsebene:
   - Mitteilungen des Patienten an den Arzt,
   - Mitteilungen des Arztes an den Patienten;
3. Handlungsebene: umfaßt diagnostische und therapeutische Maßnahmen,
4. Beziehungsebene: betrifft Hoffnungen, Wünsche, Ängste, Rollenerwartungen des Patienten wie des Arztes.

Balint-Gruppen sind
- patientenzentrierte Selbsterfahrungsgruppen,
- Seminare.

Lernziel: Verbesserung der Arzt-Patienten-Beziehung:
- Einstellung zu Kranken, Krankheit und Arzt:
  ○ Krankheit ist (auch) Zeichen von pathologischen Objektbeziehungen,
  ○ Symptome sind (auch) sinnvolle, jedoch teilweise mißglückte Angebote zur Beziehungsaufnahme,
  ○ Der Arzt ist das wichtigste diagnostische und therapeutische Mittel,
  ○ Die Arzt-Patienten-Beziehung ist wichtig für den Krankheitsverlauf;
- Wahrnehmungseinstellung des Arztes:
  ○ Teilnehmende, verstehende Wahrnehmung,
  ○ Erkennen latenter Angebote in manifesten Verhaltensweisen des Kranken,
  ○ Widerstandsreaktionen als sinnvoll annehmen;
- Wahrnehmungsverarbeitung des Arztes:
  ○ Selbstwahrnehmung der eigenen Reaktionen, Gefühle,
  ○ Reflexion der Selbstwahrnehmungen,
  ○ Erkennen von (Gegen)übertragungsgefühlen,
  ○ Vermeidung unbedachter Reaktionen, Wertungen,
  ○ Gesamtdiagnoseerstellung;
- Aktionale Konsequenzen:
  ○ Initiierung positiver Entwicklungsmöglichkeiten,
  ○ Übernahme von mehr Verantwortung durch den Patienten,
  ○ Verbreiterung der Skala reflektierter ärztlicher Verhaltensweisen.

Forderungen an einen Balint-Gruppen-Leiter:
- Er muß über ausreichende psychoanalytische Kompetenz verfügen.
- Er muß lange genug als Gruppenmitglied und als Koleiter an einer anerkannten Balint-Gruppe teilgenommen haben.
- Er muß ausreichende Erfahrung in Gruppendynamik und Gruppenpsychoanalyse haben.
- Er muß die Bereitschaft aufbringen, Partner und nicht „Lehrer" seiner Gruppe zu sein, in dem Bewußtsein, daß der Lernprozeß auf Gegenseitigkeit beruht.

Literatur

Balint M (1957) Der Arzt, sein Patient und die Krankheit. Klett, Stuttgart
Balint M, Balint E (1963) Psychotherapeutische Techniken in der Medizin. Huber, Bern
Luban-Plozza B (Hrsg) (1974) Praxis der Balint-Gruppen. Lehmann, München
Rosin U (1981) Thesen zur Balint-Arbeit. Unveröffentl Manuskript. Tagung des DAGG, Berlin
Wesiack W (1981) Thesen zur Balint-Arbeit. Unveröffentl Manuskript. Tagung des DAGG, Berlin

Psychopharmaka und Psychotherapie

Sozialmedizinisch:
- USA: 15% der Amerikaner nehmen Tranquilizer oder Tagessedativa, 5% Stimulanzien,
- BRD: 8% der Männer, 19% der Frauen.
  Ausgaben 1981 für Tranquilizer: 1 Mrd. DM, für Psychotherapie: 70 Mio. DM,
- *Compliance:* Übereinstimmung (von Arzt und Patient),
- *Noncompliance:* mindestens 33% aller Patienten nehmen die vom Arzt verordneten Medikamente nicht ein.

Verordnung von Medikamenten:
- Verschreiben ohne ärztliche Zuwendung ist verantwortungslos,
- Fragen: Welche Erscheinungen sollen beeinflußt werden? Warum gerade in diesem Augenblick?
- Verordnung ist Teil der Arzt-Patienten-Beziehung. Unbewußte Momente fließen ein. Arzt als Droge,
- Beachtung der gegenseitigen Verschränkungen hinsichtlich der Erwartungen [mit (Gegen)übertragungen].

Medikamente in der Psychotherapie:
- bei Einsatz bei Psychoanalysen (sehr begrenzt),
- bei Zwangsneurosen, Psychosen, schweren psychosomatischen Krankheiten in der Anfangsphase,
- bei Gefährdung des therapeutischen Prozesses durch Angsteinbrüche,
- Ich-stabilisierender Effekt durch Anxiolytika (leichterer Einstieg in konfliktaufdeckendes Vorgehen möglich),
- bei schweren narzißtischen Neurosen und Depressionen zur Herstellung eines Arbeitsbündnisses.

Arzt als Droge:
- Aufnahme „eines Stücks Arzt" als infantile Befriedigung,
- Patient wehrt sich, fühlt sich abgeschoben,
- Absetzen des Medikaments als Liebesentzug,
- paradoxe Wirkungen durch „Arzt als Droge" erklärbar.

Literatur

Klußmann R (1992) Psychosomatische Medizin, 2. Aufl. Springer, Berlin Heidelberg New York Tokyo

Hinweise zur Indikation für besondere Therapieformen

Psychoanalyse

- Psychoreaktive seelische Störungen (z. B. Angstneurosen, Phobien, neurotische Depressionen),
- Konversionsorganneurosen,
- vegetative funktionelle Störungen mit gesicherter psychischer Ätiologie,
- seelische Behinderungen aufgrund frühkindlicher emotionaler Mangelzustände,
- seelische Behinderungen in Zusammenhang mit frühkindlichen körperlichen Schädigungen und/oder Mißbildungen (in Ausnahmefällen),
- seelische Behinderungen als Folgezustände schwerer chronischer Krankheitsverläufe, sofern sie noch einen Ansatzpunkt für die Anwendung von tiefenpsychologisch fundierter und analytischer Psychotherapie bieten (z. B. Zustand bei chronisch verlaufenden rheumatischen Erkrankungen, speziellen Formen von Psychosen),
- seelische Behinderungen aufgrund extremer Situationen, die eine schwere Beeinträchtigung der Persönlichkeit zur Folge hatten (z. B. langjährige Haft, schicksalhafte psychische Traumen).

Tiefenpsychologisch fundierte Psychotherapie

Diese umfaßt Therapieformen,
- die aktuell wirksame neurotische Konflikte behandeln, dabei aber
  - durch Begrenzung des Behandlungszieles,
  - durch ein konfliktzentriertes Vorgehen und
  - durch Einschränkung regressiver Tendenzen;
- eine Konzentration des therapeutischen Prozesses anstreben.

Analytische Psychotherapie

Diese umfaßt jene Psychotherapieformen, die zusammen mit der neurotischen Symptomatik
- den neurotischen Konfliktstoff und
- die zugrundeliegende neurotische Struktur des Patienten behandeln und dabei

- das therapeutische Geschehen in Gang setzen und fördern
  ○ mit Hilfe der Übertragungs- und Widerstandsanalyse,
  ○ unter Nutzung regressiver Prozesse.

Analytische Gruppentherapie

Diese ist geeignet für Patienten
- mit psychosomatischen Störungen (Zugang zu introspektiven Techniken erschwert),
- mit hysterisch-zwanghaften Strukturen,
- deren Verhalten durch Allmachtsphantasien motiviert ist (Einzelkindsituation),
- mit Verhaltensstörungen in bezug auf den Umgang mit Autoritäten,
- mit verwahrlostem, dissozialem Verhalten (Jugendliche),
- mit Zwangsstrukturen (aufgrund von Angst vor Veränderung und Wandel).

Wichtig: vorherige Klärung der Frage, ob der Patient die Therapie im Rahmen der Gruppe verkraften kann (Beachtung der Toleranzgrenze).

Psychotherapie in der Klinik

1. Aus ärztlichen Gründen
a) Ständige ärztliche Überwachung in der Klinik:
   internistisch:
   - Magersucht,
   - beeinträchtigende psychosomatische Symptome wie
     ○ Asthma bronchiale,
     ○ Ulcus ventriculi et duodeni,
     ○ sonstige Funktionseinschränkungen;
   psychiatrisch:
   - Psychosen,
   - Suizidgefahr,
   - Süchte.
b) Schonklima der Klinik:
   - Schutz für den Patienten:
     ○ Krisenschutz während laufender ambulanter Analyse etwa bei schizoiden Patienten,
     ○ präpsychotische Grenzfälle,
     bei depressiven Patienten:
       — Suizidgefahr,
       — häufiges Nichterscheinen bei ambulanter Behandlung,
       — Entziehungskur;

- o bei zwangsneurotischen Patienten:
  — lebensbedrohende Symptome
  — präpsychotische Zustände;
- o bei hysterischen Patienten: Agieren;
• Schutz für Beziehungspersonen bei
  o Charakterneurosen,
  o Unruhe- und Verwirrtheitszuständen,
  o Willkürdurchbrüchen,
  o Agieren,
  o psychotischen Erscheinungen;
• symptombedingte Unmöglichkeit ambulanter Therapie bei
  o Agoraphobie,
  o sonstigen Phobien
  o gewissen Zwangssymptomen,
  o Angstneurosen,
  o Gangstörungen,
  o sozial untragbaren Tics;
• Schutz vor negativem Einfluß der Umgebung bei
  o Ehekrisen,
  o Fixierung auf das häusliche Milieu.
c) Größere Effektivität zeitlich limitierter Therapie in der Klinik:
  • Indikationen zur Kurztherapie (Gruppentherapie, Einzeltherapie, analytisch orientierte Gespräche):
    o zur Vorbehandlung und Vorbereitung einer Langzeitanalyse,
    o zum Behandlungsversuch mit gleichzeitiger prognostischer Klärung.
d) Breite der therapeutischen Möglichkeiten in der Klinik:
  • Indikation zur Anwendung mehrerer psychotherapeutischer Methoden zur
    o Vorbeugung von Invalidität,
    o Anwendung pragmatischer Verfahren.
e) Suggestiver Charakter der Klinik:
  • Indikationen bei Patienten mit Fixierung auf organogene Vorstellungen:
    o zur Vorbehandlung und zum Behandlungsversuch.

2. Indikationen aus äußeren, nichtärztlichen Gründen
   • Kostenträger nicht vorhanden,
   • Fehlen von Psychotherapeuten am Wohnort des Patienten.

Literatur

Heigl F (1987) Indikation und Prognose in Psychoanalyse und Psychotherapie, 2. Aufl. Vandenhoeck & Ruprecht, Göttingen

Therapeutisches Bündnis/Arbeitsbündnis/Pakt (Abb. 56–57)

Der Therapeut sollte bei Beginn der Behandlung
- zuhören, um herauszufinden
  - welches die Probleme des Patienten sind,
  - welche Zielvorstellungen der Patient hat,
  - wie er sie der Bedeutung nach ordnet;
- dem Patienten erklären, was der Therapeut tut,
- klare Absprachen über die Behandlung treffen,
- die Entwicklung einer vertrauensvollen und tragfähigen Beziehung ermöglichen,
- den Behandlungsprozeß mit grundlegenden Formulierungen der wichtigsten Beziehungsprobleme und der mit ihnen verbundenen Symptome einleiten.

1. Vereinbarungen/„äußerer" Rahmen
    - Dauer der Therapiesitzung
      üblich: 50 Minuten (Therapeut und Patient sollten sich daran halten),
    - Stundenfrequenz absprechen mit möglichst festen Terminen,
    - Dauer der Therapie:
      - zeitliche Festlegung (oft durch Gesetze der Krankenkasse bestimmt),
      - keine zeitliche Festlegung. Dem Patienten etwa sagen: „Die Therapie sollte so lange fortgeführt werden, bis Therapeut und Patient zu der Auffassung gelangen, daß die Zeit für eine Beendigung gekommen ist." Vor dem Ende wenigstens 2–3 Sitzungen Zeit nehmen und zurückblicken, was geschehen ist und erreicht wurde (Abbau der Übertragung wichtig, Trennung besprechen);
    - klare Absprachen über die Finanzierung/Geld:
      - Kostenübernahme durch die Krankenkasse:
        Beginn erst nach Genehmigung des Gutachterverfahrens, sonst muß der Patient selber zahlen,
      - Vom Patienten abgesagte Sitzungen: (Freud 1913a): „Der Patient ‚mietet' eine bestimmte Stunde; alle Sitzungen, zu denen der Patient nicht

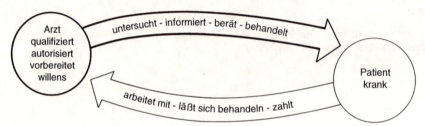

Abb. 56. Vertrag zwischen Arzt und Patient

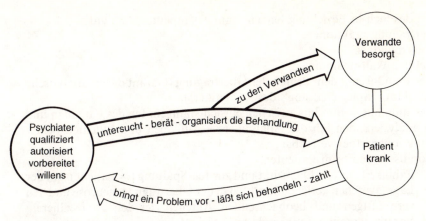

Abb. 57. Vertrag zwischen Psychiater/Psychotherapeut, Patient und Umfeld

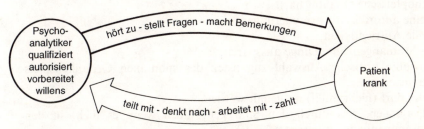

Abb. 58. Vertrag zwischen Psychoanalytiker und Patient

erscheint, muß er selber bezahlen, es sei denn, daß die frei gehaltene Stunde mit einem anderen Patienten belegt werden kann. Bei schwerer organischer Krankheit oder schwerwiegenden äußeren Umständen gilt die Therapie als unterbrochen."
(Ausgefallene Stunden zählen nicht zur Leistungspflicht der Krankenkassen),
  o Rechnungen monatlich stellen und bezahlen lassen,
  o Psychotherapie und Psychoanalyse = geschäftliche und vertragliche Abmachungen;
• wichtige Schritte und Entscheidungen der Lebensplanung verschieben, bis die Analyse/Therapie beendet ist (zumindest sorgfältig erörtern) (z. B. Hochzeit, Scheidung, Arbeitsplatzwechsel),
• keine physischen Krankheiten behandeln, aber körperliche Reaktionen zur Sprache bringen,
• Ferienpläne möglichst lange vorher besprechen und Patient bitten, seine eigenen möglichst entsprechend einzurichten,
• kein Telefon – wenn nicht anders möglich, dann Entschuldigung.

2. Voraussetzungen/„innerer" Rahmen (überwiegend für psychoanalytische Psychotherapie)

3 Arten des Sich-in-Beziehung-Setzens zum Therapeuten/Analytiker
1. Übertragungsreaktionen,
2. Arbeitsbündnis,
3. objektive Wahrnehmungen;
- Arbeitsbündnis mit dem Primat der Übertragung (Garant dafür: analytische Neutralität, „Spiegelhaltung" des Analytikers),
- Arbeitsbündnis = Bündnis zwischen einsichtsfähigem Ich des Patienten und dem analysierenden Ich des Analytikers = Aufgaben und Pflichten beider Interaktionspartner vereinbart
  o Voraussetzung beim Patienten:
    — Fähigkeit zur Ich-Elastizität und zur Ich-Spaltung (= Patient ist in der Lage, zwischen „erlebendem" Ich in der Übertragungsneurose und den vernünftigen und beobachtenden Anteilen des Ich zu oszillieren: Voraussetzung: ausreichende Ich-Stärke);
- Grundregel:
  o freie Assoziation (betont den Zusammenhang; Gegensatz „Einfall", der schöpferische Qualität hat),
  o keine autoritären Formulierungen,
  o volle Aufrichtigkeit,
  o nicht unangenehme Dinge aussparen,
  o bewußte kritische Auswahl zugunsten des spontanen Gedankenspiels aufgeben,
  o alles darf (nicht muß!) mitgeteilt werden,
  o alles sagen, was durch den Sinn geht (auch wenn es nicht in den Zusammenhang zu passen scheint),
  o „Bitte versuchen Sie, alles mitzuteilen, was Sie denken und fühlen. Sie werden bemerken, daß dies nicht einfach ist, aber der Versuch lohnt sich." (Thomä/Kächele);
- Grundelement des Arbeitsbündnisses: Rechte des Patienten schützen;
- Die Fähigkeit, ein Arbeitsbündnis einzugehen, hängt von dem realistischen Motiv ab, Hilfe bekommen zu wollen.

Arbeitsbündnis:
- Essenz: zuerst Übertragung bis zu einer maximalen Intensität zulassen,
- Indikatoren
  o Patient hat ausgewogenes Verhältnis zu sich selbst,
  o zum Analytiker,
  o zu wichtigen Personen der Vergangenheit und Gegenwart;
- Arbeitsbündnis als Sonderform der Übertragung:
  Patient will sich
  o vertrauensvoll überlassen,
  o bereitwillig anpassen,
  o sich als guter Patient darstellen,
  o zeigen, daß er sich schnell ändern und gesund werden kann;
- zusätzliche formale Fragen:
  o erklären, warum Fragen nicht beantwortet werden,
  o keine Diagnosen stellen,

o Mitteilung einer Abwesenheit am Ende der Stunde, mehrere Stunden vor Abwesenheit des Therapeuten,
o keine Kontakte nicht-analytischer Art,
o enge Verwandte (Ehefrau/Ehemann) eventuell sehen während einer Patientenstunde; Inhalt des Gesprächs dem Patienten mitteilen.
Vorteile:
— wie sieht Partner „wirklich" aus,
— ihn/sie vor voreiligen Reaktionen auf das Verhalten des Patienten warnen.

Literatur

Freud S (1913) Zur Einleitung der Behandlung. GW Bd VIII, S 453–478
Körner J (1989) Kritik der „therapeutischen Ich-Spaltung". Psyche 43:385–396
Luborsky L (1988) Einführung in die analytische Psychotherapie. Springer, Berlin Heidelberg New York Tokyo
Menninger KA, Holzman PS (1977) Theorie der psychoanalytischen Technik. Frommann-Holzboog, Stuttgart
Mertens W (1990) Einführung in die psychoanalytische Therapie. Bd II, S 149–164, Kohlhammer, Stuttgart
Mertens W (1992) Psychoanalyse, 4. Aufl. Kohlhammer, Stuttgart
Porsch U, Rudolf G, Grande T (1988) Formen der therapeutischen Arbeitsbeziehung. Z Psychosom Med Psychoanal 34:50–75
Rudolf G, Grande T, Porsch U (1988) Die initiale Patient-Therapeut-Beziehung als Prädikator des Behandlungsverlaufs. Z Psychosom Med Psychoanal 34:32–49
Thomä H, Kächele H (1985) Lehrbuch der psychoanalytischen Therapie. Springer, Berlin Heidelberg New York Tokyo

Teil 5
Leitfaden zur Antragstellung für Psychotherapie nach den Psychotherapie-Richtlinien

Begriffsbestimmungen

Definition: Seelische Krankheit ist eine krankhafte Störung der Wahrnehmung, der Erlebnisverarbeitung, der sozialen Beziehungen und der Körperfunktion und ist der willentlichen Steuerung durch den Patienten nicht mehr oder nur teilweise zugänglich.
Dafür müssen kausale, psychodynamisch wirksame Zusammenhänge, die einen Konflikt erkennen lassen, dargelegt werden können.

Psychotherapie im Sinne der Richtlinien: Danach handelt es sich um ätiologisch orientierte Psychotherapie. Gegenstand der Behandlung ist die unbewußte Psychodynamik neurotischer Störungen mit psychischer und/oder somatischer Symptomatik.

Tiefenpsychologisch fundierte Psychotherapie:
- Diese behandelt aktuell wirksame neurotische Konflikte,
- Begrenzung des Behandlungszieles,
- Konzentration des therapeutischen Prozesses durch
  - konfliktzentriertes Vorgehen,
  - Einschränkung regressiver Tendenzen;
- Formen:
  - Fokaltherapie,
  - andere Verfahren der analytischen Kurztherapie (wie etwa die dynamische Psychotherapie nach Dührssen).

Analytische Psychotherapie:
- Zusammen mit der neurotischen Symptomatik wird behandelt:
  - der neurotische Konfliktstoff und
  - die zugrundeliegende neurotische Struktur;
- das therapeutische Geschehen wird in Gang gesetzt und gefördert mit Hilfe von
  - Übertragungs- und Widerstandsanalyse,
  - regressiven Prozessen.

Leistungspflicht der Krankenkassen: Diese ist nur gegeben, wenn
- die Psychotherapie der Heilung oder Linderung einer Krankheit im Sinne der RVO dient oder
- der medizinischen Rehabilitation mit dem Ziel der Eingliederung des Patienten in Beruf oder Gesellschaft,
- Indikationen für Psychotherapie gegeben bei
  - kurzfristig aktualisierten Neurosen,
  - psychogenen Körperstörungen,
  - chronifizierten Krankheitsbildern,
  - seelischen Behinderungen verschiedenster Art,

- o speziellen Formen von Psychosen,
- o wenn psychodynamische Faktoren eine wesentliche Rolle spielen;
- einziger Ausschlußgrund: eine zu ungünstige Prognose.

Behandlungsplan:
- Der Plan beinhaltet prognostische Überlegungen betreffend:
  - o Behandlungsziel,
  - o beabsichtigtes therapeutisches Verfahren,
  - o die dafür benötigte Stundenzahl;
- Kombination verschiedener Psychotherapieverfahren nicht möglich,
- Bregrenzung der Stundenzahl:
  - o bei tiefenpsychologisch fundierter Psychotherapie: in der Regel 40–50 Stunden, unabhängig von der Zeitdauer,
  - o bei analytischer Psychotherapie, in der Regel 160 Stunden,
  - o Überschreitungen bedürfen einer erneuten Antragstellung mit ausführlicher Begründung;
- Probebehandlung von 25 Stunden kann beantragt werden, wenn endgültige Indikationsstellung noch nicht möglich erscheint.

Grundsatzüberlegungen zur Antragstellung

- Die einzelnen Punkte des Antrags (Symptomatik, Anamnese, Psychodynamik, Diagnose) sind – für den Gutachter nachvollziehbar – im Zusammenhang zu sehen.
- Im Antrag muß die Verknüpfung zwischen
  - o frühkindlicher Disposition,
  - o auslösender Konfliktsituation,
  - o neurotischem Konflikt,
  - o neurotischer Symptomatik

    einsichtig beschrieben werden;
- Generell geht man von folgenden Annahmen aus:
  - o Disposition zu späterer Krankheit im frühen Kindesalter erworben,
  - o spezifische Versuchungs- und Versagungssituation im Erwachsenenalter sind auf dem Hintergrund der frühkindlichen Disposition zu verstehen und
  - o aktualisieren einen neurotischen Konflikt, der
  - o im neurotischen Symptom seine Verarbeitung findet.

Informationsblatt für tiefenpsychologisch fundierte und analytische Therapie bei Erwachsenen

Der Fragenkatalog für den Erst- und Fortführungsantrag wie auch für den Ergänzungsbericht des Therepeuten ist als Hilfsmittel zur Abfassung der Berichte an den Gutachter erstellt worden. Der Therapeut kann daher in seinem Bericht unter den aufgeführten Hinweisen seine fallbezogene Auswahl treffen. Die Berichte sollen sich auf die Angaben beschränken, die für das Verständnis der psychischen Erkrankung, ihrer ätiologischen Begründung, ihrer Prognose und ihrer Behandlung erforderlich sind.

Bericht zum Erstantrag – PT 3 a bzw. PT 3 a E

1. **Spontanangaben des Patienten**
   Schilderung der Klagen des Patienten und der Symptomatik zu Beginn der Behandlung, – möglichst mit wörtlichen Zitaten –. Ggf. auch Bericht der Angehörigen/ Beziehungspersonen des Patienten.
   (Warum kommt der Patient zu eben diesem Zeitpunkt und durch wen veranlaßt?)

2. **Kurze Darstellung der lebensgeschichtlichen Entwicklung**
   a) Familienanamnese,
   b) körperliche Entwicklung
   c) psychische Entwicklung,
   d) soziale Entwicklung mit besonderer Berücksichtigung der familiären und beruflichen Situation, des Bildungsganges und der Krisen in phasentypischen Schwellensituationen.

3. **Krankheitsanamnese**
   Es sollen möglichst alle wesentlichen Erkrankungen, die ärztlicher Behandlung bedurften oder bedürfen, erwähnt werden, insbesondere bereits früher durchgeführte psychotherapeutische Behandlungen.

4. **Psychischer Befund zum Zeitpunkt der Antragstellung**
   a) Emotionaler Kontakt, Intelligenzleistungen und Differenziertheit der Persönlichkeit, Einsichtsfähigkeit, Krankheitseinsicht, Motivation des Patienten zur Psychotherapie.
   b) Bevorzugte Abwehrmechanismen, ggf. Art und Umfang der infantilen Fixierungen, Persönlichkeitsstruktur.
   c) Psychopathologischer Befund (z. B. Bewußtseinsstörungen; Störungen der Stimmungslage, der Affektivität und der mnestischen Funktionen; Wahnsymptomatik, suizidale Tendenzen).

5. **Somatischer Befund**
   Das Ergebnis der körperlichen Untersuchung, bezogen auf das psychische und das somatische Krankheitsgeschehen, ist mitzuteilen.
   Der somatische Befund soll nicht älter als 3 Monate sein. Die Mitteilung des körperlichen Befundes ist grundsätzlich erforderlich. Wenn ein somatischer Befund nicht mitgeteilt wird, muß der antragstellende Arzt dies hier begründen. Falls die körperliche Untersuchung nicht vom ärztlichen Psychotherapeuten selbst durchgeführt wird, müssen Angaben zum somatischen Befund eines anderen Arztes, evtl. auch zu dessen Therapie (ggf. gebietsbezogen) beigefügt werden.

Bei Delegation und Beauftragung ist dieser Punkt vom delegierenden Arzt auf der Rückseite des Formblattes PT 3 abc bzw. PT 3 abc E zu beantworten.

6. Psychodynamik der neurotischen Erkrankung
Darstellung der neurotischen Entwicklung und des intrapsychischen neurotischen Konfliktes mit der daraus folgenden Symptombildung. (Zeitpunkt des Auftretens der Symptome und auslösende Faktoren im Zusammenhang mit der Psychodynamik, auch der interpersonellen Dynamik, sind zu beschreiben.)
Bei Behinderung und bei strukturellen Ich-Defekten ist ein von Behinderung und Defekt abgesetztes, aktuell wirksames Krankheitsgeschehen in seiner Psychodynamik darzustellen.

7. Neurosenpsychologische Diagnose zum Zeitpunkt der Antragstellung
Darstellung der Diagnose auf der symptomatischen und strukturellen Ebene; differentialdiagnostische Erwägung unter Berücksichtigung auch anderer Befunde ggf. unter Beifügung der anonymisierten Befundberichte.
(Auch von anderen Ärzten erhobene Befunde, besonders der letzten 3 Monate, sowie die Ergebnisse klinischer Untersuchungen und Behandlungen sind anonymisiert als Kopie beizufügen.)

8. Behandlungsplan und Zielsetzung der Therapie
Begründung für die Wahl der Behandlungsform und deren Anwendung in Einzel- oder Gruppentherapie. Bei Gruppentherapie sind Gruppensetting, Zusammensetzung der Gruppe und die gruppenspezifische Indikation, auch die Erfahrung des Patienten in natürlichen und sozialen Gruppen, darzustellen. Es muß ein Zusammenhang nachvollziehbar dargestellt werden zwischen der Art der neurotischen Erkrankung, der Sitzungsfrequenz, dem Therapievolumen und dem Therapieziel, das unter Berücksichtigung der nach den Psychotherapie-Richtlinien begrenzten Leistungspflicht der Krankenkasse als erreichbar angesehen wird.
Andere Verfahren als die in den Psychotherapie-Richtlinien genannten Behandlungsmethoden (B I 1.1) können nicht Bestandteil des Behandlungsplans sein.

9. Prognose der Psychotherapie
Beurteilung des Problembewußtseins des Patienten, Beurteilung seiner Verläßlichkeit und seiner partiellen Lebensbewältigung sowie seiner Fähigkeit oder seiner Tendenz zur Regression; Beurteilung seiner Flexibilität und seiner Entwicklungsmöglichkeiten.

10.
Dient der Erstantrag einer **Umwandlung von Kurzzeittherapie in Langzeittherapie**, sind zusätzlich folgende Fragen zu beantworten und die Antworten im Bericht voranzustellen.
1) Welches sind die Gründe für die Änderung der Indikation und die Umwandlung in Langzeittherapie?
2) Welchen Verlauf hatte die bisherige Therapie?

Bericht zum Fortführungsantrag – PT 3 b bzw. PT 3 b E

1. Wichtige Ergänzungen zu den Angaben in den Abschnitten 1.–4. des Berichtes zum Erstantrag auf PT 3 a
Symptomatik und ggf. deren Veränderung, lebensgeschichtliche Entwicklung und Krankheitsanamnese, psychischer Befund und Bericht der Angehörigen des Patienten, Befundberichte aus ambulanter oder stationärer Behandlung.

2. Ergänzungen zur Psychodynamik der neurotischen Erkrankung:
Die interpersonelle Dynamik (Übertragung, Gegenübertragung und Widerstand) des Patienten im Verlaufe der Therapie, neu gewonnene Erkenntnisse über intrapsychische

Konflikte – ggf. besonders auch deren aktuelle und abgrenzbare Auswirkungen bei seelischen Behinderungen – sind darzulegen.

3. **Ergänzungen zur neurosen-psychologischen Diagnose bzw. Differential-Diagnose**

4. **Zusammenfassung des bisherigen Therapieverlaufes:**
   a) Mitarbeit des Patienten, seine Regressionsfähigkeit bzw. -tendenz, Fixierungen, Flexibilität,
   b) angewandte Methoden, erreichte Effekte,
   c) bei Gruppentherapie: Entwicklung der Gruppendynamik, Teilnahme des Patienten am interaktionellen Prozeß in der Gruppe, Möglichkeiten des Patienten, seinen neurotischen Konflikt in der Gruppe zu bearbeiten.

5. **Änderung des Therapieplanes und Begründung**

6. **Prognose nach dem bisherigen Behandlungsverlauf**
   Begründung der wahrscheinlich noch notwendigen Behandlungsfrequenz und -dauer, mit Bezug auf die Entwicklungsmöglichkeiten des Patienten und seines Umfeldes.

Ergänzungsbericht – PT 3c bzw. PT 3cE

Die Inanspruchnahme der Behandlung im Rahmen der Höchstgrenzen nach E 1.2.8 der Psychotherapie-Richtlinien erfordert einen Antrag des Versicherten (des Patienten, ggf. seines gesetzlichen Vertreters) auf Fortführung der Behandlung (Formblatt PTV 1 bzw. PTV 1 E), dem ein aktueller Bericht nach PT 3b bzw. PT 3bE und zusätzlich ein Ergänzungsbericht (PT 3c bzw. PT 3cE) beizufügen ist.

Im zusätzlichen Ergänzungsbericht ist die Fortführung der Behandlung über den Leistungsumfang hinaus, der in den Psychotherapie-Richtlinien unter E 1.2.1 – 1.2.7 festgelegt wurde, zu begründen und zur beabsichtigten Überschreitung des Behandlungsumfanges Stellung zu nehmen. Dabei sollen folgende Fragen beantwortet werden:

1. Welche Erwartungen knüpft der Patient an die Fortführung der Behandlung? Was möchte er noch erreichen?
2. Welche Zielvorstellungen verbindet der Therapeut mit der im Bericht zum Fortführungsantrag dargestellten Therapie?
3. Kann die Beendigung der psychotherapeutischen Behandlung durch Reduzierung der Behandlungsfrequenz ermöglicht oder erleichtert werden?
4. Welche Stundenzahl wird für die Abschlußphase der psychotherapeutischen Behandlung unbedingt noch für erforderlich gehalten?
   Welche Sitzungsfrequenz und welche Behandlungsdauer bis zur Beendigung der Therapie ist vorgesehen?

Ergänzende Angaben des Arztes im Delegations- oder Beauftragungs-Verfahren, gem. Rückseite des Formblattes PT 3 a/b/c bzw. PT 3 a/b/c E

Die ergänzenden Angaben des Arztes setzen die Kenntnis des Therapeuten-Berichtes in freier Form voraus. Der Arzt muß den Patienten im Rahmen der Antragstellung selbst untersucht haben. Er kann aktuelle psychische und somatische Befunde und epikritische Beurteilungen anderer Ärzte vorlegen und ggf. dann auf eine eingehendere körperliche Untersuchung verzichten. In jedem Falle trägt der delegierende bzw. beauftragende Arzt die Verantwortung für die medizinische Diagnose/Differentialdiagnose, auch hinsichtlich einer psychiatrischen Erkrankung, und für die Sicherstellung einer etwa notwendigen ärztlichen Begleittherapie.

In den Fragen der Indikationsstellung und der Wahl des Behandlungsverfahrens wie auch der prognostischen Einschätzung nimmt der Arzt aufgrund der Erörterung der therapeutischen Situation mit dem Therapeuten Stellung und bemüht sich für die Dauer des Behandlungsverlaufes um eine möglichst enge und kooperative Zusammenarbeit mit dem Therapeuten.
Zur Beantwortung der Fragen 1–7 auf der Rückseite des PT 3 bzw. PT 3E genügen stichwortartige Hinweise, die dem Gutachter eine ausreichende Information zur Beurteilung des Therapieantrages zur Verfügung stellen.

Quelle: Kassenärztliche Vereinigung Bayerns

Orientierungshilfen für die Formulierung eines Antrages auf Feststellung der Leistungspflicht für Psychotherapie

Zu Punkt 1 (Spontanangaben des Patienten)
- Wörtliche Wiedergabe der besonders charakteristischen Eingangsklagen,
- Formulierungen mit Appellcharakter und subjektivem Leidensdruck bevorzugen,
- geschilderte Beschwerden müssen Krankheitswert haben,
- Darstellungsform:
  - wörtliche Wiedergabe der Eingangsklagen,
  - Zusammenfassende Beschreibung der Symptomatik,
  - Hinweis auf die Dauer des Symptoms,
  - Erwähnung charakteristischer Begleitumstände.

Zu Punkt 2: Kurze Darstellung der lebensgeschichtlichen Entwicklung (psychische Anamnese mit sozialer Familienanamnese)
- wichtige soziale Daten über das Kindheitsmilieu und die frühkindlichen Beziehungspersonen,
- Charakterisierung der frühkindlichen Beziehungspersonen und ihres Verhältnisses zum Patienten,
- Angaben über den Verlauf der Schwangerschaft, frühkindliche und allgemeine körperliche Entwicklung bis zur Pubertät,
- psychische Entwicklung unter Angabe
  - traumatisierender Situationen,
  - besonderen Milieubelastungen,
  - wesentlicher Konflikte, die die Disposition für die spätere neurotische Erkrankung geschaffen haben;
- Schulische und berufliche Entwicklung:
  - soziale Daten,
  - Kontakt- und Leistungsverhalten,
  - Motiv der Berufswahl,
  - beruflicher Werdegang,
  - typische Schwierigkeiten am Arbeitsplatz;
- Sexuelle Entwicklung und Partnerschaft:
  - frühkindliche Sexualität,
    — sexuelle Entwicklung bis zur Pubertät,
    — Pubertätskrisen, 1. Partnerschaft, 1. Koitus, weitere Entwicklung der Partnerbeziehungen;
  - Einstellung zur Partnerschaft und Sexualität,
  - Charakterisierung der gegenwärtigen Partnerschaft,
  - Einstellung zu Kindern, Ehe (evtl. Scheidung).

Zu Punkt 3 (Krankheitsanamnese)
- Angaben über frühere Erkrankungen,
- insbesondere über eine früher durchgeführte Psychotherapie.

Zu Punkt 4 (Befund zum Zeitpunkt der Antragstellung)
Psychischer Befund (eng mit Prognose verknüpft), bezieht sich vor allem auf:
- Rapportfähigkeit,
- Introspektionsfähigkeit,
- Wandlungsfähigkeit des Patienten und seine
- Motivation für die psychotherapeutische Behandlung,
- grob abnorme psychopathologische Auffälligkeiten dürfen nicht verschwiegen werden; wichtig ist die
- Beurteilung intakter Ich-Anteile, die ein
- therapeutisches Arbeitsbündnis ermöglichen.
- Aufzeigen einer Zukunftsperspektive (Prognose) mit
  o emotionalem Wachstumspotential und
  o Wandlungsmöglichkeiten;
- psychiatrischer Befund (unter Berücksichtigung der intakten Ich-Anteile) zu trennen vom
- psychoanalytischen Befund (Strukturmerkmale, Abwehrmechanismen, Regressionsneigung usw.).

Zu Punkt 5 (somatischer Befund)
- Wurde ein somatischer Befund erhoben? Wenn ja, welcher? (evtl. Bericht beilegen),
- auf letzte Untersuchung beim Hausarzt verweisen,
- Welche Untersuchungen hat man selber veranlaßt, welches Ergebnis haben sie erbracht?

Zu Punkt 6 (Psychodynamik der neurotischen Erkrankung)
- Etwas unterschiedliche Darstellung eines chronifizierten und eines aktuellen Krankheitsgeschehens,
- bei chronifiziertem Geschehen Hinweise auf
  o Veränderungen in äußeren Lebensbedingungen (aktuelle Konfliktsituation) und darauf,
  o daß bisherige Form der Anpassung bzw. Konfliktlösung nicht mehr tragfähig ist zum Erhalt des Gleichgewichts sowie Begründung,
  o warum der Patient gerade jetzt in Behandlung kommt.
- Mögliche Gliederung:
  o Darstellung der äußeren Ereignisse, die zeitlich mit der Entstehung, der Exazerbation oder der Wandlung der Symptomatik zusammenfallen,
  o Zuordnung dieser Ereignisse zu einem neurotischen (d.h. immer intrapsychischen) Konflikt, der auf diese Weise aktualisiert oder verändert wurde, unter Bezugnahme auf die entsprechenden disponierenden Faktoren der Genese,
  o Darstellung der Symptomatik als eines neurotischen Versuchs der Konfliktlösung.

Zu Punkt 7 (neurosenpsychologische Diagnose zum Zeitpunkt der Antragstellung)
- Klassifizierung des Krankheitsbildes nach der Symptomatik in Verbindung mit einer diagnostischen Aussage über die Persönlichkeitsstruktur,
- Differentialdiagnostische Überlegungen vor allem bei Verdacht auf schwere Störungen.

Zu Punkt 8 (Behandlungsplan und Zielsetzung der Therapie)
- bei tiefenpsychologisch fundierter Psychotherapie:
  - Beschränkung des Behandlungsziels mit Bearbeitung eines ausgegrenzten neurotischen Konflikts,
  - Ziel: Symptombesserung (oder -heilung),
  - Angabe, welcher Konfliktanteil bearbeitet werden soll, welches Ziel damit verfolgt wird,
  - Angabe der Wahl der Form der Kurztherapie mit Begründung und Anzahl und Frequenz der Sitzungen,
  - bei Fokaltherapie Angabe des Fokus;
- bei analytischer Psychotherapie:
  - Begründung, warum Arbeit an der neurotischen Struktur nötig ist bzw. warum Erweiterung des Behandlungsziels über das Symptom hinaus unumgänglich ist (etwa: neurotischer Konflikt ausgeprägt mit Struktur der Persönlichkeit verflochten);
- bei analytischer Gruppentherapie (ähnlich wie oben),
- Entscheidung, ob Gruppen- oder Einzeltherapie mit der Frage:
  - Sollen Konflikte eher im sozialen Umfeld ausgetragen werden?
  - Sollen neue soziale Lernmöglichkeiten eröffnet werden?
    Wenn ja, dann Gruppentherapie.
  - Soll sich Patient eher mit seinen inneren Objekten auseinandersetzen?
    Wenn ja, dann Einzeltherapie.

Zu Punkt 9 (Prognose der Psychotherapie)
Neben Punkt 6 („Psychodynamik") von besonderer Bedeutung:
- abzuwägen sind günstige und ungünstige Faktoren (die günstigen sind jedoch besonders hervorzuheben),
- Darstellung ähnlich wie unter Punkt 5 („Psychischer Befund").

Literatur

Rohde-Dachser C (1975; unveröffentlicht) Leitfaden zur Antragstellung für Psychotherapie nach den neuen Psychotheratpierichtlinien

Beispiele*

Beispiel zur Antragstellung für eine analytische Einzeltherapie

Es sei darauf hingewiesen, daß dieses Beispiel kein „Muster" darstellen kann: die Auslösesituation, die Psychodynamik, die Prognose und der Behandlungsplan müssen für den jeweiligen Patienten individuell überlegt werden.
Die Antragstellung erfolgt in freier Form von nicht mehr als 3 Schreibmaschinenseiten. Formblätter hierfür sind entfallen. Der Antrag wird in einem roten Umschlag, der nur für den Gutachter bestimmt ist, zusammen mit den Daten des Patienten (hierfür gibt es ein Formblatt) der Krankenkasse zugeschickt.

Patient V (26 Jahre alt, Student)

Zu Punkt 1 (Spontanangaben)

„Vor 4 Jahren hat es begonnen, als ich abends etwas mehr getrunken hatte. Da bekam ich starkes Herzklopfen, Herzschmerzen, einen schnellen Herzschlag. Dabei hatte ich große Angst. Ich mußte mich dann übergeben. Dann kam der Notarzt und gab mir eine Kalziumspritze – aber dann wurde es noch schlechter. Seither bin ich immer wieder bei Ärzten, wurde gründlich durchuntersucht. Nie wurde etwas gefunden. Seither ist es einmal kurz vor einer schweren Prüfung aufgetreten. Dann schien es weg zu sein. Aber jetzt kam es im Urlaub wieder. Ich fühle mich sehr beeinträchtigt. Ich war auch im Krankenhaus. Nichts hat geholfen. Außerdem habe ich mit der Blase zu tun. Man sprach von einer ‚Prostatitis'. Das kommt auch immer wieder."

Zu Punkt 2: kurze Darstellung der lebensgeschichtlichen Entwicklung (psychische Anamnese mit sozialer Familienanamnese)

Als Kind mit 5 Jahren für 1 Jahr Bronchialasthma („immer, wenn ich zur Großmutter kam – das lag an den Bettfedern"); Scheuermann-Krankheit, Appendektomie, Tonsillektomie, Prostatitis (s.o.), Gastritiden.
Patient ist in M. geboren; seine Eltern ließen sich scheiden, als er 12 Jahre alt war. Einzelkind. Er habe bei der Mutter gelebt, zum Vater kaum ein Verhältnis gehabt. „Ich bin auf Mutter fixiert". Vater (+ 36 Jahre), Angestellter, Vertreter, habe in den ersten Jahren, als Mutter arbeiten gegangen sei, viel Zeit für ihn gehabt, viel rausgefahren in den Wald, zusammen Streiche gemacht. Er sei verschwenderisch, habe kein Verhältnis zum Geld, sei cholerisch-aufbrausend. Mutter (+ 38 Jahre) sei dagegen kleinlich, sparsam, habe strenge moralische Auffassungen; bei Tisch alles sauber, streng geregelt, gutes Benehmen sehr wichtig; enge räumliche Verhältnisse; zunächst auch Kindermädchen in der Familie. „Ich habe Angst, daß Mutter was passiert – dann ist meine Existenzgrundlage weg." Bis 25. Lebensjahr bei ihr gewohnt. Bis zum 11. Lebensjahr zu dritt in einem Raum geschlafen, dann bis vor einem Jahr im Wohnzimmer.

---

* Die Lebensgeschichten der angeführten Beispiele wurden in einer Weise verändert, daß die Person nicht erkennbar ist, die Psychodynamik aber unentstellt deutlich blieb.

Primordialsymptomatik: Angstträume, „braves Kind". „Ich war der Heiratsgrund."
Früheste Kindheitserinnerung: „Mutter erzählte, daß bei der Geburt das Licht ausging." Mutter habe ihm sehr viel Freiheit gelassen, sich wenig um ihn gekümmert, habe aber gedroht, ihn von der Schule zu nehmen, wenn er durchfalle. Vater hatte keine Ausbildung, kein Verständnis für längeres Studium. Mutter war stolz auf den „studierten Sohn".
Patient schreibt an der Diplomarbeit, will dann promovieren. Finanziell von der Mutter abhängig; lebt seit 1/2 Jahr in Untermiete. Wenig Zeit für Hobbys. Zwischen 18 und 24 mit Mädchen befreundet, „bei denen habe ich mich zu Hause gefühlt" (damals verschleppte Harnwegsinfektion). „Ich hatte immer Angst, Mutter alleine zu lassen. Sie machte mir auch Vorwürfe." Damals sei bei einer Feier die erste Herzsymptomatik aufgetreten, als er getrunken habe (Auslösesituation!). Er sei nach Hause gegangen, Mutter nicht dagewesen, sei aber sofort gekommen, als sie hörte, es ginge ihm schlecht. Ähnliche Situation einige Monate vor der Untersuchung mit verstärkter Symptomatik. Zu gleicher Zeit hatte er eine Beziehung zu einem Mädchen, „das mich anfangs begeistert hat, weil sie immer lachte und hübsch war". Dann ging sie mir auf die Nerven; ich mußte immer an Mutter denken, die jetzt allein wohnt."
Er selbst bezeichnet sich als ehrgeizig, könne aber nicht durchhalten, sei leicht kränkbar, könne schlecht mit Ärger umgehen, fresse ihn in sich rein oder „platze" heraus, sei sehr anhänglich.

Zu Punkt 3 (Krankheitsanamnese)

- als Kind mit 5 Jahren für 1 Jahr „Bronchialasthma" („immer, wenn ich zur Großmutter kam – das lag an den Bettfedern"),
- Scheurmannsche Krankheit,
- Appendektomie mit 7 Jahren,
- Tonsillektomie mit 9 Jahren,
- Prostatitis seit einigen Jahren,
- immer wieder mal Gastritiden,
- keine voraufgegangenen psychotherapeutischen Behandlungen.

Zu Punkt 4 (psychischer Befund zum Zeitpunkt der Antragstellung)

Sympathischer, aufgeschlossener, gut aussehender, sportlicher Patient, lässig gekleidet; guter Blickkontakt, emotional ansprechbar; er scheint bereit, seinen Lebensplan in Frage zu stellen, geht auf Reizdeutungen ein, ist differenziert, intelligent; wesentliche Abwehrmechanismen: Rationalisierung, Regression; keine Bewußtseinsstörungen, keine Wahnsymptomatik, keine suizidalen Tendenzen.

Zu Punkt 5 (somatischer Befund)

Es wurde kein pathologischer organischer Befund erhoben, weder am Herzen, am Herz-Kreislauf-System, noch an der Blase, der Prostata oder im Bereich des Magen-Darm-Traktes. Befunde anbei.

Zu Punkt 6 (Psychodynamik der neurotischen Erkrankung)

Die im Vordergrund der Problematik und Symptomatik stehenden Herzbeschwerden gehen hauptsächlich auf einen Trennungskonflikt in bezug auf die Mutter zurück. Auch sie „hängt" sehr an ihrem Sohn, kehrt aus dem Urlaub zurück, wenn es ihm mal nicht gut geht. Sie ist sehr besorgt um ihn. Patient seinerseits spricht von ihr als seiner „Existenzgrundlage", die nicht allein materiell zu deuten ist. Bis vor wenigen Monaten hat er noch bei ihr gewohnt. Eine Schuldproblematik spielt insofern eine Rolle, als er nicht frei von Gedanken an seine Mutter mit seinen Freundinnen zusammen sein kann, sich aber andererseits bei ihnen wohler fühlt, weil er hofft, den Armen der Mutter „entfliehen" zu können. Individuationstendenzen stehen in Widerstreit mit Geborgenheitswünschen, Symptome traten zweimal in der Zeit auf, als die Mutter – mit einem Freund – in Urlaub war; mit Hilfe der Beschwerden hat er sie „zurückholen" können. Umgekehrt kann Patient nicht frei mit seinen Freundinnen zusammen sein. In diesem Zusammenhang ist ein Sichschuldigfühlen bei den ersten sexuellen Kontakten und den rezidivierenden Harnwegsinfektion mit der Prostatitis zu diskutieren. Hierher gehört auch das betont progressiv-forsche Verhalten des Patienten als Kompensation der Abhängigkeit von der Mutter. Die wechselhaft intensive und ambivalente Beziehung zu seinem Vater dürfte die Findung der eigenen Geschlechtsrolle erschwert haben.

Zu Punkt 7 (neurosenpsychologische Diagnose zum Zeitpunkt der Antragstellung)

Es handelt sich bei dem Patienten überwiegend um eine narzißtische Persönlichkeitsentwicklung mit weitgehend depressiver, zwanghafter, aber auch schizoider Abwehrorganisation; der Symbiose-Individuationsprozeß ist ebenso behindert wie die Findung eines sicheren Selbstwertgefühls und der Identität. Die ausgeprägten Somatisierungstendenzen sind in diesem Kontext zu sehen.

Zu Punkt 8 (Behandlungsplan und Zielsetzung der Therapie)

Bei dem Patienten ist eine analytische Psychotherapie (Einzelbehandlung) indiziert und vorgesehen. Eine analytische Gruppentherapie lehnte der Patient ab. Eine analytische Psychotherapie ist angezeigt, weil der beschriebene neurotische Konflikt als auch die erhebliche körperliche Symptomatik eng mit der Struktur der Gesamtpersönlichkeit verflochten ist und eine Besserung mit Hilfe einer niederfrequenten Form von Psychotherapie ohne Übertragungsneurose und deren Aufarbeitung nicht zu erwarten ist.
Die Voraussetzungen für diese Art von Psychotherapie sind günstig und sollte bei dem jugendlichen Alter des Patienten unbedingt versucht werden; Einschränkungen der Prognose ergeben sich aus der Frage des Durchhaltevermögens des Patienten.
Der Versicherungsträger wird um Zustimmung und Unterstützung dieses Antrages auf analytische Psychotherapie, durchgeführt nach den üblichen Regeln, von zunächst 80 Sitzungen gebeten.

Zu Punkt 9 (Prognose der Psychotherapie)

Die Prognose ist als nicht allzu schlecht anzusehen; dafür spricht das Introspektionsvermögen, die Differenziertheit des Patienten, die anzunehmende Flexibilität mit der Bereitschaft, den Lebensplan in Frage zu stellen. Der Leidensdruck ist groß, die Motivation zur Behandlung gut. Ein erfolgreicher Abschluß der Behandlung wird davon abhängen, ob der Patient die Therapie durchhalten wird. Nach dem Gesamteindruck, den bereits ausgeprägten Somatisierungstendenzen und wegen des relativ jungen Alters sollte eine analytische Psychotherapie unbedingt versucht werden.

Beispiel zur Antragstellung für eine tiefenpsychologisch fundierte Psychotherapie

Patientin I.S., 25 Jahre alt, Studentin

Zu Punkt 1 (Spontanangaben)

„Ich habe micht fast nicht mehr auf die Straße getraut, habe mich mit Tüchern verhängt... für mich gibt es nur richtig oder falsch, gut oder böse... lieber keine Beziehung, als ausgenützt zu werden... ich leide unter meinen schlimmen Gedanken, ich bin so neidisch, eifersüchtig... ich kann Kritik nicht aushalten, da muß ich gleich weinen... ich verschließe mich ganz, vor allem... ich habe bisher noch nicht mit meinem Freund geschlafen."

Patientin sucht die psychosomatische Ambulanz einer Universitätsklinik auf, weil sie einen Zusammenhang zwischen ihren Akneschüben und den Beziehungsschwierigkeiten mit ihrem Freund vermutet.

Patientin kann sich nicht an Doktorspiele erinnern, sie bekam von den Eltern keine Aufklärung und „im Biologieunterricht hörte ich nicht zu".
Masturbation bis zum 12. Lebensjahr mit großen Schuldgefühlen, seitdem habe sie das Gefühl, daß sie nur bis zum Nabel existiere.
Traum aus dieser Zeit: „Ich bin in der Augenklinik, liege in einer Maschine, sehe mich an, da habe ich plötzlich Brüste und einen Penis, ich bin behaart, ich werde untersucht, das erlebe ich lustvoll." Dieser Traum wiederholt sich öfter vom 6.–12. Lebensjahr. Menarche mit 14 Jahren, „ich war total entsetzt", von der Mutter nicht aufgeklärt. Zitat Mutter: „Die Männer wollen immer nur das eine, laß dich nicht ausnützen." Seit der Pubertät Engagement in der Pfarrgemeinde, Jugendarbeit, „Männer ließ ich an mich nicht ran". Mit 23 Jahren erstmals feste Beziehung, nach 2 Monaten Trennung, kein GV, „bevor es soweit war, habe ich mich getrennt". Mit 24 Jahren lernte sie den jetzigen Partner kennen, gleichaltrig, fraulicher Typ, Religionspädagogikstudent. Nach 4 Wochen Bekanntschaft lernte dieser eine andere Frau im Urlaub kennen, ihre Reaktion: „Die andere ist selbstbewußter, schöner, er schläft vielleicht mit ihr, das halte ich nicht aus, ich kann nicht mit ihr kämpfen, das macht mich kaputt". Erneut schwerer Akneschub. Ihre Reaktion auf Partnerprobleme, sie zieht sich zurück, gekränkt, hängt Tagträumereien nach, innerliche Leere, Antriebslosigkeit, Sinnlosigkeit der Beziehung. „Ich darf nur mit ihm schlafen, wenn ich ihn auch heiraten könnte." Als er beschließt, den Abend mit einer früheren Freundin zu verbringen, geht sie wütend aus dem Haus und bastelt nach einem Spaziergang einen Adventskalender für ihn.

Berufliche Entwicklung:

Nach dem Abitur geht sie ein Jahr als Au-Pair-Mädchen nach ●, gegen den Willen des Vaters. „Du schaffst das nicht, du kommst bald zurück." Sie hätte sich trotz großem Heimweh durchgebissen und dabei das Weinen verlernt.
Als einzige der Geschwister hätte sie das Abitur gemacht und jetzt das Pädagogikstudium fast abgeschlossen.

Zu Punkt 2 Kurze Darstellung der lebensgeschichtlichen Entwicklung (psychische Anamnese und soziale Familienanamnese)

Die Patientin wurde 1965 als zweite Tochter eines kleinen Landwirts (Haupterwerb) in einem Dorf in Schwaben geboren. Sie hat 3 Schwestern (+ 2, − 1, − 4 Jahre) und einen Bruder (− 9 Jahre).
Ihre Eltern waren beide 39 Jahre alt bei ihrer Geburt. Mit im Haushalt lebten die Großeltern mütterlicherseits sowie 2 Großtanten und -onkel, alle unverheiratet. Die Familienatmosphäre war geprägt von kath. Moralvorstellungen (ein Großonkel war Pfarrer, eine Großtante Pfarrhaushälterin), Fleiß, schwäbische Sparsamkeit, elterliche Autorität und Strenge.
Den Vater erlebte die Patientin in der traditionellen Männerrolle verhaftet, er habe nie den Kinderwagen geschoben, im Haushalt der Mutter geholfen. Er übte im Dorf viele Ämter aus, war geschätzt, freundlich und lustig, zuhause jedoch „despotisch", nörglerisch, abwertend, ungerecht und verteilte „ungefragt" Ohrfeigen. Der Mutter oblagen alle Pflichten im Haushalt, Garten, Stall und bei der Kinderbetreuung und -erziehung. Die Mutter beschreibt die Patientin als das „Gegenteil" vom Vater: gutmütig, sanft, nie aufmuckend, aufopfernd, jedoch stur. Zärtlichkeiten gab es zuhause keine, körperliche Berührungen seien ebenso wie Auseinandersetzungen, Gespräche oder Diskussionen tabu gewesen. Der Vater war von den Schwiegereltern nicht

akzeptiert und zog sich zunehmend in die Dorfwelt aus der Familie zurück. Die Beziehung zu ihren Schwestern sei gut gewesen, sie sei als Kleinkind wegen ihrer Bravheit immer gelobt worden, im Gegensatz zu ihren Schwestern, die sich oft gestritten hätten.

Zu Punkt 3 (Krankheitsanamnese)

Die zwei Jahre ältere Schwester der Patientin leidet an einer Angstneurose. Familienanamnese sonst unauffällig.
Schwangerschaft unauffällig, Klinikspontangeburt, Dammschnitt, Nottaufe im Krankenhaus wegen lebensbedrohlicher Salmonellose, deswegen 9 Wochen stationär, keine Stillzeit, selten Besuche der Mutter, angeblich schlechte Verkehrsverbindung zur Klinik. Vom 3.–6. Lebensjahr häufige ambulante Untersuchungen in der Augenuniklinik Tübingen wegen Schielens, Augenpflasteranwendungen. Frühe Sauberkeitserziehung (ca. 16 Monate), übl. Kinderkrankheiten, mit 14 Jahren erstmals Akne im Gesicht, Akneschübe vor allem bei Belastungssituationen, deswegen jahrelange dermatologische Behandlungen; in den letzten 12 Monaten Behandlung durch Heilpraktikerin; neuer Akneschub bei Neubeginn der jetzigen Partnerbeziehung; in den letzten Monaten erhöhte Infektanfälligkeit.

Zu Punkt 4 (Psychischer Befund zum Zeitpunkt der Antragstellung)

Im Erstkontakt fällt an der jünger wirkenden, gut aussehenden, mittelgroßen Patientin der scheue Blick und die langen dunkelbraunen, das Gesicht halb verdeckenden Haare auf. Sie ist jungmädchenhaft, gepflegt gekleidet, die Bewegungen wirken etwas eckig und zögernd.
Im Kontakt ist sie aufmerksam, zugewandt. Sie ist für eine Therapie gut motiviert.
Verdrängung der libidinösen und symbiot. Wünsche, Projektion der Trennungswünsche, Isolierung, die zu einer betont sachlichen Haltung bezüglich Objektbeziehungen führt, Reaktionsbildung, statt Auseinandersetzungen zu führen, betonte Zärtlichkeit gegenüber Partner und Eltern, Identifizierung u. a. mit der Sexualmoral der Eltern.
Störungen der Affektivität etc. liegen nicht vor.

Zu Punkt 5 (somatischer Befund)

Patientin wurde vor 3 Wochen in der Hautklinik und der Inneren Klinik der Universität ambulant untersucht; ein pathologischer körperlicher Befund konnte nicht erhoben werden.

Zu Punkt 6 (Psychodynamik der neurotischen Erkrankung)

In der von emotionaler Kargheit, extrem einengender, leistungsorientierter geprägten Familienatmosphäre kommt es zu schwersten Einschränkungen aller Entwicklungsstufen.
Die Patientin erlebt die ersten 9 Lebenswochen in einer Klinik, von ihrer Mutter getrennt, die sie nicht stillte und dort nur selten besuchte, bedroht von einer „schmutzigen" Krankheit, die bis heute vor der Patientin verheimlicht wurde. Wahrscheinlich fühlte sich die Mutter für die Salmonellose verantwortlich und war dazu von der Geburt einer zweiten Tochter enttäuscht, ebenso der Vater, der auf einen Hoferben hoffte.
Es ist anzunehmen, daß die Patientin aggressive Regungen in Bezug auf die rigide Mutter als äußerst gefährlich erlebte, mußte sie doch um den Verlust des einzigen Objekts fürchten, da der Vater selten anwesend war. Als Kind zeichnet sich die Patientin durch braves Verhalten aus, wahrscheinlich eine frühzeitige resignative Anpassung an die Eltern.
Die ödipale Entwicklung verlief vor dem Hintergrund des von der Familie abgelehnten, abwesenden Vaters, der bei Anwesenheit durch körperliche Züchtigung ängstigte, schwer gestört.
So stellt die von symbiot. Wünschen und Unterordnungstendenzen bestimmte Partnerbeziehung der in ihrer weiblichen Identität schwer gestörten Patientin eine Wiederholung der von symbiotischer Enge und unausgetragenen Machtkämpfen bestimmten Familienbeziehung dar.

Auslösend für die Verschlimmerung ihrer Symptome dürfte die Schwellensituation des Berufseintritts (Jahrespraktikum) und die damit verbundene notwendige Ablösung vom Elternhaus sein. Sie kann vor dem Hintergrund der eigenen nicht vollzogenen Trennung von den Eltern keine befriedigende Beziehung zu einem Partner aufbauen. Der Anspruch an sich, eine ideale Beziehung zu ihrem Freund zu verwirklichen, löst eine nicht erlebbare Wut über diese Enttäuschung in ihr aus und diese richtet sie nun gegen sich selbst.

Zu Punkt 7 (neurosenpsychologische Diagnose zum Zeitpunkt der Antragstellung)

Es handelt sich bei der Patientin um eine depressive Neurose bei narzißtischer Persönlichkeitsentwicklung mit überwiegend depressiven und zwanghaften Strukturanteilen sowie ausgeprägten Somatisierungstendenzen und Beziehungsstörungen.

Zu Punkt 8 (Behandlungsplan und Zielsetzung der Therapie)

Es soll versucht werden, mit einer tiefenpsychologisch orientierten Einzeltherapie bei einer Frequenz von 1 Wochenstunde die aktuelle Konfliktsituation zu bearbeiten. Zu einer tieferen Regression mit Anstreben einer Übertragungsneurose in einem analytisch-psychotherapeutischen Setting ist die Patientin derzeit nicht in der Lage. Die Einzeltherapie ist jedoch dringend indiziert, um einer weiteren Verschlechterung der Symptome vorzubeugen und der Patientin die autoaggressiven Anteile der vorliegenden Störung zu verdeutlichen. Über die Lockerung der extremen Aggressionshemmung als auch der Objektverlustängste wird es – unter dem Schutz der therapeutischen Beziehung – der Patientin möglich sein, ihre Erfahrungen in die Realität zu übertragen.

Zu Punkt 9 (Prognose der Psychotherapie)

Aufgrund der bisher stattgefundenen Gespräche ist die Prognose als günstig anzusehen. Die Patientin konnte sich innerhalb weniger Stunden auf einen therapeutischen Prozeß einlassen. Wenngleich immer wieder eine leistungsorientierte Grundhaltung zu dominieren versucht, zeigt die Patientin ausreichende Flexibilität, Symbolisierungs- und Introspektionsfähigkeit. Im Assoziationsmaterial zeigt sich eine deutlich positive Übertragung, wobei jedoch auch die Ambivalenz in der Mutterübertragung deutlich spürbar ist, daß die Patientin trotz der genannten Beschwerden über ausreichende Ich-Stärke verfügt und bisher eine gute partielle Lebensbewältigung gezeigt hat.

Es werden zunächst 50 Stunden einer tiefenpsychologisch fundierten Psychotherapie beantragt. Danach sollte erneut abgeschätzt werden, ob die Überführung der beantragten Behandlung in eine analytische Langzeittherapie sinnvoll erscheint.

Die Tabellen 30 bis 36 geben einen Überblick über das Gutachterverfahren in den verschiedenen Therapieformen (aus: Faber u. Haarstrick 1991).

Tabelle 30. Niederfrequente Therapie als Sonderform der tiefenpsychologisch fundierten Psychotherapie

Behandlungsdauer
1–5 Jahre bei wechselnder, durchweg niederfrequenter Sitzungszahl je Woche oder Monat

1. Bewilligungsschritt im Normalfall für die Dauer eines Behandlungsjahres:
   30 Einzelsitzungen (50 Min.)
   oder
   60 Einzelsitzungen (25 Min.)
   und
   30 Doppelsitzungen (100 Min.)
   Gruppenbehanndlung

2. Bewilligungsschritt im Normalfall für die Behandlungsdauer von weiteren 1–2 Jahren:
   wie beim ersten Bewilligungsschritt

3. Bewilligungsschritt in besonders begründeten Fällen für die Behandlungsdauer von weiteren 1–2 Jahren:
   20 Einzelsitzungen (50 Min.)
   oder
   40 Einzelsitzungen (25 Min.)
   und
   20 Doppelsitzungen (100 Min.)
   Gruppentherapie

4. Bewilligungsschritt bis zur Höchstgrenze im Ausnahmefall für die Behandlungsdauer eines Jahres:
   20 Einzelsitzungen (50 Min.)
   oder
   40 Einzelsitzungen (25 Min.)

Verkürzte Sitzungen und Gruppenbehandlungen können beantragt und bei dieser Therapieform vom Therapeuten variabel eingesetzt werden.
Die Durchführung der Gruppenbehandlung setzt natürlich auch bei der Niederfrequenten Therapie eine entsprechende Qualifikation des Therapeuten voraus

Tabelle 31. Tiefenpsychologisch fundierte Psychotherapie

Behandlungsdauer
1/2–3 Jahre bei in der Regel einer Sitzung in der Woche

1. Bewilligungsschritt im Normalfall:
   25–50 Einzelsitzungen (50 Min.)
   oder
   40 Doppelstunden Gruppenbehandlung

2. Bewilligungsschritt in besonders begründeten Fällen:
   30 Einzelsitzungen (50 Min.)
   oder
   20 Doppelsitzungen Gruppenbehandlung

3. Bewilligungsschritt bis zur Höchstgrenze in Ausnahmefällen:
   20 Einzelsitzungen (50 Min.)
   oder
   20 Doppelsitzungen Gruppenbehandlung

Tabelle 32. Analytische Psychotherapie

Behandlungsdauer
1-4 Jahre bei in der Regel 2-3 Sitzungen in der Woche

1. Bewilligungsschritt im Normalfall:
   160 Einzelsitzungen (50 Min.)
   oder
   80 Doppelstunden Gruppenbehandlung
   bei einer Sitzung wöchentlich [a]

2. Bewilligungsschritt im Normalfall:
   80 Einzelsitzungen (50 Min.)
   oder
   40 Doppelstunden Gruppenbehandlung

3. Bewilligungsschritt bis zur Höchstgrenze im Ausnahmefall:
   60 Einzelsitzungen (50 Min.)
   oder
   30 Doppelstunden Gruppenbehandlung

[a] Wenn bei einer Gruppenbehandlung zwei Sitzungen wöchentlich durchgeführt werden, ist die doppelte Stundenzahl zu beantragen, ohne daß sich jedoch die Gesamtzahl der bewilligten Sitzungen dadurch vergrößert

Tabelle 33. Tiefenpsychologisch fundierte oder analytische Kinder-Psychotherapie

Behandlungsdauer
1-3 Jahre bei in der Regel 1-2 Sitzungen in der Woche

1. Bewilligungsschritt im Normalfall:
   50 Einzelsitzungen (50 Min.)
   oder
   40 Doppelstunden Gruppenbehandlung

2. Bewilligungsschritt im Normalfall:
   40 Einzelsitzungen (50 Min.)
   oder
   20 Doppelstunden Gruppenbehandlung

3. Bewilligungsschritt in besonders begründeten Fällen:
   30 Einzelsitzungen (50 Min.)
   oder
   20 Doppelstunden Gruppenbehandlung

4. Bewilligungsschritt bis zur Höchstgrenze im Ausnahmefall:
   30 Einzelsitzungen (50 Min.)
   oder
   10 Doppelstunden Gruppenbehandlung

Tabelle 34. Verhaltenstherapie

Behandlungsdauer
1–2 Jahre bei in der Regel einer Sitzung in der Woche

1. Bewilligungsschritt im Normalfall:
   45 Einzelsitzungen (50 Min.)
   oder
   90 Einzelsitzungen (25 Min.)

2. Bewilligungsschritt in besonders begründeten Fällen:
   15 Einzelsitzungen (50 Min.)
   oder
   30 Einzelsitzungen (25 Min.)

3. Bewilligungsschritt bis zur Höchstgrenze im Ausnahmefall:
   20 Einzelsitzungen (50 Min.)
   oder
   40 Einzelsitzungen (25 Min.)

Der Therapeut kann im Rahmen des individuellen Behandlungsplanes in angemessenem Umfang auch eine Behandlung des Patienten in der Gruppe beantragen. Dabei wird die Doppelstunde Gruppentherapie auf das gesamte Therapiekontingent wie eine Einzelstunde angerechnet. Sinngemäß ist die Durchführung einer Gruppen-Psychotherapie mit einer Dauer von 50 Min. auf das Therapiekontingent wie eine halbe Einzelstunde anzurechnen

Tabelle 35. Tiefenpsychologisch fundierte oder analytische Psychotherapie von Jugendlichen

Behandlungsdauer
1–3 Jahre bei in der Regel 1–2 Sitzungen in der Woche

1. Bewilligungsschritt im Normalfall:
   60 Einzelsitzungen (50 Min.)
   oder
   30 Doppelstunden Gruppenbehandlung

2. Bewilligungsschritt in besonders begründeten Fällen:
   60 Einzelsitzungen (50 Min.)
   oder
   30 Doppelstunden Gruppenbehandlung

3. Bewilligungsschritt bis zur Höchstgrenze im Ausnahmefall:
   60 Einzelsitzungen (50 Min.)
   oder
   30 Doppelstunden Gruppenbehandlung

Tabelle 36. Verhaltenstherapie bei Kindern und Jugendlichen

Behandlungsdauer
1/2 bis 1 Jahr bei in der Regel einer Sitzung in der Woche

1. Bewilligungschritt im Normalfall:
   45 Einzelsitzungen (50 Min.)
   oder
   90 Einzelsitzungen (25 Min.)

2. Bewilligungsschritt in besonders begründeten Fällen:
   15 Einzelsitzungen (50 Min.)
   oder
   30 Einzelsitzungen (25 Min.)

Siehe die Anmerkung für die Verhaltenstherapie bei Erwachsenen

Literatur

Faber FR, Haarstrick R (1991) Psychotherapie-Richtlinien, Kommentar, 2. Aufl. Jungjohann, Neckarsulm

**Teil 6
Anhang**

Aus- und Weiterbildung

1. *Aus- und Weiterbildung für Zusatzbezeichnungen*
   - *Psychotherapie*
     - über den Weg „tiefenpsychologisch fundierter Psychotherapie"
     - über den Weg „verhaltenstherapeutischer Psychotherapie"
     zusätzlich
     - Gruppenpsychotherapie
   - *Psychoanalyse*

2. *Aus- und Weiterbildung für Gebietsbezeichnungen*
   - *Psychotherapeutische Medizin*
   - *Psychiatrie und Psychotherapie*
   - *Kinder- und Jugendpsychiatrie und Psychotherapie*
   Übergangsbestimmungen

3. *Ausbildung zum Psychoanalytischen Therapeuten (Vollausbildung)*
   Weiterbildungsrichtlinien der DGPT

1. Aus- und Weiterbildung für Zusatzbezeichnungen

Zusatzbezeichnung „Psychotherapie" [1]

Definition:
Die Psychotherapie umfaßt die Erkennung, psychotherapeutische Behandlung, Prävention und Rehabilitation von Erkrankungen, an deren Verursachung psychosoziale Faktoren einen wesentlichen Anteil haben, sowie von Belastungsreaktionen infolge körperlicher Erkrankungen.

Weiterbildungszeit:
1. 2jährige klinische Tätigkeit, davon 1 Jahr Weiterbildung in Psychiatrie und Psychotherapie bei einem mindestens zur 2jährigen Weiterbildung in Psychiatrie und Psychotherapie befugten Arzt. Auf die Weiterbildung in der Psychiatrie kann ½ Jahr Weiterbildung entweder in Kinder- und Jugendpsychiatrie oder Psychotherapie angerechnet werden.
2. 3 Jahre Weiterbildung in der Psychotherapie, ständig begleitend während der gesamten Weiterbildungszeit.
3. Bei Ärzten mit mindestens 5jähriger praktischer Berufstätigkeit kann die vorgeschriebene Weiterbildung in der Psychiatrie und Psychotherapie durch den Nachweis des Erwerbs entsprechender psychiatrischer Kenntnisse ersetzt werden, soweit der Erwerb eines gleichwertigen Weiterbildungsstandes in einem Fachgespräch nachgewiesen ist.

Weiterbildungsinhalt:
Vermittlung, Erwerb und Nachweis besonderer Kenntnisse und Erfahrungen in
- den Grundlagen der Psychotherapie,
- den Verfahren der Psychotherapie,
- der psychiatrischen Diagnostik,
- der Teilnahme an einer kontinuierlichen Balint-Gruppe, hierzu gehört eine Mindestzahl von Teilnahmestunden,
- der Selbsterfahrung, hierzu gehört eine Mindestzahl von Teilnahmestunden in einer Einzel- oder Gruppenselbsterfahrung,
- der psychotherapeutischen Behandlung, hierzu gehört eine Mindestzahl dokumentierter tiefenpsychologischer oder verhaltenstherapeutischer Behandlungen einschließlich deren Supervision.

Allgemeiner Hinweis:
Ab 1. Januar 1988 gibt es 2 Richtungen der Psychotherapie. Bitte beachten Sie, daß eine Vermischung von tiefenpsychologisch fundierter Psychotherapie (I) mit verhaltenstherapeutischer Psychotherapie (II) grundsätzlich *nicht* möglich ist.

---

[1] Weiterbildungsordnung für die Ärzte Bayerns (Entwurf des Beschlusses des 45. Bayerischen Ärztetages vom 18. Oktober 1992; Bayerische Landesärztekammer vom 1.11.1992)

Weiterbildung zur Zusatzbezeichnung „Psychotherapie" über den Weg der „tiefenpsychologisch fundierten Psychotherapie"

1. *Theoretische Kenntnisse*
   Der Lehrstoff ist kontinuierlich oder in Blockform und in einem inhaltlich festgelegten Programm nachzuweisen, wobei mindestens 140 Stunden erforderlich sind:
   1.1 Entwicklungspsychologie und Persönlichkeitslehre
   1.2 allgemeine und spezielle Neurosenlehre
   1.3 Tiefenpsychologie
   1.4 Lernpsychologie
   1.5 Psychodynamik der Familie und der Gruppe
   1.6 Psychopathologie
   1.7 Psychosomatik
   1.8 Technik der Erstuntersuchung
   1.9 Psychodiagnostische Testverfahren
   1.10 Indikation und Methodik der psychotherapeutischen Verfahren einschließlich Prävention und Rehabilitation.

2. Eingehende Kenntnisse und Erfahrungen in der tiefenpsychologisch fundierten Psychotherapie (auch bei Kindern und Jugendlichen), einzeln und in der Gruppe werden in Form von praktischen Übungen (Untersuchungstechniken, Diagnostik, Indikationsstellung und Durchführung von Behandlungen) sowie durch Selbsterfahrung (siehe Ziffer 5.) erworben.
   2.1 Entspannungsverfahren:
   Autogenes Training oder progressive Muskelrelaxation nach Jacobson: je Verfahren Teilnahme an 2 Kursen im Abstand von mindestens 12 Monaten (je Kurs mindestens 8 Doppelstunden) sowie *eines* der hier aufgeführten Verfahren oder ggf. ein anderes weiteres Verfahren:
   2.2 Gesprächstherapie nach Rogers:
   praktische Übungen sowie Selbsterfahrung von mindestens 120 Stunden.
   2.3 Hypnose:
   Teilnahme an 4 Kursen von je mindestens 8 Doppelstunden im Abstand von je 3 Monaten.
   2.4 Psychodrama:
   Selbsterfahrung, Fallkontrollen am Patienten und spezielle Techniken (mindestens 100 Doppelstunden).
   2.5 Tagtraumtechnik (Katathymes Bilderleben; KB):
   Selbsterfahrung in der Grund- und Mittelstufe des KB in mindestens 5×20 Stunden sowie mindestens 3 Fallkontrollen zu je 2 Sitzungen.
   2.6 Verhaltenstherapie:
   Übungen (z. B. Verhaltensanalyse) und die Therapie eines Patienten (mindestens 30 Stunden mit mindestens 10 Stunden Supervision), insgesamt mindestens 120 Stunden.

Die Liste anerkannter Weiterbilder kann bei der Bayerischen Landesärztekammer angefordert werden.

3. Eingehende Kenntnisse und Erfahrungen in der psychiatrischen Diagnostik (= eingehende Kenntnisse und Erfahrungen in der Abgrenzung von Diagnostik und Therapie an Psychosen und Neurosen und psychosomatischen Störungen):
Die geforderte einjährige Weiterbildung in der Psychiatrie kann von Ärzten mit mindestens 5jähriger praktischer Berufstätigkeit durch den Nachweis des Erwerbs entsprechender psychiatrischer Kenntnisse ersetzt werden. Ärzte, die diesen Nachweis führen wollen, müssen – vorbehaltlich einer mündlichen Prüfung – eine angemessene Teilnahme an psychiatrischen Fallseminaren nachweisen oder eine entsprechende Tätigkeit mit vergleichbarem praktischen Informationswert (z. B. mindestens 4wöchige ganztägige Hospitation).

4. Balintgruppe:
Die Balint-Gruppe ist durch eine regelmäßige und kontinuierliche Teilnahme grundsätzlich nur unter Leitung eines *anerkannten Balintgruppen-Leiters* zu absolvieren.
Die Liste anerkannter Weiterbilder kann bei der Bayerischen Landesärztekammer angefordert werden.

5. Selbsterfahrung:
5.1 Die Selbsterfahrung muß kontinuierlich in einer geschlossenen Gruppe – über einen Zeitraum von mindestens 1 Jahr – erfolgen, wobei die Gruppengröße nicht mehr als 9 Mitglieder haben darf. Weiterhin ist darauf zu achten, daß die Selbsterfahrung grundsätzlich bei einem Lehrtherapeuten absolviert wird. Dasselbe gilt für Selbsterfahrungsgruppen in Blockform.

oder

5.2 Einzelselbsterfahrung (Lehrpsychotherapie):
Die Einzelselbsterfahrung muß in ein- bis zweimaligen Sitzungen pro Woche nachgewiesen werden.

Anmerkung:
Tiefenpsychologisch fundierte Selbsterfahrung ist nicht ersetzbar durch Selbsterfahrungsinhalte nach 2.1–2.6. Selbsterfahrung *bei dienstlichem Abhängigkeitsverhältnis* ist grundsätzlich nicht anrechenbar.

6. Behandlungen:
Bei den 3 Fällen sind mindestens 120 Behandlungsstunden nachzuweisen, wovon 1 Fall abgeschlossen sein muß und 1 Fall mindestens 50 Behandlungsstunden umfaßt. Mindestens ein Drittel der Behandlungsfälle ist in Einzelsupervision nachzuweisen.
Die Größe der Supervisionsgruppen ist auf maximal 4 Teilnehmer zu beschränken.
Der Lehrtherapeut für Selbsterfahrungsgruppen darf grundsätzlich nicht gleichzeitig auch der Supervisor der Behandlungsfälle sein.
Als Dokumentation der Behandlungsfälle ist der Kammer eine detaillierte Bestätigung des Supervisors gemäß §8 der Weiterbildungsordnung (= Erteilung von Zeugnissen über die Weiterbildung) vorzulegen.

Anmerkung zu Ziffer 6. Behandlungen und zur Gruppenpsychotherapie entnehmen Sie bitte der Seite 6 des Merkblattes[1].

Selbsterfahrung und Supervision sind nur dann anrechenbar, wenn sie bei einem qualifizierten Lehrtherapeuten absolviert werden, der durch die Bayerische Landesärztekammer ermächtigt wurde, der selbst die Zusatzbezeichnung Psychotherapie erworben hat und der nach Abschluß seiner regulären Weiterbildung mindestens 5 Jahre in Klinik oder Praxis eine intensive eigene praktische psychotherapeutische Tätigkeit und eine mindestens 5jährige Tätigkeit als Dozent an einem psychotherapeutischen Institut nachweist. Wissenschaftliche Publikationen, die sich auf rein tiefenpsychologische Inhalte beziehen, können maximal bis zur Hälfte der geforderten Zeiten auf die Dozententätigkeit angerechnet werden.

Für eine Weiterbildungsermächtigung von Kinder- und Jugendlichen-Therapeuten sowie Gruppentherapeuten gelten entsprechende Bedingungen.

---

[1] Merkblatt zu den Richtlinien über den Inhalt der Weiterbildung, Bayerische Landesärztekammer, Stand 1.4.1989

Weiterbildung zur Zusatzbezeichnung „Psychotherapie" über den Weg der „verhaltenstherapeutischen Psychotherapie"

1. Wer die Zusatzbezeichnung „Psychotherapie" über den Weg der Verhaltenstherapie anstrebt, muß mindestens 140 Stunden theoretischer Weiterbildung in nachfolgend aufgeführten Punkten belegen:
   1.1 Psychologische Grundlagen der Verhaltenstherapie einschließlich der Abgrenzung von Neurosen, Psychosen und körperlich bedingten Störungen.
   1.2 Lern- und sozialpsychologische Entwicklungsmodelle.
   1.3 Therapierelevante Grundkenntnisse der Psychosomatik.
   1.4 Allgemeine und spezielle Neurosenlehre.
   1.5 Verhaltensdiagnostik einschließlich psychotherapeutischer Testverfahren (Practicando).
   1.6 Kenntnisse der Methodik und Indikation der psychotherapeutischen Verhaltenstherapie.
   1.7 Strategie und Verfahren sowie spezielle Indikation der Verhaltenstherapie.
   1.8 Therapeut-Patient-Interaktion im verhaltenstherapeutischen Prozeß (Practicando).
   1.9 Verhaltenstherapie in Familie und Gruppe.

2. Eingehende Kenntnisse und Erfahrungen in der Verhaltenstherapie (auch bei Kindern und Jugendlichen einzeln und in der Gruppe, in Entspannungsverfahren sowie in mindestens einem weiteren Verfahren:
   2.1 Entspannungsverfahren:
       Autogenes Training oder progressive Muskelrelaxation nach Jacobson: Je Verfahren Teilnahme an 2 Kursen im Abstand von mindestens 12 Monaten (je Kurs mindestens 8 Doppelstunden)
   sowie *eines* der hier aufgeführten Verfahren oder ggf. ein anderes weiteres Verfahren:
   2.2 Gesprächstherapie nach Rogers:
       praktische Übungen sowie Selbsterfahrung von mindestens 120 Stunden.
   2.3 Hypnose:
       Teilnahme an 4 Kursen von je mindestens 8 Doppelstunden im Abstand von je 3 Monaten.
   2.4 Psychodrama:
       Selbsterfahrung, Fallkontrollen am Patienten und spezielle Techniken (mindestens 100 Doppelstunden).
   2.5 Tagtraumtechnik (Katathymes Bilderleben; KB):
       Selbsterfahrung in der Grund- und Mittelstufe des KB in mindestens 5×20 Stunden sowie mindestens 3 Fallkontrollen zu je 2 Sitzungen.
   2.6 Tiefenpsychologisch fundierte Psychotherapie:
       Übungen: z. B. Psychodynamik und die Therapie eines Patienten (mindestens 30 Stunden und mindestens 10 Stunden Supervision), insgesamt mindestens 120 Stunden.

Die Liste anerkannter Weiterbilder kann bei der Bayerischen Landesärztekammer angefordert werden.

3. Eingehende Kenntnisse und Erfahrungen in der psychiatrischen Diagnostik (= eingehende Kenntnisse und Erfahrungen in der Abgrenzung von Diagnostik und Therapie an Psychosen und Neurosen und psychosomatischen Störungen):
Die geforderte einjährige Weiterbildung in der Psychiatrie kann von Ärzten mit mindestens 5jähriger praktischer Berufstätigkeit durch den Nachweis des Erwerbs entsprechender psychiatrischer Kenntnisse ersetzt werden. Ärzte, die diesen Nachweis führen wollen, müssen – vorbehaltlich einer mündlichen Prüfung – eine angemessene Teilnahme an psychiatrischen Fallseminaren nachweisen oder eine entsprechende Tätigkeit mit vergleichbarem praktischen Informationswert (z. B. mindestens 4wöchige ganztägige Hospitation).

4. Patientenzentrierte Selbsterfahrungsgruppe:
Patientenzentrierte Selbsterfahrungsgruppe mit einem Umfang von mindestens 35 Doppelstunden bei grundsätzlich nur einem *Gruppen-Leiter*, der zur Weiterbildung in Verhaltenstherapie ermächtigt ist.

Die Liste anerkannter Weiterbilder kann bei der Bayerischen Landesärztekammer angefordert werden.

5. Selbsterfahrung:
70 Doppelstunden einer verhaltenstherapeutischen Selbsterfahrungsgruppe einschließlich der Durchführung von Selbstmodifikationsprogrammen kontinuierlich oder in Blockform über einen Zeitraum von mindestens 1 Jahr bei einer maximalen Teilnehmerzahl von 9.
Die Teilnahme ist grundsätzlich nur bei einem anerkannten Gruppenleiter, der zur Weiterbildung in Verhaltenstherapie ermächtigt ist, möglich.

6. Behandlungen:
2 dokumentierte verhaltenstherapeutische Langzeitbehandlungen (mindestens 40 Sitzungen) mit Supervision nach jeder 4. Sitzung sollen nachgewiesen werden. Einer der beiden Langzeitfälle muß abgeschlossen sein.
Dazu kommen 4 Kurztherapien von mindestens 20 Sitzungen, die abgeschlossen sein müssen.

Supervision:
Mindestens die Hälfte der Supervisionen ist in Einzelform nachzuweisen. Die Größe der Supervisiongruppe ist auf maximal 4 Teilnehmer zu beschränken. Der Lehrtherapeut für Selbsterfahrungsgruppen darf grundsätzlich nicht gleichzeitig auch der Supervisor der Behandlungsfälle sein.

Anforderungen an den Supervisor:
1. Eine mindestens 5jährige verhaltenstherapeutische Tätigkeit nach Erreichen der Qualifikation für Verhaltenstherapie in Praxis und Klinik.
2. Regelmäßige Tätigkeit in der verhaltenstherapeutischen Krankenversorgung.
3. Nach Abschluß der eigenen Weiterbildung mindestens 5 Jahre Lehrtätigkeit als Dozent in der Verhaltenstherapie an einer Universität, einer Klinik oder einem psychotherapeutischen Institut. Von diesen 5 Jahren ist die Hälfte der Zeit bei nachgewiesener einschlägiger wissenschaftlicher Tätigkeit mit entsprechenden Veröffentlichungen auf verhaltenstherapeutischem Sektor anrechenbar.

4. Benennung der Aus- und Weiterbildungsstätte und des Datums des Abschlusses der eigenen Aus- und Weiterbildung.

Anmerkungen zu den Ziffern „*6. Behandlungen*", die sich sowohl auf den Erwerb der Zusatzbezeichnung Psychotherapie, die auf tiefenpsychologisch fundiertem Weg erworben wird, als auch die Zusatzbezeichnung Psychotherapie, die auf verhaltenstherapeutischem Sektor erworben wird, beziehen:
Bei Psychotherapeuten, die Kinder und Jugendliche psychoanalytisch oder psychotherapeutisch behandeln wollen, müssen zusätzlich 2 abgeschlossene Kinder- und/oder Jugendlichen-Fälle belegt werden, die mit analytischer oder tiefenpsychologisch fundierter bzw. verhaltenstherapeutischer Psychotherapie einschließlich Supervision nach jeder 4. Behandlungsstunde durchgeführt wurden. Auch die zugehörige Theorie (Psychodiagnostik bei Kindern und Jugendlichen sowie spezielle Neurosenlehre) muß nachgewiesen werden.

„Gruppenpsychotherapie" zusätzlich zur Zusatzbezeichnung „Psychotherapie"

Wenn später beabsichtigt wird, Gruppenpsychotherapie in freier Praxis durchzuführen, so müssen zusätzlich zu den 120 Stunden tiefenpsychologisch fundierten Behandlungsstunden bzw. zu den 160 verhaltenstherapeutischen Behandlungsstunden folgende Voraussetzungen nachgewiesen werden:
Aus den entsprechenden Zeugnissen und Bescheinigungen muß hervorgehen, daß eingehende Kenntnisse und praktische Erfahrungen in der tiefenpsychologisch fundierten und analytischen Gruppen-Psychotherapie oder der Verhaltenstherapie in Gruppen erworben wurden. Ist im Rahmen der Weiterbildung diese Fachkunde nicht erworben worden, so ist nachzuweisen, daß der Antragsteller in mindestens 40 Doppelstunden analytischer bzw. verhaltenstherapeutischer Selbsterfahrung in der Gruppe, in mindestens 24 Doppelstunden eingehende Kenntnisse in der Theorie der Gruppen-Psychotherapie und Gruppen-Dynamik erworben hat und mindestens 60 Doppelstunden kontinuierlicher Gruppenbehandlung – auch in mehreren Gruppen unter Supervision von mindestens 40 Stunden – mit tiefenpsychologisch fundierter oder analytischer Psychotherapie oder mit Verhaltenstherapie durchgeführt hat.

Zusatzbezeichnung „Psychoanalyse"

Definition:
Die Psychoanalyse umfaßt die Erkennung und psychoanalytische Behandlung von Krankheiten und Störungen, denen unbewußte seelische Konflikte zugrunde liegen, einschließlich der Anwendung in der Prävention und Rehabilitation sowie zum Verständnis unbewußter Prozesse in der Arzt-Patienten-Beziehung.

Weiterbildungszeit:
1. 2jährige klinische Tätigkeit, davon 1 Jahr Weiterbildung in Psychiatrie und Psychotherapie bei einem mindestens zur 2jährigen Weiterbildung in Psychiatrie und Psychotherapie befugten Arzt.
2. 5 Jahre Weiterbildung in tiefenpsychologisch fundierter und analytischer Psychotherapie, ständig begleitend während der gesamten Weiterbildungszeit.
3. Bei Ärzten mit mindestens 5jähriger praktischer Berufstätigkeit kann die vorgeschriebene Weiterbildung in Psychiatrie und Psychotherapie durch den Nachweis des Erwerbs entsprechender psychiatrischer Kenntnisse ersetzt werden, soweit der Erwerb eines gleichwertigen Weiterbildungsstandes in einem Fachgespräch nachgewiesen ist.

Weiterbildungszeit:
Vermittlung, Erwerb und Nachweis besonderer Kenntnisse und Erfahrungen in
- den Grundlagen der Psychoanalyse
- dem Verfahren der Psychoanalyse
- der psychiatrischen Diagnostik
- weiteren Verfahren der Psychoanalyse
- der Selbsterfahrung in einer Lehranalyse
- der psychoanalytischen Behandlung, hierzu gehört eine Mindestzahl dokumentierter psychoanalytischer Behandlungsstunden bei einer Mindestzahl von Fällen einschließlich deren Supervision.

1. *Theoretische Kenntnisse*
Der Lehrstoff ist kontinuierlich oder in Blockform und in einem inhaltlich festgelegten Programm nachzuweisen:
Mindestens 400 Stunden theoretische Weiterbildung, davon mindestens 200 Stunden Kurse, Seminare, Gruppenarbeit u. ä. zur Vermittlung und Erwerb von
1.1 *Kenntnisse in*
    1.1.1 Entwicklungspsychologie und Persönlichkeitslehre
    1.1.2 allgemeine und spezielle Neurosenlehre
    1.1.3 Lernpsychologie
    1.1.4 Psychodynamik der Familie und der Gruppe
    1.1.5 Psychopathologie
    1.1.6 Psychosomatik
    1.1.7 Technik der Erstuntersuchung
    1.1.8 Psychodiagnostische Testverfahren
    1.1.9 Indikation und Methodik der psychotherapeutischen Verfahren einschließlich Prävention und Rehabilitation

1.2 *eingehenden Kenntnissen in*
  1.2.1 psychoanalytischen Entwicklungs- und Persönlichkeitstheorien
  1.2.2 allgemeiner psychoanalytischer Krankheitslehre
  1.2.3 spezieller psychoanalytischer Krankheitslehre
1.3 *eingehenden Kenntnissen und Erfahrungen in*
  1.3.1 der Psychoanalyse und der analytischen Gruppentherapie sowie der davon abgeleiteten Behandlungsverfahren (z. B. tiefenpsychologisch fundierte Psychotherapie, Kurztherapieverfahren, Kinder- und Jugendpsychotherapie, Paar- und Familientherapie)
  1.3.2 der psychotherapeutischen, insbesondere der psychoanalytischen Gesprächsführung.

2. *Eingehende Kenntnisse in weiteren Verfahren*
  2.1 Entspannungsverfahren
   Autogenes Training oder progressive Muskelrelaxation nach Jacobson: je Verfahren Teilnahme an 2 Kursen im Abstand von mindestens 12 Monaten (je Kurs mindestens 8 Doppelstunden)
  sowie *eines* der hier aufgeführten Verfahren oder ggf. ein anderes weiteres Verfahren:
  2.2 Gesprächstherapie nach Rogers:
   praktische Übungen sowie Selbsterfahrung (mindestens 120 Stunden).
  2.3 Hypnose:
   Teilnahme an 4 Kursen von je mindestens 8 Doppelstunden im Abstand von je 3 Monaten.
  2.4 Psychodrama:
   Selbsterfahrung, Fallkontrolle am Patienten und spezielle Techniken (mindestens insgesamt 100 Doppelstunden).
  2.5 Tagtraumtechnik (Katathymes Bilderleben; KB):
   Selbsterfahrung in der Grund- und Mittelstufe des KB in mindestens 5×20 Stunden sowie mindestens 5 Fallkontrollen zu je 2 Sitzungen.
  2.6 Verhaltenstherapie
   Übungen (z. B. Verhaltensanalyse) und die Technik eines Patienten (mindestens 30 Stunden mit mindestens 10 Stunden Supervision), insgesamt mindestens 120 Stunden.
  Die Liste anerkannter Weiterbilder kann bei der Bayerischen Landesärztekammer angefordert werden.

3. Eingehende Kenntnisse und Erfahrungen in der psychiatrischen Diagnostik (= eingehende Kenntnisse und Erfahrungen in der Abgrenzung von Diagnostik und Therapie an Psychosen und Neurosen und psychosomatischen Störungen):
Die geforderte Weiterbildung in der Psychiatrie kann von Ärzten mit mindestens 5jähriger praktischer Berufstätigkeit durch den Nachweis des Erwerbs entsprechender psychiatrischer Kenntnisse ersetzt werden.
Ärzte, die diesen Nachweis führen wollen, müssen – vorbehaltlich einer mündlichen Prüfung – eine angemessene Teilnahme an psychiatrischen Fallseminaren nachweisen oder eine entsprechende Tätigkeit mit vergleichbarem praktischen Informationswert (z. B. Hospitation).

4. Selbsterfahrung
   4.1 Die Lehranalyse soll in mehreren Einzelsitzungen pro Woche in der Regel die gesamte Weiterbildung – mindestens durch 2 ½ Jahre – begleiten und mindestens 250 Stunden betragen.
   4.2 Teilnahme an einer psychoanalytischen Selbsterfahrungsgruppe von mindestens 40 Doppelstunden.

   Anmerkung: *Psychoanalytische Selbsterfahrung* ist grundsätzlich nicht ersetzbar durch Selbsterfahrungsinhalte nach 2.1 – 2.6.
   Selbsterfahrung bei *dienstlichem Abhängigkeitsverhältnis* ist grundsätzlich nicht anrechenbar.

5. Behandlung
   5.1 Mindestens 600 dokumentierte psychoanalytische Behandlungsstunden mit Supervision mindestens nach jeder 4. Sitzung, darunter 2 psychoanalytische Behandlung von mindestens je 160 Stunden, wobei 1 Behandlung abgeschlossen sein soll. Von den 150 verlangten Supervisionssitzungen (600 Behandlungsstunden bei Supervisionsverhältnis 1:4) können maximal 50 Sitzungen auch in Gruppensupervision erfolgen.
   Anmerkung zu 5.1. Bei Psychotherapeuten, die Kinder und Jugendliche psychoanalytisch oder psychotherapeutisch behandeln wollen, müssen zusätzlich 2 abgeschlossene Kinder- und/oder Jugendlichen-Fälle belegt werden, die mit analytischer oder tiefenpsychologisch fundierter Psychotherapie einschließlich Supervision nach jeder 4. Behandlungsstunde durchgeführt wurden. Auch die zugehörige Theorie (Psychodiagnostik bei Kindern und Jugendlichen sowie spezielle Neurosenlehre) muß nachgewiesen werden.
   5.2 Gruppenpsychotherapie
   Wenn später beabsichtigt wird, Gruppenpsychotherapie in freier Praxis durchzuführen, so müssen zusätzlich zu den 600 psychoanalytischen Behandlungsstunden folgende Voraussetzungen nachgewiesen werden:
   Aus den entsprechenden Zeugnissen und Bescheinigungen muß hervorgehen, daß eingehende Kenntnisse und praktische Erfahrungen in der tiefenpsychologisch fundierten und analytischen Gruppen-Psychotherapie erworben wurden.
   Ist im Rahmen der Weiterbildung diese Fachkunde nicht erworben worden, so ist nachzuweisen, daß der Antragsteller in mindestens 40 Doppelstunden analytischer Selbsterfahrung in der Gruppe, in mindestens 24 Doppelstunden eingehende Kenntnisse in der Theorie der Gruppenpsychotherapie und Gruppendynamik erworben hat und mindestens 60 Doppelstunden kontinuierlicher Gruppenbehandlung – auch in mehreren Gruppen unter Supervision von mindestens 40 Stunden – mit tiefenpsychologisch fundierter oder analytischer Psychotherapie durchgeführt hat.
   Alternativ für die geforderten 60 Doppelstunden kontinuierlicher Gruppenbehandlung kann auch die supervidierte Tätigkeit als Mitbehandler in einer analytischen Gruppenpsychotherapie von mindestens 60 Doppelstunden anerkannt werden.

Die Größe der Supervisionsgruppen ist auf maximal 4 Teilnehmer zu beschränken.
Der Lehranalytiker darf grundsätzlich nicht gleichzeitig auch der Supervisor der Behandlungsfälle sein.
Als Dokumentation der Behandlungsfälle ist der Kammer eine detaillierte Bestätigung des Supervisors gemäß § 8 der Weiterbildungsordnung (= Erteilung von Zeugnissen über die Weiterbildung) vorzulegen.

Selbsterfahrung und Supervision sind nur dann anrechenbar, wenn sie bei einem qualifizierten Lehrtherapeuten abgeleistet werden, der von der Bayerischen Landesärztekammer ermächtigt wurde, der selbst die Zusatzbezeichnung Psychoanalyse erworben hat und der nach Abschluß seiner regulären Weiterbildung mindestens 5 Jahre in Klinik oder Praxis eine intensive eigene praktische analytisch-psychotherapeutische Tätigkeit und eine mindestens 5jährige Tätigkeit als Dozent an einem psychotherapeutischen Institut nachweist.
Wissenschaftliche Publikationen, die sich auf rein tiefenpsychologische Inhalte beziehen, können maximal bis zur Hälfte der geforderten Zeiten auf die Dozententätigkeit angerechnet werden.
Für die Weiterbildungsermächtigung von Kinder- und Jugendlichen-Therapeuten sowie Gruppentherapeuten gelten entsprechende Bedingungen.

Kritik zu den Ausbildungsinhalten

Psychotherapie

- Es wird entschieden zu wenig Selbsterfahrung gefordert; manche Kurz- oder Fokaltherapie erfordert besonders viel Erfahrung.

Psychoanalyse

- Die Ausbildung sollte kontinuierlich und möglichst nicht in Blockform stattfinden,
- Selbsterfahrung noch zu gering,
- Behandlungsfälle unter Supervision zu wenig,
- insgesamt zu wenig Supervisionsarbeit (vergleiche Richtlinien der DGPT).

2. Aus- und Weiterbildung für Gebietsbezeichnungen

Gebietsbezeichnung „Psychotherapeutische Medizin"

Definition:
Die Psychotherapeutische Medizin umfaßt die Erkennung, psychotherapeutische Behandlung, die Prävention und Rehabilitation von Krankheiten und Leidenszuständen, an deren Verursachung psychosoziale Faktoren, deren subjektive Verarbeitung und/oder körperlich-seelische Wechselwirkungen maßgeblich beteiligt sind.

Weiterbildungszeit:
5 Jahre an einer Weiterbildungsstätte gem. § 7 Abs. 1,
3 Jahre Psychotherapeutische Medizin, davon 2 Jahre im Stationsdienst,
1 Jahr Psychiatrie und Psychotherapie.
Angerechnet werden können auf die 1jährige Weiterbildung in Psychiatrie und Psychotherapie ½ Jahr Weiterbildung in Kinder- und Jugendpsychiatrie und -psychotherapie oder ½ Jahr Tätigkeit in medizinischer Psychologie oder medizinischer Soziologie.
1 Jahr Innere Medizin.
Angerechnet werden können auf die 1jährige Weiterbildung in Innere Medizin ½ Jahr Weiterbildung in Haut- und Geschlechtskrankheiten oder Frauenheilkunde und Geburtshilfe oder Kinderheilkunde oder Neurologie oder Orthopädie.
2 Jahre der Weiterbildung können bei einem niedergelassenen Arzt abgeleistet werden.

Inhalt und Ziel der Weiterbildung:
Vermittlung, Erwerb und Nachweis eingehender Kenntnisse, Erfahrungen und Fertigkeiten in den theoretischen Grundlagen, in der Diagnostik und Differentialdiagnostik seelisch bedingter und mitbedingter Krankheiten und solcher Leidenszustände, an deren Entstehung psychosomatische und somatopsychische Momente maßgeblich beteiligt sind, sowie in der differenzierten Indikationsstellung und selbständigen, eigenverantwortlich durchgeführten Psychotherapie im ambulanten und stationären Bereich, einschließlich präventiver und rehabilitativer Maßnahmen.

Hierzu gehören in der Psychotherapeutischen Medizin
Eingehende Kenntnisse, Erfahrungen und Fertigkeiten in
- den theoretischen Grundlagen, insbesondere Psychobiologie, Ethologie, Psychophysiologie, Entwicklungspsychologie, Persönlichkeitslehre, allgemeiner und spezieller Psychopathologie, psychiatrischer Nosologie einschließlich Klassifikation allgemeiner und spezieller Neurosenlehre und Psychosomatik einschließlich der Diagnose, Differentialdiagnose, Pathogenese, Psychodynamik und des Verlaufes der Erkrankungen des Gebietes,
- den theoretischen Grundlagen in der Sozial-, Lernpsychologie und allgemeiner und spezieller Verhaltenslehre zur Pathogenese und Verlauf der Erkrankungen des Gebietes,

- psychodiagnostischen Testverfahren und der Verhaltensdiagnostik,
- Dynamik der Paarbeziehungen, der Familie und Gruppe,
- den theoretischen Grundlagen der psychoanalytisch begründeten und kognitiv-behavioralen Psychotherapiemethoden einschließlich der Indikation für spezielle Therapieverfahren,
- Prävention, Rehabilitation, Krisenintervention, Suizid- und Suchtprophylaxe, Organisationspsychologie und Familienberatung,
- psychoanalytisch begründeter oder verhaltenstherapeutischer Diagnostik; hierzu gehört eine Mindestzahl selbständig durchgeführter Untersuchungen (analytisches Erstinterview, biographische Anamnese bzw. Verhaltensanalyse) einschließlich supervidierten Untersuchungen,
- der Durchführung tiefenpsychologischer Psychotherapie oder kognitiv-behavioraler Therapie; hierzu gehört eine Mindestzahl selbständig durchgeführter Behandlungen einschließlich supervidierter Behandlungen (Einzel-, Paar-, Familien- und Gruppentherapie),
- der Durchführung von suggestiven und entspannenden Verfahren,
- der Durchführung der supportiven Psychotherapie und Notfallpsychotherapie,
- der Anwendung weiterer tiefenpsychologischer Verfahren oder erlebensorientierter Verfahren und averbaler Verfahren,
- dem psychosomatisch-psychotherapeutischen Konsiliar- und Liaisondienst,
- Dokumentation von Befunden, ärztlichem Berichtswesen, einschlägigen Bestimmungen der Sozialgesetzgebung (Reichsversicherungsordnung, Sozialgesetzbuch, Krankenkassenverträge, Rentenversicherung, Unfallversicherung, Mutterschutzgesetz, Jugend- und Arbeitsschutzgesetz u. a. Bestimmungen) und für die Arzt-Patienten-Beziehung wichtigen Rechtsnormen,
- der Qualitätssicherung ärztlicher Berufsausübung,
- der Balint-Gruppenarbeit,
- der Einzelselbsterfahrung und Gruppenselbsterfahrung, ständig begleitend während der gesamten Weiterbildungszeit,
- der psychosomatischen Begutachtung bei fachspezifischen und typischen Fragestellungen in der Straf-, Zivil, Sozial- und freiwilligen Gerichtsbarkeit.

Hierzu gehören in der Psychotherapeutischen Medizin aus dem Gebiet der Inneren Medizin
Eingehende Kenntnisse, Erfahrungen und Fertigkeiten in
- der Diagnostik und Differentialdiagnostik häufiger innerer Erkrankungen einschließlich der medikamentösen, diätetischen, physikalischen Behandlung, der Therapie chronischer Erkrankungen der Notfalltherapie und Rehabilitation, soweit für psychosomatische Erkrankungen erforderlich.

Hierzu gehören in der Psychotherapeutischen Medizin aus dem Gebiet der Psychiatrie und Psychotherapie
Eingehende Kenntnisse, Erfahrungen und Fertigkeiten in
- der psychiatrischen Anamnese und Befunderhebung sowie der Behandlung psychischer Erkrankungen unter Nutzung psychopharmakologischer und soziotherapeutischer Verfahren, soweit für psychosomatische Erkrankungen erforderlich.

Gebietsbezeichnung „Psychiatrie und Psychotherapie"

Definition:
Die Psychiatrie und Psychotherapie umfaßt Wissen, Erfahrungen und Befähigungen zur Erkennung, nichtoperativen Behandlung, Prävention und Rehabilitation hirnorganischer, endogener, persönlichkeitsbedingter, neurotischer und situativreaktiver psychischer Krankheiten oder Störungen einschließlich ihrer sozialen Anteile und psychosomatischen Bezüge unter Anwendung somato-, sozio- und psychotherapeutischer Verfahren.

Weiterbildungszeit:
5 Jahre an einer Weiterbildungsstätte gem. § 7 Abs. 1,
1 Jahr Neurologie,
4 Jahre Psychiatrie und Psychotherapie, davon 3 Jahre im Stationsdienst.
Angerechnet werden können auf die 4jährige Weiterbildung in Psychiatrie und Psychotherapie bis zu 1 Jahr Weiterbildung in Kinder- und Jugendpsychiatrie und -psychotherapie oder ½ Jahr Weiterbildung in Neurochirurgie oder Neuropathologie oder ½ Jahr Tätigkeit in Neurophysiologie oder Medizinpsychologie.
2 Jahre der Weiterbildung können bei einem niedergelassenen Arzt abgeleistet werden.

Inhalt und Ziel der Weiterbildung:
Vermittlung, Erwerb und Nachweis eingehender Kenntnisse, Erfahrungen und Fertigkeiten in den theoretischen Grundlagen, der Diagnostik, Differentialdiagnostik und Therapie psychischer Erkrankungen und Störungen unter Anwendung der Somato-, Sozio- und Psychotherapie.

Vermittlung und Erwerb von Kenntnissen über Neurologie.

Hierzu gehören in der Psychiatrie und Psychotherapie
Eingehende Kenntnisse, Erfahrungen und Fertigkeiten in
- der Theorie und Technik der Anamnese- und Befunderhebung unter Einbeziehung biologisch-somatischer, psychopathologischer, psychologischer, psychodynamischer und sozialer Gesichtspunkte,
- der beschreibenden und operationalisierten Klassifikation, Diagnose und Differentialdiagnose psychischer Krankheiten und Störungen unter Berücksichtigung ihrer Häufigkeit und Erscheinungsformen,
- allgemeiner und spezieller Psychopathologie,
- der psychopathologischen Symptomatik und der neuropsychologischen Diagnostik organischer Erkrankungen und Störungen des zentralen Nervensystems,
- diagnostischen Methoden des Gebietes einschließlich der standardisierten Befunderhebung unter Anwendung von Fremd- und Selbstbeurteilungsskalen,
- der psychodiagnostischen Testverfahren,
- den Verlaufsformen psychischer Erkrankungen und Störungen auch bei chronischen Verläufen,

- den Entstehungsbedingungen psychischer Krankheiten und Störungen einschließlich deren somatischer, psychologischer, psychodynamischer und sozialer Faktoren mit disponierenden, auslösenden und verlaufbestimmenden Aspekten unter Einbeziehung der Erkenntnisse anderer Wissenschaftsbereiche,
- der Behandlung psychischer Krankheiten und Störungen mit der Definition von Behandlungszielen, der Festlegung eines Therapieplanes, der Indikationsstellung für verschiedene Therapieverfahren einschließlich Anwendungstechnik und Erfolgskontrolle; hierzu gehören insbesondere somato-, sozio- und psychotherapeutische Verfahren,
- Krankheitsverhütung, Früherkennung, Rückfallverhütung und Verhütung unerwünschter Therapieeffekte (primäre, sekundäre, tertiäre und quartäre Prävention) unter Einbeziehung von Familienberatung, Krisenintervention, Sucht- und Suizidprophylaxe,
- der Methodik und Durchführung des Grundleistungslabors des Gebietes sowie der Bewertung der Befunde,
- der Probenentnahme und sachgerechten Probenbehandlung von Körperflüssigkeiten und Ausscheidungen für das allgemeine Labor des Gebietes sowie in der Einordnung der Befunde in das Krankheitsbild,
- der Methodik und Durchführung des speziellen Labors des Gebietes sowie der Bewertung der Befunde,
- der Pharmakologie der im Gebiet gebräuchlichen Pharmake (Pharmakokinetik, Pharmakodynamik, Wechsel- und Nebenwirkungen) einschließlich ihres therapeutischen Nutzens (auch Kosten-/Nutzenrelation), Risiken des Arzneimittelmißbrauchs, gesetzliche Auflagen bei der Arzneimittelverschreibung und Arzneimittelprüfung sowie der hierbei zu beachtenden ethischen Grundsätze,
- der sozialpsychiatrischen Behandlung und Rehabilitation einschließlich extramuraler, komplementärer Versorgungsstrukturen, Ergotherapie sowie multidisziplinärer Teamarbeit und Gruppenarbeit mit Patienten, Angehörigen und Laienhelfern,
- den theoretischen Grundlagen der Psychotherapie, insbesondere allgemeiner und spezieller Neurosenlehre, Entwicklungs- und Persönlichkeitspsychologie, Lernpsychologie und Tiefenpsychologie, Dynamik der Gruppe und Familie, Psychosomatik, entwicklungsgeschichtlichen, lerngeschichtlichen und psychodynamischen Aspekten von Persönlichkeitsstörungen, Psychosen, Süchten und Alterserkrankungen,
- der therapeutischen Anwendung der Grundorientierungen, Tiefenpsychologie oder Verhaltens- und kognitive Therapie (Einzel-, Paar-, Gruppen- und Familientherapie); mit dem Schwerpunkt auf einem der beiden Hauptverfahren; hierzu gehört eine Mindestzahl abgeschlossener und dokumentierter tiefenpsychologischer Einzelbehandlungen mit Supervision, auch durch Gruppensupervision oder eine Mindestzahl abgeschlossener und dokumentierter verhaltens- und kognitiv-therapeutischer Behandlungen mit Supervision, auch durch Gruppensupervision,
- der praktischen Anwendung eines weiteren Psychotherapieverfahrens,
- der praktischen Anwendung von Entspannungsverfahren,
- der Krisenintervention, supportiven Verfahren und Beratung,
- der psychiatrisch-psychotherapeutischen Konsil- und Liaisonarbeit,

- der Balintgruppenarbeit,
- der Selbsterfahrung in der Tiefenpsychologie oder Verhaltens- und kognitiven Therapie; hierzu gehört eine Mindeststundenzahl in einer Selbsterfahrungsgruppe oder Einzelselbsterfahrung,
- der Indikationsstellung und Bewertung der Elektroenzephalographie; hierzu gehört eine Mindestzahl selbständig beurteilter Elektroenzephalogramme,
- der Indikationsstellung, Methodik und Befundbewertung bildgebener neuroradiologischer Verfahren,
- der Dokumentation von Befunden, dem ärztlichen Berichtswesen, einschlägigen Bestimmungen der Sozialgesetzgebung (Reichsversicherungsordnung, Sozialgesetzbuch, Krankenkassenverträge, Rentenversicherung, Unfallversicherung, Mutterschutzgesetz, Jugend- und Arbeitsschutzgesetz und andere Bestimmungen) und für die Arzt-Patienten-Beziehung wichtigen Rechtsnormen,
- der Anwendung von Rechtsvorschriften bei der Unterbringung und Behandlung psychisch Kranker unter besonderer Berücksichtigung der ärztlichen Aufklärungs- und Schweigepflicht,
- psychiatrischer Begutachtung bei üblichen und typischen Fragestellungen in der Straf-, Zivil-, Sozial- und freiwilligen Gerichtsbarkeit, einschließlich Personenrechtsfragen,
- der Qualitätssicherung ärztlichen Handelns.

Vermittlung und Erwerb von Kenntnissen über

- Indikationsstellung und Technik neurologischer Behandlungsverfahren einschließlich der Akut- und Intensivversorgung sowie der Rehabilitation,
- Anatomie, Physiologie und Biochemie des zentralen, peripheren und vegetativen Nervensystems,
- Neuropathologie und pathologische Neurophysiologie des zentralen Nervensystems,
- die Durchführung der Laboruntersuchungen.

Hierzu gehören in der Psychiatrie und Psychotherapie
aus dem Gebiet der Neurologie
Eingehende Kenntnisse, Erfahrungen und Fertigkeiten in
- Methodik und Technik der neurologischen Untersuchungen, soweit dies für die Differentialdiagnose psychiatrischer Erkrankungen erforderlich ist,
- Diagnostik und Differentialdiagnostik neurologischer Krankheitsbilder, soweit dies für die Diagnose und Therapie psychiatrischer Erkrankungen erforderlich ist.

Gebietsbezeichnung „Kinder- und Jugendpsychiatrie und -psychotherapie"

Definition:
Die Kinder- und Jugendpsychiatrie und -psychotherapie umfaßt die Erkennung, nichtoperative Behandlung, Prävention und Rehabilitation bei psychischen,

psychosomatischen, entwicklungsbedingten und neurologischen Erkrankungen oder Störungen sowie bei psychischen und sozialen Verhaltensauffälligkeiten im Kindes- und Jugendalter.

Weiterbildungszeit:
5 Jahre an einer Weiterbildungsstätte gemäß § 7 Abs. 1.
1 Jahr Kinderheilkunde oder Psychiatrie und Psychotherapie.
Angerechnet werden kann ½ Jahr Weiterbildung in der Neurologie.
4 Jahre Kinder- und Jugendpsychiatrie und -psychotherapie, davon mindestens 2 Jahre im Stationsdienst.
2 Jahre Weiterbildung können bei einem niedergelassenen Arzt abgeleistet werden.

Inhalt und Ziel der Weiterbildung:
Vermittlung, Erwerb und Nachweis eingehender Kenntnisse, Erfahrungen und Fertigkeiten in den theoretischen Grundlagen, der Diagnostik und Differentialdiagnostik psychischer Erkrankungen des Kindes-, Jugend- und Adoleszentenalters, einschließlich neurologischer Untersuchungen sowie in der Differentialdiagnostik psychiatrischer Krankheitsbilder und Störungen, in der Pharmakotherapie, der Psychotherapie und der Soziotherapie von Kindern und Jugendlichen, auch unter Einbeziehung der erwachsenen Bezugspersonen.

Vermittlung und Erwerb von Kenntnissen über Neurologie des Kindes- und Jugendalters

Hierzu gehören in der Kinder- und Jugendpsychiatrie und -psychotherapie
1. Eingehende Kenntnisse, Erfahrungen und Fertigkeiten in
- allgemeiner und spezieller Psychopathologie einschließlich der biographischen Anamneseerhebung, Verhaltensbeobachtung und Explorationstechnik,
- Abklärung und Gewichtung der Entstehungsbedingungen psychischer Erkrankungen und Störungen im Kindes- und Jugendalter einschließlich der Aufstellung eines Behandlungsplanes,
- Entwicklungspsychologie, Psychosomatik und Neurosenlehre,
- der Methodik der psychologischen Testverfahren und der Beurteilung psychologischer Befunderhebungen,
- spezifischen neurologischen Untersuchungsmethoden,
- Krankheitslehre und Differentialdiagnostik psychosomatischer, psychiatrischer und neurologischer Krankheitsbilder,
- der Indikationsstellung und Technik der Psychotherapie einschließlich der psychotherapeutischen Verfahren sowie der Teilnahme an Balint-Gruppen, Selbsterfahrung und tiefenpsychologischen Behandlungen mit Supervision,
- der Indikationsstellung und Technik der Übungsbehandlung sowie in der indirekten kinder- und jugendpsychiatrischen Behandlung durch Verhaltensmodifikationen von Bezugspersonen,
- der Somato- und Pharmakotherapie psychiatrischer und neurologischer Erkrankungen,

- der Beurteilung labordiagnostischer Befunde,
- der Indikationsstellung und Methodik neuroradiologischer und elektrophysiologischer Verfahren einschließlich der Beurteilung und der Einordnung in das Krankheitsbild,
- der Dokumentation von Befunden, ärztlichen Berichtswesen, einschlägigen Bestimmungen der Sozialgesetzgebung (Reichsversicherungsordnung, Sozialgesetzbuch, Krankenkassenverträge, Rentenversicherung, Unfallversicherung, Mutterschutzgesetz, Jugend- und Arbeitsschutzgesetz und andere Bestimmungen) und für die Arzt-Patienten-Beziehung wichtigen Rechtsnormen,
- der Qualitätssicherung ärztlicher Berufsausübung,
- der Begutachtung.
  1.1 Vermittlung und Erwerb von Kenntnissen über
    - Entwicklung, Anatomie, Physiologie und Pathologie des Nervensystems, der Reifungsbiologie und Reifungspathologie, der Humangenetik und Stoffwechselpathologie sowie des endokrinen Systems,
    - die Technik spezifischer Punktionsmethoden,
    - Technik neuroradiologischer und elektrophysiologischer Verfahren,
    - Grundlagen der phasenspezifischen Psychohygiene,
    - Prävention, Gesundheitsberatung und -erziehung sowie die Rehabilitation,

Übergangsbestimmungen [1]

(1) Die bisher ausgesprochenen Anerkennungen von Arztbezeichnungen bleiben gültig mit der Maßgabe, daß die in dieser Weiterbildungsordnung bestimmten entsprechenden Arztbezeichnungen zu führen sind.

(2) Wer vor Inkrafttreten dieser Weiterbildungsordnung die Weiterbildung in einem Gebiet, einem Schwerpunkt oder in einem Bereich nach der bisherigen Weiterbildungsordnung begonnen hat, darf diese nach der bisherigen Weiterbildungsordnung abschließen. Für die Anerkennung der Arztbezeichnungen gilt Absatz 1 entsprechend.

(3) Wer bei Einführung einer neuen Arztbezeichnung in diese Weiterbildungsordnung in dem Gebiet, Schwerpunkt oder Bereich, für das bzw. für den diese Arztbezeichnung eingeführt worden ist, innerhalb der letzten acht Jahre vor der Einführung mindestens die gleiche Zeit regelmäßig an Weiterbildungsstätten oder vergleichbaren Einrichtungen tätig war, welche der jeweiligen Mindestdauer der Weiterbildung entspricht, kann auf Antrag die Anerkennung zum Führen dieser Arztbezeichnung erhalten. Abweichendes ist in den Abschnitten I und II der Weiterbildungsordnung für einzelne Gebiete, Schwerpunkte oder Bereiche bestimmt. Der Antragsteller hat den Nachweis einer regelmäßigen Tätigkeit für die in Satz 1 angegebene Mindestdauer in dem jeweiligen Gebiet, Schwerpunkt oder Bereich zu erbringen. Aus dem Nachweis muß hervorgehen, daß der Antragsteller in dieser Zeit überwiegend im betreffenden Gebiet, Schwerpunkt oder Bereich tätig gewesen ist und dabei umfassende Kenntnisse, Erfahrungen und Fertigkeiten erworben hat.

(4) Bei Einführung von fakultativen Weiterbildungen im Gebiet sowie für die darauf bezogenen Anträge auf entsprechende Bescheinigungen gilt Absatz 3 entsprechend. Bei Einführung einer Fachkunde im Gebiet kann ein Arzt auf Antrag die entsprechende Bescheinigung auch erhalten, wenn er innerhalb der letzten 4 Jahre vor Einführung entsprechende Tätigkeiten in ausreichendem Umfang ausgeübt und hierbei die notwendigen Kenntnisse erworben hat. Der Antragsteller hat den Nachweis der ausreichenden Tätigkeit und der notwendigen Kenntnisse und Erfahrungen gegenüber der Ärztekammer zu führen.

(5) ... (7)

(8) Wer bei Inkrafttreten dieser Weiterbildungsordnung die Bezeichnung Psychiater oder Arzt für Psychiatrie führt, kann sie beibehalten. Auf Antrag erhält er das Recht, die Facharztbezeichnung „Facharzt für Psychiatrie und Psychotherapie" zu führen, wenn er die Zusatzbezeichnung „Psychotherapie" führen darf. Wer im Zeitpunkt des Inkrafttretens dieser Weiterbildungsordnung die Facharztbezeichnung für Kinder- und Jugendpsychiatrie führt, erhält auf Antrag das Recht die Fachbezeichnung „Kinder- und Jugendpsychiatrie und -psychotherapie" zu führen.

---

[1] Weiterbildungsordnung für die Ärzte Bayerns vom 18.10.92; – Entwurf –; Bayerische Landesärztekammer. Ratifizierung Ende 1993 vorgesehen.

(9) Wer bei Inkrafttreten dieser Weiterbildungsordnung die Zusatzbezeichnungen „Psychoanalyse" oder „Psychotherapie" führt, kann sie beibehalten. Er erhält auf Antrag das Recht, die Bezeichnung „Facharzt für Psychotherapeutische Medizin" zu führen, wenn er nach Erwerb der Zusatzbezeichnung über einen Zeitraum von mindestens fünf Jahren überwiegend Psychotherapie ausgeübt hat.

(10) ... (11)

(12) Wer aufgrund der im Zeitpunkt des Inkrafttretens dieser Weiterbildungsordnung geltenden Übergangsbestimmungen rechtmäßig Arztbezeichnungen nach der Facharztordnung oder der Subspezialisierungsordnung der ehemaligen DDR führt, welche nicht in entsprechende Arztbezeichnungen nach der bisherigen Weiterbildungsordnung oder in entsprechende Arztbezeichnungen nach dieser Weiterbildungsordnung umgewandelt werden können, darf sie weiter führen[1].

(13) Anträge nach diesen Übergangsvorschriften müssen innerhalb von zwei Jahren nach Inkrafttreten dieser Weiterbildungsordnung gestellt werden.

---

[1] Dies gilt nur für Weiterbildungsordnungen der Landesärztekammern Berlin, Brandenburg, Mecklenburg-Vorpommern, Sachsen, Sachsen-Anhalt, Thüringen.

3. Ausbildung zum Psychoanalytischen Therapeuten

Die Weiterbildungsrichtlinien der Deutschen Gesellschaft für Psychoanalyse, Psychotherapie, Psychosomatik und Tiefenpsychologie e.V. (DGPT) legen die Grundanforderungen an die Weiterbildung von psychoanalytischen Therapeuten entsprechend § 2.2 der Satzung fest, wie sie für die Aufnahme als Mitglied der im Sinne von Mindestvoraussetzungen erfüllt sein müssen[1].

1. Zulassung zur Weiterbildung
   Die Zulassung zur Weiterbildung zum psychoanalytischen Therapeuten ist an folgende Bedingungen geknüpft:
   1.1 Wissenschaftliche Vorbildung
      Als wissenschaftliche Vorbildung muß gegenwärtig die Approbation als Arzt oder ein abgeschlossenes Hochschulstudium der Psychologie (in der BRD das Psychologie-Diplom) nachgewiesen werden.
   1.2 Berufliche Erfahrung
      Der Bewerber soll vor Beginn der Weiterbildung in der Regel zwei Jahre in seinem zur Zulassung berechtigenden Grundberuf tätig gewesen sein.
   1.3 Persönliche Eignung
      Die Zulassung zur Weiterbildung setzt die persönliche Eignung des Bewerbers voraus. Über die persönliche Eignung befindet ein Weiterbildungsausschuß, der nach der Satzung seines jeweiligen Institutes zu dieser Prüfung ermächtigt wurde.

2. Verlauf der Weiterbildung
   Die Weiterbildung erfolgt an gemäß Ziff. 2 anerkannten Instituten, ist kontinuierlich, in der Regel berufsbegleitend und erstreckt sich erfahrungsgemäß über mindestens fünf Jahre. Sie umfaßt
   1. die Lehranalyse
   2. die theoretischen Lehrveranstaltungen und Praktika
   und
   3. die praktische Weiterbildung.
   Einzelheiten des Weiterbildungsganges werden in Studienordnungen der Institute geregelt.
   2.1 Die Lehranalyse
      2.1.1 Unverzichtbare Grundlage
         Die Lehranalyse ist Grundlage und zentraler Bestandteil der psychoanalytischen Weiterbildung. Sie vermittelt die unverzichtbare Selbsterfahrung in der psychoanalytischen Grundmethode, von der sich alle Modifikationen psychoanalytischer Behandlungstechnik ableiten; sie fördert die Persönlichkeitsentwicklung und dient darüber hinaus der Betrachtung des individuellen analytischen Prozesses unter Bezugnahme auf das psychoanalytische Theoriensystem. Die

---

[1] Soweit die Anerkennung als psychologischer Psychoanalytiker oder der Erwerb der Zusatzbezeichnung „Psychoanalyse" angestrebt werden, sind die Bestimmungen der Psychotherapie-Vereinbarungen bzw. der ärztlichen Weiterbildungsordnungen zu berücksichtigen.

Lehranalyse hat eine entwicklungsfördernde und eine wissenschaftlich-didaktische Funktion.

2.1.2 Dauer der Lehranalyse

Die Lehranalyse vermittelt Selbsterfahrung in einem regressiven Beziehungsprozeß. In der Regel findet sie in mindestens drei Einzelsitzungen pro Woche statt und begleitet die Weiterbildung kontinuierlich.

2.1.3 Auswahl der Lehranalytiker

Seinen Lehranalytiker kann sich der Weiterbildungsteilnehmer aus dem Kreis der von seinem Institut anerkannten, zur Durchführung von Lehranalysen ermächtigten Psychoanalytiker auswählen. Zwischen dem Lehranalytiker und seinem Lehranalysanden dürfen keine dienstlichen Abhängigkeitsverhältnisse bestehen.

2.2 Theoretische Lehrveranstaltungen

2.2.1 Umfang der theoretischen Lehrveranstaltungen

In Lehrveranstaltungen und Praktika werden dem Weiterbildungsteilnehmer die Grundlagen und der gegenwärtige Erkenntnisstand der Psychoanalyse vermittelt. Im Rahmen einer berufsbegleitenden Weiterbildung sollen sich diese Lehrveranstaltungen auf mehrere Jahre verteilen und insgesamt mindestens 600 Stunden, einschließlich kasuistisch-technischer Seminare, umfassen.

2.2.2 Theoretisches Lehrprogramm

In Vorlesungen und/oder Seminaren sollen folgende Inhalte erarbeitet werden:

- Psychoanalytische Entwicklungs- und Persönlichkeitstheorien,
- allgemeine psychoanalytische Krankheitslehre,
- spezielle psychoanalytische Krankheitslehre einschließlich Psychosomatik,
- psychoanalytische Traumtheorien,
- Theorien des therapeutischen Prozesses und der psychoanalytischen Behandlungstechniken,
- Techniken der psychoanalytischen (diagnostischen und therapeutischen) Gesprächsführung,
- Theorien von der Psychodynamik der Familie und der Gruppe,
- Grundlagen der psychoanalytischen Kulturtheorie und der analytischen Sozialpsychologie,
- Indikation und Methodik der psychoanalytisch begründeten Verfahren einschließlich Prävention und Rehabilitation,
- Einführung in die Psychiatrie,
- Einführung in Psychodiagnostik, allgemeine Entwicklungspsychologie, Lerntheorie sowie Indikation und Methodik der Verhaltenstherapie.

2.2.3 Klinisch-psychiatrische Erfahrung

Der Bewerber soll eine einjährige klinisch-psychiatrische Erfahrung erwerben, mindestens aber entsprechende Kenntnisse in der Psychiatrie nachweisen können.

2.2.4 Interviewpraktikum[1]
Erste praktische Erfahrungen erwirbt der Weiterbildungsteilnehmer, indem er nach der Teilnahme an einem technischen Interview-Seminar eine ausreichende Anzahl von Erstuntersuchungen (mindestens 20) einschließlich Erstinterviews durchführt und diese mit einem Kontrollanalytiker bespricht.

2.3 Praktische Weiterbildung

2.3.1 Zulassung zur praktischen Weiterbildung[1]
Dem Weiterbildungsteilnehmer wird der Status eines zur praktischen Weiterbildung zugelassenen Weiterbildungskandidaten zuerkannt, wenn er mindestens die Hälfte seiner psychoanalytischen Weiterbildung absolviert und in einem Kolloquium mit dem Weiterbildungsausschuß seines Instituts sein Verständnis für die Grundlagen der psychoanalytischen Behandlungsmethoden gezeigt hat.

2.3.2 Inhalt der praktischen Weiterbildung
Hauptbestandteil der praktischen Weiterbildung ist die psychoanalytische Krankheitsbehandlung unter regelmäßiger Kontrolle. Unter den zu behandelnden Patienten müssen zwei Patienten mit Erkrankungen sein, für deren psychoanalytische Behandlung erfahrungsgemäß 250 bis 300 oder mehr Einzelsitzungen erforderlich sind.
Darüber hinaus sollen praktische Erfahrungen in der Anwendung von modifizierten psychoanalytischen Behandlungsverfahren erworben werden (u.a. in einer tiefenpsychologisch fundierten Psychotherapie und einer Kurztherapie).
Insgesamt müssen bis zum Abschluß der Weiterbildung mindestens sechs Behandlungen mit einer Gesamtzahl von mindestens 700 Behandlungsstunden nachgewiesen werden, darunter zwei Behandlungen mit jeweils mindestens 250 Stunden in Einzelsitzung.

2.3.3 Kontrolle der praktischen Weiterbildung
Die vom Weiterbildungskandidaten durchgeführten Krankenbehandlungen müssen von Kontrollanalytikern in ausreichender Frequenz kontrolliert worden sein. Bis zum Abschluß der Weiterbildung müssen bei einer Gesamtzahl von 700 Behandlungsstunden insgesamt 150 Kontrollstunden nachgewiesen werden. Davon müssen 100 Kontrollstunden in Einzelsitzungen stattgefunden haben, während die restlichen 50 Kontrollstunden auch in einer Gruppenkontrolle mit einer Teilnehmerzahl von maximal vier Weiterbildungskandidaten stattfinden können.

2.3.4 Kasuistisch-technische Seminare
Während der gesamten praktischen Weiterbildung ist bis zu ihrem Abschluß die Teilnahme an kasuistisch-technischen Seminaren obligatorisch.

---

[1] Zur Teilnahme am praktischen Teil der Weiterbildung ist der Abschluß einer Berufshaftpflichtversicherung erforderlich.

3. Abschluß der Weiterbildung
Die Weiterbildung wird mit einem Kolloquium nach Maßgabe der Prüfungsordnung des Weiterbildungsinstitutes oder einer Fachgesellschaft über eine von dem Kandidaten schriftlich niedergelegte und mündlich ergänzte Darstellung einer kontinuierlich kontrollierten psychoanalytischen Krankenbehandlung abgeschlossen, aus der die Befähigung des Kandidaten zur selbständigen psychoanalytisch-therapeutischen Arbeit ersichtlich ist.

4. Anderweitige Weiterbildung
Psychoanalytiker, die ihre Weiterbildung außerhalb von der DGPT anerkannter Institute absolviert haben, können auf Vorschlag von mindestens zwei Mitgliedern aufgenommen werden, wenn die Weiterbildung aufgrund eines diesen Weiterbildungsrichtlinien formal und inhaltlich vergleichbaren Curriculums erfolgte. Voraussetzung ist ferner, daß die Vergleichbarkeit vom Aufnahmeausschuß der DGPT – in der Regel nach Vorprüfung durch ein von der DGPT anerkanntes Institut – bestätigt wird.

5. Bewertung der Aus-/Weiterbildung im Ausland
5.1 Eine im Ausland abgeschlossene Ausbildung in Medizin oder Psychologie muß der deutschen Ausbildung zum approbierten Arzt bzw. Diplom-Psychologen gleichwertig sein. Die Gleichwertigkeit ist aufgrund amtlicher Auskünfte festzustellen.
5.2 Die Aufnahme eines Bewerbers, der eine gleichwertige Weiterbildung im Ausland abgeschlossen hat, setzt im Regelfall die Mitgliedschaft an einem anerkannten Institut oder in einer Fachgesellschaft voraus; in besonderen Ausnahmefällen kann die Gleichwertigkeit der Weiterbildung vom Aufnahmeausschuß festgestellt werden.

Auswahl von Aus- und Weiterbildungsinstituten in dem Bereich Psychotherapie und Psychoanalyse

Deutschland
1. Institute der „Deutschen Gesellschaft für Psychoanalyse, Psychotherapie, Psychosomatik und Tiefenpsychologie e.V." (DGPT)
2. Korporative Mitglieder der „Allgemeinen Ärztlichen Gesellschaft für Psychotherapie e.V." (AÄGP)
3. „Deutsche Gesellschaft für analytische Psychotherapie und Tiefenpsychologie" (östliche Bundesländer)

Schweiz

Österreich

Deutschland (westliche Bundesländer)

1. Deutsche Gesellschaft für Psychoanalyse, Psychotherapie, Psychosomatik und Tiefenpsychologie (DGPT)
   Johannisbollwerk 20, 2000 Hamburg 11, Tel. 0 40/3 19 26 19

   Bad Berleburg
   - Institut für Psychoanalyse und Psychotherapie (DPG)
     Siegen-Wittgenstein e.V.
     Sählingstraße 60, 5920 Bad Berleburg, Tel: 0 27 51/81 – 2 42

   Berlin
   - Institut für Psychotherapie e.V. Berlin
     Koserstraße 8–12, 1000 Berlin 33, Tel: 0 30/8 31 43 63
   - Institut für Psychoanalyse, Psychotherapie und Psychosomatik Berlin e.V.
     Helgoländer Ufer 5, 1000 Berlin 21, Tel: 0 30/3 93 48 58
   - Berliner Psychoanalytisches Institut
     Karl-Abraham-Institut e.V.
     (Zweig der Internationalen Psychoanalytischen Vereinigung)
     Sulzaer Straße 3, 1000 Berlin 33, Tel: 0 30/8 26 45 40
   - Berliner Institut für Psychotherapie und Psychoanalyse e.V.
     Naussauische Straße 7–8, 1000 Berlin 31, Tel: 0 30/8 61 52 03
   - C.G. Jung-Institut Berlin e.V.
     Wedellstraße 16/18, 1000 Berlin 46, Tel: 0 30/7 74 55 61

   Bremen
   - Bremer Arbeitsgruppe für Psychoanalyse und Psychotherapie e.V.
     Am Dobben 21, 2800 Bremen 1, Tel: 04 21/32 47 29

Düsseldorf
- Institut für Psychoanalyse und Psychotherapie Düsseldorf e.V.
  in Zusammenarbeit mit den klinischen Einrichtungen für Psychosomatische
  Medizin und Psychotherapie der Heinrich-Heine-Universität Düsseldorf,
  Tel: 02 11/28 01 – 6 73 – Frau Radtke

Frankfurt
- Sigmund-Freud-Institut
  Ausbildungs- und Forschungsinstitut für Psychoanalyse
  Myliusstraße 20, 6000 Frankfurt/Main, Tel: 0 69/72 92 45

Freiburg
- Institut für Psychoanalyse und Psychotherapie Freiburg e.V.
  Kaiser-Joseph-Straße 239, 7800 Freiburg, Tel: 07 61/3 69 33
- Psychoanalytisches Seminar Freiburg e.V.
  Institut der DPV (Zweig der IPV)
  Schwaighofstraße 6, 7800 Freiburg, Tel: 07 61/7 72 21

Gießen
- Institut für Psychoanalyse und Psychotherapie Gießen e.V.
  Ludwigstraße 73, 6300 Gießen, Tel: 06 41/7 45 27

Göttingen
- Institut für Psychoanalyse und Psychotherapie e.V. Göttingen
  Wilhelm Weber Straße 24, 3400 Göttingen, Tel: 05 51/4 26 96

Hamburg
- Michael-Balint-Institut
  Institut für Psychoanalyse und Psychotherapie
  Institut der Gesundheitsbehörde der Freien und Hansestadt Hamburg
  Finkenau 19, 2000 Hamburg 76, Tel: 0 40/2 91 99 – 38 40
- Institut für Psychoanalyse und Psychotherapie Hamburg e.V. der Arbeitsgruppe Hamburg der Deutschen Psychoanalytischen Gesellschaft e.V.
  Schlüterstraße 18, 2000 Hamburg 13, Tel: 0 40/44 49 81

Hannover
- Lehrinstitut für Psychoanalyse und Psychotherapie e.V. Hannover
  In Zusammenarbeit mit dem Institut für analytische Kinder- und
  Jugendlichen-Psychotherapie für das Land Niedersachsen
  Geibelstraße 104, 3000 Hannover 1, Tel: 05 11/80 47 90

Heidelberg
- Institut für Psychotherapie und Psychoanalyse
  Heidelberg/Mannheim e.V.
  Alte Bergheimer Straße 5, 6900 Heidelberg, Tel: 0 62 21/1 43 45
- Psychoanalytisches Institut Heidelberg-Karlsruhe der DPV e.V.
  Vagerowstraße 23, 6900 Heidelberg, Tel: 0 62 21/16 77 23

Kassel
- Alexander-Mitscherlich Institut
  Kasseler Psychoanalytisches Institut e.V.
  (nach den Ausbildungsrichtlinien der DPV)
  Karthäuserstraße 5a, 3500 Kassel, Tel: 05 61/77 96 20

Köln
- Institut für analytische Psychotherapie im Rheinland e.V.
  Klosterstraße 79c, 5000 Köln 41, Tel: 02 21/4 00 97 17
- Psychoanalytische Arbeitsgemeinschaft Köln-Düsseldorf e.V. (DPV)
  Dagobertstraße 35/37, 5000 Köln 1, Tel: 02 21/13 59 01

München
- Akademie für Psychoanalyse und Psychotherapie e.V.
  Schwanthaler Str. 106, 8000 München 2, Tel: 0 89/5 02 34 98
- Münchner Arbeitsgemeinschaft für Psychoanalyse MAP e.V.
  Bauerstraße 15, 8000 München 40, Tel: 0 89/2 71 59 66
- Psychoanalytische Arbeitsgemeinschaft München e.V.
  (Institut der Deutschen Psychoanalytischen Vereinigung)
  c/o. Dr. med. Klaus von Bomhard
  Frithjofstraße 4, 8000 München 81, Tel: 0 89/98 37 63

Nürnberg
- Institut für Psychoanalyse (DPG) Nürnberg e.V.
  Geschäftsstelle: Dr. med. Albrecht Mahr, Klingenstraße 31,
  8700 Würzburg, Tel: 09 31/3 98 28 93

Schwäbisch Gmünd
- Institut für Psychoanalyse und Psychotherapie der „Arbeitsgruppe Stuttgart der Deutschen Psychoanalytischen Gesellschaft e.V."
  Marktplatz 16, 7070 Schwäbisch Gmünd, Tel: 0 71 71/53 73

Stuttgart
- Psychoanalytisches Lehr- und Forschungsinstitut
  „Stuttgarter Gruppe" e.V.
  Hohenzollerstraße 26, 7000 Stuttgart 1, Tel: 07 11/6 48 52 21
- Psychoanalytische Arbeitsgemeinschaft Stuttgart-Tübingen
  Institut der DPV
  c/o. Dr. med. Klaus Wilde
  Kiefernweg 2, 7000 Stuttgart 70, Tel: 07 11/76 07 17
- C.G. Jung-Institut Stuttgart e.V.
  Institut für analytische Psychologie und Psychotherapie
  Alexanderstraße 92, 7000 Stuttgart 1, Tel: 07 11/24 28 29

Ulm
- Psychoanalytische Arbeitsgemeinschaft Ulm
  Am Hochsträß 8, 7900 Ulm, Tel: 07 31/5 02 56 61

Würzburg
- Institut für Psychoanalyse und Analytische Psychotherapie
  Würzburg e.V.
  Johann Herrmannstraße 37, 8700 Würzburg, Tel: 09 31/28 26 61

2. Allgemeine Ärztliche Gesellschaft für Psychotherapie
   Geschäftsstelle: Annemarie Haefs, Friedrich-Lau-Str. 7
   4000 Düsseldorf 30, Tel. 02 11/45 07 41

Korporative Mitglieder
- Vereinigung für Psychotherapeutische Weiterbildung
  Sekretariat: Edeltraut Schreiner, Orlandostr. 8/IV,
  8000 München 2, Tel. 0 89/29 25 22
- Deutsche Balint-Gesellschaft
  Geschäftsführerin: Dr. med. Heide Otten, Appelweg 21,
  3101 Wienhausen, Tel. 0 51 49/88 55
- Deutsche Gesellschaft für Ärztliche Hypnose und Autogenes Training
  Sekretariat: Elke Koch, Oberforstbacher Str. 416,
  5100 Aachen, Tel: 0 24 08/43 54
- Berliner Institut für Psychotherapie und Psychoanalyse
  Vorstand: Dr. med. Wolfgang V. Holitzner, Nassauischer Str. 7–8,
  1000 Berlin 31, Tel: 0 30/86 04 28
- Ärztlicher Weiterbildungskreis für Psychotherapie und Psychoanalyse
  München/Südbayern
  Geschäftsstelle: Maria Goetz, Hedwigstr. 3, 8000 München 19,
  Tel: 0 89/1 23 82 11
- Frankfurter Arbeitskreis für Psychoanalytische Psychotherapie
  Sekretariat: Monika Fischer, Tucholsky-Str. 56
  6000 Frankfurt 70, Tel: 0 69/68 54 41
- Ärztliche Arbeitsgemeinschaft der Deutschen Gesellschaft
  für Individualpsychologie
  Geschäftsführerin: Dr. med. Monika Bulitta, Sophienstr. 10,
  6000 Frankfurt 90, Tel: 0 69/70 44 37
- Ärztliche Gesellschaft für Gesprächspsychotherapie
  Vorsitzender: Dr. med. Jobst Finke, Rheinische Landes- und
  Hochschulklinik für Psychiatrie, Hufelandstr. 55,
  4300 Essen, Tel: 02 01/7 23 62 12
- Ärztliche Arbeitsgemeinschaft für Psychotherapie und Psychosomatik
  Rhein/Ruhr
  1. Vorsitzender: Dr. med. Stefan Doepp, Klinikum Niederberg
  Robert-Koch-Str. 2, 5620 Velbert 1,
  Tel: 0 21 24/7 18 62 02
- Verein Ärztlicher Gestalt-Therapeuten
  1. Vorsitzender: Dr. med. Dietrich Eck; Dipl. Psych., Allgemeines
  Krankenhaus Ochsenzoll, Langenhorner Chaussee 150,
  2000 Hamburg 62, Tel: 0 40/52 71 – 26 57

Deutschland (östliche Bundesländer)

3. Deutsche Gesellschaft für analytische Psychotherapie
   und Tiefenpsychologie e.V.
   1. Vorsitzender: Dr. med. Roger Kirchner, Bahnhofstraße 56,
      O-7500 Cottbus, Tel: 03 55/2 41 27, Telefax: 03 55–2 53 98

- Institut für Psychotherapie und angewandte Psychoanalyse e.V.
  Vorsitzender: Prof. Dr. med. Micharl Geyer, Karl-Tauchnitz-Straße 25,
    O-7010 Leipzig, Tel: 03 41/32 85 03
- Sächsicher Weiterbildungskreis für Psychotherapie, Psychoanalyse
  und Psychosomatische Medizin e.V.
  1. Vorsitzender: Prof. Dr. med. Michael Geyer, Karl-Tauchnitz-Straße 25,
    O-7010 Leipzig, Tel: 03 41/32 85 03
- Weiterbildungskreis für Psychotherapie, Psychosomatik und
  Tiefenpsychologie des Landes Sachsen-Anhalt e.V.
  Vorsitzender: Dr. med. Ernst Wachter, Kiefholzstraße,
    O-3240 Haldensleben, Tel: 0 39 04/7 52 12
- Sektion Dynamische Einzeltherapie der Gesellschaft für Psychotherapie,
  Psychosomatik und Medizinische Psychologie e.V.
  Vorsitzender: Dr. med. Hans-Joachim Maaz, Lafontainestraße 15,
    O-4020 Halle-Saale, Tel: 03 45/87 90, Telefax: 8 79–1 11
- Berliner Arbeitsgemeinschaft für Psychotherapie
  Vorsitzender: Dr. med. Christoph Seidler, Haus der Gesundheit,
    Karl-Marx-Allee 3, O-1020 Berlin, Tel: 0 30/2 10 91 51
- Deutscher Arbeitskreis für Intendierte dynamische
  Gruppenpsychotherapie e.V.
  Vorsitzender: Dr. med. Heinz Benkenstein, Eisfelder Straße 41,
    O-6110 Hildburghausen, Tel: 0 96 77/5 71
- Thüringer Arbeitskreis für Psychotherapie und Tiefenpsychologie e.V.
  Vorsitzender: Dr. med. Heinz Benkenstein, Eisfelder Straße 41,
    O-6110 Hildburghausen, Tel: 0 96 77/5 71
- Mitteldeutsche Gesellschaft für Katathymes Bilderleben und
  Imaginationsverfahren in der Psychotherapie e.V. (MGKB)
  Vorsitzender: Doz. Dr. sc. med. Heinz Hennig, Julius-Kühn-Straße 7,
    O-4020 Halle-Saale, Tel: 03 45/3 83 51
  Geschäftsstelle (Post): Wittekindstraße 17, O-4020 Halle-Saale
  mit angeschlossenem
- Institut für Katathymes Bilderleben und imaginative Verfahren
  Vorsitzender: Doz. Dr. sc. med. Heinz Hennig, Julius-Kühn-Straße 7,
    O-4020 Halle-Saale, Tel: 03 45/03 83 51
  Geschäftsstelle (Post): Wittekindstraße 17, O-4020 Halle-Saale
- Institut für Psychotherapie und Tiefenpsychologie Rostock e.V. (IPTR)
  Vorsitzender: Dr. med. Peter Wruck, Dahlwitzshofer Weg 1,
    O-2500 Rostock 1, Tel: 03 81/2 50 45
- Brandenburgische Akademie für psychosoziale Weiter- und Fortbildung
  Vorsitzender: Dr. med. Roger Kirchner, Bahnhofstraße 56,
    O-7500 Cottbus, Tel: 03 55/2 41 27, Telefax: 03 55–2 53 98

Schweiz

- Psychoanalytisches Seminar Zürich
  Quellenstr. 25, CH-8005 Zürich, Tel. 2 71 73 97
- Schweizerische Gesellschaft für Psychoanalyse, c/o Dr. J. Manzano,
  Case Postale 50, CH-1211 Genève 8, Tel. 0 22/27 43 09
- Schweizerische Ärztegesellschaft für Psychotherapie
  c/o Dr. med. P. Birchler, Limmattalstr. 275, CH-8049 Zürich
- Schweizerische Gesellschaft der Psychotherapeuten für
  Kinder und Jugendliche
  c/o Dipl. Psych. Kurt Keller-Merk, SPK-Sekretariat,
  Bahnhofstr. 1, CH-8802 Kilchberg
- Schweizerische Gesellschaft für Daseinsanalyse (SGDA),
  Präsidentin: Frau Dr. phil. Alice Holzhey-Kunz,
  Zollikerstr. 195, CH-8008 Zürich
- Fondation pour la Dévelopement de la Psychothérapie Medicale
  c/o Docteur E. de Perrot, Hopital Psychiatrique, CH-1197 Prangins

Österreich

- Wiener Psychoanalytische Vereinigung
  Gonzagagasse 11/2/11, A-1010 Wien, Tel. 02 22/63 07 66
- Gesellschaft für Logotherapie und Existenzanalyse
  c/o Dr. Alfred Längle, Eduard-Suessgasse 10, A-1150 Wien

Auswahl von psychotherapeutischen und psychosomatischen Kliniken

Deutschland (westliche Bundesländer)

Aachen
Klinik für Psychosomatische Medizin und Psychotherapie
Pauwelsstr. 30, 5100 Aachen, Tel. 02 41/8 90 97
Ambulanz; Leiter: Prof. Dr. E. Petzold

Bad Berleburg
Klinik Wittgenstein, Sählingstr. 60, 5920 Bad Berleburg, Tel. 0 27 51/81–0;
170 Betten, keine Ambulanz; Leiter: Dr. Dr. W. Ruff

Rothaarklinik für Psychosomatische Medizin, Am Spielacker,
5920 Bad Berleburg, Tel. 0 27 51/831;
121 Betten, keine Ambulanz; Leiter: Dr. med. W. Köbel

Bad Dürkheim
Psychosomatische Fachklinik, Kurbrunnenstr. 12, 6702 Bad Dürkheim,
Tel. 00 63 22/60 30;
227 Betten, keine Ambulanz; Leiter: Dr. med. N. Mark

Bad Hersfeld
Klinik am Hainber, Klinik für Psychosomatik und Psychotherapie,
Ludwig-Braun-Str. 32, 6430 Bad Hersfeld, Tel. 0 66 21/7 81 66;
199 Betten, keine Ambulanz; Leiter: Dr. med. W. Dahlmann, Dr. med. H. Neun

Bad Honnef
Rheinische Klinik für Psychosomatische Medizin, Luisenstr. 3,
5340 Bad Honnef, Tel. 0 22 24/18 50;
100 Betten, keine Ambulanz; Leiter: Dr. med. D. J. Mattke

Bad Krozingen
Werner-Schwidder-Klinik für Psychosomatische Medizin, Kirchhofener Str. 4,
7812 Bad Krozingen, Tel. 0 76 33/20 92;
63 Betten, keine Ambulanz; Leiter: Priv.-Doz. Dr. R. Hohage

Bad Neustadt
Psychosomatische Klinik, Salzburger Leite 1, 8740 Bad Neustadt,
Tel. 0 97 71/9 06–0;
315 Betten, keine Ambulanz; Leiter: Dr. med. F. Bleicher

Bad Wildungen
Klinik am Homberg, Abteilung für Psychotherapie, Am Kurpark,
3590 Bad Wildungen, Tel. 05 62/7 93–1;
125 Betten, keine Ambulanz; Leiter: Dr. med. A. Harrach

Wicker-Klinik, Psychosomatische Abteilung, Fürst-Friedrich-Str. 2,
3590 Bad Wildungen, Tel. 0 56 21/79 22 37;
75 Betten, keine Ambulanz; Leiterin: Dr. med. I. Olbricht

Berlin
Abteilung für Psychotherapie und Psychosomatische Medizin im Klinikum
Charlottenburg, Spandauer Damm 130, 1000 Berlin 19, Tel. 0 30/30 35 20 02;
13 Betten, Ambulanz; Leiter: Prof. Dr. B. F. Klapp

Privatklinik für psychogene Erkrankungen, Höhmannstr. 2, 1000 Berlin 33,
Tel. 0 30/8 26 20 66;
54 Betten, keine Ambulanz; Leiter: Dr. med. H. Kallfass

Abteilung für Psychosomatik und Psychotherapie der Medizinischen Klinik und
Poliklinik des Universitätsklinikums Steglitz, Hindenburgdamm 320,
1000 Berlin 45, Tel. 0 30/7 98 39 96–7;
13 Betten, Ambulanz; Leiter: Prof. Dr. H. H. Studt

Bielefeld
Klinik für Psychotherapie und Psychosomatische Medizin
des Ev. Johannes-Krankenhauses, Graf-von-Galen-Str. 58, 4800 Bielefeld 1,
Tel. 05 21/10 00 22;
50 Betten, Ambulanz; Leiterin: Dr. med. L. Reddemann

Bonn
Klinik für Innere Medizin/vegetatives Nervensystem/Psychosomatik der
Universität, Sigmund-Freud-Str. 25, 5300 Bonn, Tel. 02 28/2 80 25 07 (–28 01);
25 Betten, Ambulanz; Leiter: Prof. Dr. R. Liedtke

Bremen
Institut für psychoanalytische Therapie und psychosomatische Medizin,
Klinik für Psychiatrie, Zentralkrankenhaus Bremen-Ost, Ostholzer Landstr. 51,
2800 Bremen 44, Tel. 04 21/40 89 02;
18 Betten, Ambulanz; Leiter: Dr. med. H. Haack

Dortmund
Abteilung für Psychosomatische Medizin und Psychotherapie
an der Westfälischen Klinik für Psychotherapie, Ruhr-Universität Bochum,
Marsbruchstr. 179, 4600 Dortmund 41, Tel. 02 31/4 50 32 26–7;
44 Betten, Ambulanz; Leiter: Prof. Dr. P. L. Janssen

Düsseldorf
Klinik für Psychotherapie und Psychosomatik der Rheinischen Landesklinik,
Bergische Landstr. 2, 4000 Düsseldorf 12, Tel. 02 11/2 80 15 56–7;
12 Betten, Ambulanz (über den Lehrstuhl für Psychosomatische Medizin und
Psychotherapie der Universität, Moorenstr. 5, 4000 Düsseldorf 1,
Tel. 02 21/3 11 88 38–85 28); Leiter: Prof. Dr. Dr. W. Tress

Essen
Klinik für Psychotherapie und Psychosomatik der Rheinischen Klinik und
Hochschulklinik im Universitätsklinikum, Virchowstr. 174, 4300 Essen, 1,
Tel. 02 01/7 22 73 84;
30 Betten, Ambulanz; Leiter: Prof. Dr. W. Senf

Esslingen
Psychosomatische Abteilung der Städtischen Krankenanstalten,
Hirschlandstr. 97, 7300 Esslingen, Tel. 07 11/3 10 35 50;
34 Betten, keine Ambulanz; Leiter: Dr. med. E. Gaus

Frankfurt am Main
Abteilung für Psychotherapie und Psychosomatik der Universität,
Heinrich-Hoffmann-Str. 10, 6000 Frankfurt am Main 71, Tel. 0 69/63 01 50 41;
14 Betten, Ambulanz; Leiter: Prof. Dr. S. Mentzos

Funktionsbereich Psychosomatik im Klinikum der Johann-Wolfgang-Goethe-Universität; Theodor-Stern-Kai 2 (Haus 13 B), 6000 Frankfurt am Main 70,
Tel. 0 69/6 30 17 61;
17 Betten, Ambulanz; Leiter: Prog. Dr. G. Overbeck

Freiburg i. Br.
Abteilung für Psychotherapie und Psychosomatik
der Albert-Ludwigs-Universität, Habsburgerstr. 62, 7800 Freiburg i. Br.,
Tel. 07 81/2 70 20 91;
23 Betten, Ambulanz; Leiter: Prof. Dr. M. Wirsching

Geldern
Gelderland-Klinik, Fachklinik für Psychotherapie und Psychosomatik,
Klemensstr. 1, 4170 Geldern, Tel. 0 28 31/13 70;
160 Betten, Ambulanz; Leiter: Dr. med. G. H. Paar

Gengenbach
Psychosomatische Klinik Kinzigtal, Wolfsweg, 7614 Gengenbach,
Tel. 0 78 03/80 80;
240 Betten, keine Ambulanz; Leiter: Dr. med. G. Wittig, Dr. med. K. Baerin

Gießen
Zentrum für Psychosomatische Medizin der Justus-Liebig-Universität,
Friedrichstr. 33, 6300 Gießen, Tel. 06 41/7 02 24 61;
9 Betten, Ambulanz; Leiter: Prof. Dr. Ch. Reimer

Göttingen
Abteilung Psychosomatik und Psychotherapie am Zentrum für Psychologische
Medizin der Universität, Von-Siebold-Str. 5, 3400 Göttingen,
Tel: 05 51/39 67 07-7;
15 Betten, Ambulanz; Leiter: Prof. Dr. O. Rüger

Hamburg
Psychosomatische Abteilung, II. Medizinische Universitätsklinik Eppendorf,
Martinistr. 52, 200 Hamburg 20, Tel. 0 40/4 68 39 93;
keine Betten, Ambulanz; Leiter: NN

Psychosomatische Abteilung am DRK- und Freimaurer-Krankenhaus Rissen,
Suurheid 20, 2000 Hamburg 56, Tel. 0 40/8 19 14 882
50 Betten, keine Ambulanz; Leiter: Prof. Dr. Dr. S. Ahrens

Hannover
Abteilung für Psychosomatik, Zentrum Psychologische Medizin,
Medizinische Hochschule, Konstanty-Gutschow-Str. 8, 3000 Hannover 61,
Tel. 05 11/5 32 32 90;
14 Betten, Ambulanz; Leiter: Prof. Dr. F. Lamprecht

Klinik für Psychosomatische Medizin am Krankenhaus der Henriettenstiftung,
Schwemannstr. 19, 3000 Hannover 71, Tel. 05 11/2 89 31 31;
25 Betten, keine Ambulanz; Leiter: Dr. med. W. Kämmerer

Heidelberg
Innere Medizin (Schwerpunkt: allgemeine und Psychosomatische Medizin),
Medizinische Klinik der Universität, Bergheimer Str. 58, 6900 Heidelberg,
Tel. 0 62 21/5 66 49–50;
42 Betten, Ambulanz; Leiter: Prof. Dr. P. Hahn

Psychosomatische Klinik, Klinikum der Universität, Thibautstr. 2,
6900 Heidelberg, Tel. 0 62 21/5 68 88–14;
23 Betten, Ambulanz; Leiter: Prof. Dr. G. Rudolf

Hofheim
Kurklinik Hofheim, Kurhausstr. 33, 6238 Hofheim/Ts., Tel. 0 61 92/2 50 18;
95 Betten, keine Ambulanz; Leiter: Dr. med. H. Luft

Homburg/Saar
Institut für klinische Psychotherapie der Universität,
Postfach, 6650 Homburg/Saar, Tel. 0 68 41/16 39 97;
keine Betten, Ambulanz; Leiter: Prof. Dr. S. Zepf

Isny-Neutrauchburg
Fachklinik Alpenblick, 7972 Isny-Neutrauchburg, Tel. 0 75 62/71 15 01;
250 Betten, keine Ambulanz; Leiter: Dr. med. A. Hellwig

Kiel
Klinikum der Universität, Abteilung Psychotherapie und Psychosomatik,
Niemannsweg 147, 2300 Kiel, Tel. 04 31/5 97 26 52;
8 Betten, Ambulanz; Leiter: Prof. Dr. H. Speidel

Köln
Psychosomatische Abteilung der Universitätskliniken,
Joseph-Stelzmann-Str. 9, 5000 Köln 41, Tel. 02 21/4 78 43 65;
keine Betten, Ambulanz; Leiter: Prof. Dr. K. Köhle

Psychosomatische Abteilung am St.-Agatha-Krankenhaus,
Feldgärtenstr. 97, 5000 Köln 60, Tel. 02 21/7 17 52 14–5;
40 Betten, Ambulanz; Leiterin: Dr. M. Kütemeyer

Lübeck
Klinik und Psychosomatik und Psychotherapie der medizinischen Universität,
Ratzeburger Allee 160, 2400 Lübeck 1, Tel. 04 51/5 00 23 06;
40 Betten, Ambulanz; Leiter: Prof. Dr. H. Ch. Deter

Mainz
Klinik für Poliklinik für Psychosomatische Medizin und Psychotherapie der
Universität, Untere Zahlbacher Str. 8, 6500 Mainz, Tel. 0 61 31/17 28 412
18 Betten, Ambulanz; Leiter: Prof. Dr. S. O. Hoffmann

Mannheim
Psychosomatische Klinik im Zentralinstitut für seelische Gesundheit,
Quadrat J 5, 6800 Mannheim, Tel. 06 21/1 70 34 25;
48 Betten, Ambulanz; Leiter: Prof. Dr. H. Schepank

Marburg
Abteilung für Psychosomatik, Zentrum für Innere Medizin am Klinikum der
Philipps-Universität, Baldingerstr., 3550 Marburg, Tel. 0 64 21/28 40 12;
8 Betten, Ambulanz; Leiter: Prof. Dr. W. Schüffel

Klinik für Psychotherapie der Universität, Ortenbergstr. 8, 3550 Marburg,
Tel. 0 64 21/28 52 12–3;
keine Betten, Ambulanz; Leiter: Prof. Dr. M. Pohlen

München
Psychosomatische Beratungsstelle der Medizinischen Poliklinik der Universität,
Pettenkoferstr. 8a, 8000 München 2, Tel. 0 89/51 60 35 97;
keine Betten, Ambulanz; Leiter: Prof. Dr. R. Klußmann

Abteilung für Psychotherapie und Psychosomatik der Psychiatrischen Klinik
und Poliklinik der Universität, Nußbaumstr. 7, 8000 München 2,
Tel. 0 89/51 60 33 58;
keine Betten, Ambulanz; Leiter: Prof. Dr. M. Ermann

Institut und Poliklinik für Psychosomatische Medizin, Psychotherapie und
Medizinische Psychologie der Technischen Universität, Langerstr. 3,
8000 München 80, Tel. 0 89/41 40 43 11;
keine Betten, Ambulanz; Leiter: Prof. Dr. M. von Rad

Abteilung für Psychosomatische Medizin und Psychotherapie im Städtischen
Krankenhaus München-Harlaching, Sanatoriumsplatz 1
8000 München 90, Tel. 0 89/64 24 35 – 0;
60 Betten, Ambulanz über die Technische Universität; Leiter: Prof. Dr. M. von Rad

Nürnberg
Psychosomatische Abteilung am Städtischen Klinikum, Flurstr. 17,
8500 Nürnberg, Tel. 09 11/3 98 28 39;
16 Betten, keine Ambulanz; Leiter: Prof. Dr. W. Pontzen

Prien
Psychosomatische Klinik Roseneck, Am Roseneck 6, 8210 Prien,
Tel. 0 80 51/60 15 10;
232 Betten, keine Ambulanz; Leiter: Prof. Dr. M. Fichter

Rosdorf
Fachkrankenhaus für psychogene und psychosomatische Erkrankungen
(Niedersächsisches Landeskrankenhaus), 3405 Rosdorf 1, Tel. 05 51/78 08 15;
176 Betten, keine Ambulanz; Leiter: Prof. Dr. U. Streeck

Schömberg
Psychosomatische Klinik, Dr.-Schröder-Weg 12, 7542 Schömberg,
Tel. 0 70 84/5 00;
240 Betten, keine Ambulanz; Leiter: Dr. P. Bernhard, Dr. R. Johnen

St. Blasien
Hochschwarzwaldklinik, Fachklinik für psychosomatische Erkrankungen,
Albtalstr. 32, 7822 St. Blasien, Tel. 0 76 72/41 60;
66 Betten, Ambulanz; Leiter: Dr. med. S. Schwenzer

Stuttgart
Psychotherapeutische Klinik, Klinik für analytische Psychotherapie
und Psychosomatik, Christian-Belser-Str. 79, 7000 Stuttgart 70,
Tel. 07 11/6 78 10;
102 Betten, keine Ambulanz; Leiter: Dr. med. G. Schmitt

Tübingen
Abteilung für Psychoanalyse, Psychotherapie und Psychosomatik
der Universität, Neckargasse 7, 7400 Tübingen, Tel. 0 70 71/29 67 19;
keine Betten, Ambulanz; Leiter: Prof. Dr. H. Henseler

Ulm
Abteilung für Psychosomatik am Psychosozialen Zentrum der Universität,
Steinhövelstr. 9, 7900 Ulm, Tel. 07 31/1 76 39 10;
15 Betten, Ambulanz; Leiter: Prof. Dr. S. Stephanos
Abteilung Psychotherapie der Universität, Am Hochsträß 8, 7900 Ulm,
Tel. 07 31/1 76 29 81;
keine Betten, Ambulanz; Leiter: Prof. Dr. H. Kächele

Windach
Psychosomatische Klinik, Schützenstr. 16, 8911 Windach, Tel. 0 81 93/7 20;
143 Betten, keine Ambulanz; Leiter: Dr. med. Zaudig

Würzburg
Institut für Psychotherapie und Medizinische Psychologie der Universität,
Klinikstr. 3, 8700 Würzburg, Tel. 09 31/3 17 13;
keine Betten, Ambulanz; Leiter: Prof. Dr. Dr. H. Lang

Zwesten
Hardtwaldklinik II, Hardtstr. 32, 3584 Zwesten, Tel. 0 56 26/8 80;
217 Betten, keine Ambulanz: Leiter: Dr. med. G. Mentzel

Deutschland (östliche Bundesländer)

Berlin
Zentrum für Nervenheilkunde
Bereich Medizin (Charité der Humboldt-Universität)
Klinik für Psychiatrie; Abteilung Psychosomatik/Psychotherapie
Schumannstr. 20/21, O-1040 Berlin, Tel. 0 30/28 62 86 20 30
Bettenstation, Ambulanz; Leiter: Prof. Dr. H. Kulawik

Abt. für Psychosomatische Medizin und Psychotherapie
Wilhelm-Griesinger-Krankenhaus Berlin-Marzahn
Brebacher Weg 15, O-1141 Berlin; Tel. 0 30/5 24 73 02
20 Betten; Leiter: Prof. Dr. W. König

Dresden
Klinik für Psychotherapie
Städtisches Krankenhaus Dresden-Neustadt
Hermann-Prell-Str. 8, O-8051 Dresden; Tel. 03 51/37 82 59
Bettenstation; Leiter: Dr. W. Blum

Psychosomatische Station am Klinikum Weißer Hirsch
Heinrich-Cotta-Str. 12, O-8051 Dresden; Tel. 03 51/37 82 65
15 Betten; Leiterin: Frau Dr. med. K. Simmich

Erlabrunn
Kreiskrankenhaus Landkreis Schwarzenberg
Klinik für Psychotherapie und Psychosomatik
O-9436 Erlabrunn, Tel. 0 37 73/65 22
42 Betten, Ambulanz; Leiter: Dr. H. Röhrborn

Haldensleben
Psychotherapieabteilung des Landeskrankenhauses Haldensleben
Kiefholzstr. 4, O-3420 Haldensleben; Tel. 0 39 04/7 50
Bettenstation, Ambulanz; Leiter: Dr. K. Wachter

Halle
Abt. für Psychotherapie und Psychosomatik
Klinik und Poliklinik für Psychiatrie und Neurologie
Martin-Luther-Universität
Julius-Kühn-Str. 7, O-4020 Halle/Saale; Tel. 03 45/3 83 51
15 Betten; Leiterin: Frau Prof. Dr. E. Fikentscher

Psychotherapeutische Abteilung
Evangelisches Diakoniewerk Halle
Lafontainestraße 15, O-4020 Halle/Saale; Tel. 03 45/87 90
Leiter: Dr. H. J. Maaz

Jena
Abt. für Internistische Psychotherapie
Klinik für Innere Medizin
Friedrich-Schiller-Universität
Erlanger Allee 101, O-6902 Jena; Tel. 0 36 41/75 23 38
9 Betten, Ambulanz; Leiterin: Frau Dr. med. M. Venner

Leipzig
Institut für Psychotherapie und angewandte Psychoanalyse e.V.
Karl-Tauchnitz-Straße 25, Tel. 03 41/32 85 03
Vors.: Prof. Dr. med. M. Geyer

Klinik und Poliklinik für Psychotherapie und Psychosomatische Medizin
der Universität Leipzig, Karl-Tauchnitz-Straße 25,
O-7010 Leipzig, Tel. 03 41/32 85 03
34 Betten, Ambulanz; Leiter: Prof. Dr. med. M. Geyer

Stadtroda
Abt. für Psychotherapie und Psychosomatik
Landesfachkrankenhaus für Psychiatrie und Neurologie
Bahnhofstr. 1, O-6540 Stadtroda, Tel. 03 64 28/5 62 00
32 Betten, Ambulanz; Leiter: Dr. F. Bartuschka

Schweiz

Barmelweid
Psychosomatische Abteilung Klinik Barmelweid, CH-5017 Barmelweid,
Tel. 0 64/36 22 52;
23 Betten, keine Ambulanz; Leiter: Dr. med. L. Laederach

Basel
Psychosomatische Abteilung, Kantonsspital, CH-4013 Basel, Tel. 0 61/25 25 25;
keine Betten, Ambulanz; Leiter: Dr. med. A. Kiss

Bern
Medizinische Abteilung, C. L.-Lory-Haus, Inselspital, CH-3010 Bern,
Tel. 0 31/64 20 19;
Leiter: Prof. Dr. med. R. Adler

Medizinische Poliklinik der Universität, Inselspital, CH-3010 Bern,
Tel. 03 11/64 31 84;
keine Betten, Ambulanz; Leiter: Dr. med. A. Radvila

Genf (Genève)
Division de médicine psychosomatique et psychosociale, Boulevard de la Cluse 51,
CH-12205 Genève, Tel. 0 22/20 80 47;
keine Betten, Ambulanz; Leiter: Dr. med. M. Archinard

Lausanne
Policlinique psych. universitaire, Centre de psychologie médicale du CHUV,
CH-1011 Lausanne, Tel. 0 21/44 24 80;
keine Betten, Ambulanz; Leiter: Priv.-Doz. Dr. med. P. Guex

St. Gallen
Psychosomatischer Dienst, Kantonsspital, CH-9007 St. Gallen, Tel. 0 71/26 11 11;
keine Betten, Ambulanz; Leiter: Dr. med. H. Egli

Zürich
Abteilung für psychosoziale Medizin, Psychiatrische Poliklinik, Univ.-Spital,
Culmannstr. 8, CH-8091 Zürich, Tel. 01/2 55 51 27;
keine Betten, Ambulanz; Leiter: Priv.-Doz. Dr. med. C. Buddeberg

Österreich

Graz
Univ.-Klinik für Medizinische Psychologie und Psychotherapie,
Auenbruggerplatz 28/II, A-8036 Graz, Tel. 03 16/3 85 25 16;
keine Betten, Ambulanz; Leiter: Prof. Dr. W. Pieringer

Univ.-Klinik für Psychiatrie, Abteilung stationäre Psychotherapie,
Auenbruggerplatz 22, A-8036 Graz, Tel. 03 16/3 85 25 16;
keine Betten, Ambulanz; Leiter: Prof. Dr. W. Pieringer

Innsbruck
Psychotherapeutische Ambulanz der Univ.-Klinik für Medizinische Psychologie
und Psychotherapie, Sonnenburgstr. 16, A-6020 Innsbruck,
Tel. 0 51 22/5 07 24 92;
keine Betten, Ambulanz; Leiter: Prof. Dr. W. Wesiack

Salzburg
Psychotherapiestation und Psychosomatische Abteilung der Landesnervenklinik,
Ignaz-Harrer-Str. 79, A-5020 Salzberg, Tel. 06 62/3 35 01 44 16–2
83 Betten, Ambulanz; Leiter: Univ.-Doz. Dr. Danzinger

Psychologische Beratungsstelle des Instituts für Psychologie der Universität;
Heilbrunnerstr. 34, A-5020 Salzburg, Tel. 06 62/80 44–51 03–17

Villach
Landeskrankenhaus Villach, Abteilung Neurologie und Psychosomatik,
Nikolaigasse 43, A-9500 Villach, Tel. 0 42 42/20 84 47–49

Wien
Univ.-Klinik für Tiefenpsychologie und Psychotherapie, Lazarettgasse 14,
A-1090 Wien, Tel. 02 22/44 04 00 30 69;
keine Betten, Ambulanz; Leiterin: Univ.-Doz. Dr. M. Springer-Kremser

Psychosomatische Abteilung der Psychiatrischen Univ.-Klinik,
Währinger Gürtel 18–20, A-1090 Wien, Tel. 02 22/4 04 00 35 07
16 Betten, Ambulanz; Leiter: N. N.

Psychosomatische Ambulanz der I. Medizinischen Abteilung der Univ.-Klinik,
Lazarettgasse 14, A-1090 Wien, Tel. 02 22/4 04 00 20 12–3;
keine Betten, Ambulanz; Leiter: Prof. Dr. Waldhäusl

Psychosomatische Ambulanz der II. Medizinischen Abteilung der Univ.-Klinik,
Garnisongasse 13, A-1190 Wien, Tel. 02 22/4 04 00–21 33;
keine Betten, Ambulanz; Leiter: Univ.-Doz. Dr. K. Spiess

Abteilung Kinderpsychosomatik am Wilhelminen-Spital, Monzlerartstr. 31,
A-1090 Wien, Tel. 02 22/95 21 52;
14 Betten, keine Ambulanz; Leiter: Prim.-Dr. H. Zimprich

Literatur

Einführende Werke/allgemeine Übersichten

Balint M (1970) Die Urformen der Liebe und die Technik der Psychoanalyse, Fischer, Frankfurt
Balint M (1970) Therapeutische Aspekte der Regression. Die Theorie der Grundstörung. Klett, Stuttgart
Bally G (1961) Einführung in die Psychoanalyse Sigmund Freuds. Rowohlt, Reinbek
Blanck G, Blanck R (1978) Angewandte Ich-Psychologie. Klett, Stuttgart
Blanck G, Blanck R (1980) Ich-Psychologie II. Klett, Stuttgart
Bräutigam W (1985) Reaktionen, Neurosen, abnorme Persönlichkeiten. Thieme, Stuttgart
Bräutigam W, Christian P, Rad M v (1992) Psychosomatische Medizin, 5. Aufl. Thieme, Stuttgart New York
Brenner C (1976) Grundzüge der Psychoanalyse. Fischer, Frankfurt
Dührssen A (1972) Analytische Psychotherapie in Theorie, Praxis und Ergebnissen. Vandenhoeck & Ruprecht, Göttingen
Elhardt S (1990) Tiefenpsychologie. Eine Einführung, 12. Aufl. Kohlhammer, Stuttgart
Erikson HE (1976) Kindheit und Gesellschaft, 6. Aufl. Klett, Stuttgart
Fenichel O (1977) Psychoanalytische Neurosenlehre. Walter, Olten
Freud A (1964) Das Ich und die Abwehrmechanismen. Kindler, München
Freud S (1916–17a) Vorlesung zur Einführung in die Psychoanalyse Gw Bd 11, Studienausgabe Bd 1, Fischer, Frankfurt 1969
Freud S (1933a) Neue Folge der Vorlesungen zur Einführung in die Psychoanalyse. GW BD 15, Studienausgabe Bd 1, Fischer, Frankfurt 1969
Eagle M (1988) Neue Entwicklungen in der Psychoanalyse. Eine kritische Würdigung; Internationale Psychoanalyse, München
Greenson RR (1973) Technik und Praxis der Psychoanalyse. Klett, Stuttgart
Heigl-Evers A, Heigl F (Hrsg) (1993) Lehrbuch der Psychotherapie. G. Fischer, Stuttgart
Hoffmann SO, Hochapfel G (1991) Einführung in die Neurosenlehre und Psychosomatische Medizin, 4. Aufl. Schattauer, Stuttgart
Kernberg OF (1978) Borderline-Störungen und pathologischer Narzißmus. Suhrkamp, Frankfurt
Klußmann R (1992) Psychosomatische Medizin, 2. Aufl. Springer, Berlin Heidelberg New York Tokyo
Knapp G (1988) Narzißmus und Primärbeziehung. Psychoanalytisch-anthropologische Grundlagen für ein neues Verständnis von Kindheit. Springer, Berlin Heidelberg New York Tokyo
Kohut H (1973) Narzißmus. Suhrkamp, Frankfurt
Kohut H (1979) Die Heilung des Selbst. Suhrkamp, Frankfurt
Loch W (1983) Die Krankheitslehre der Psychoanalyse. Hirzel, Stuttgart
Luborsky L (1988) Einführung in die analytische Psychotherapie. Springer, Berlin Heidelberg New York Tokyo
Mentzos S (1982) Neurotische Konfliktverarbeitung. Kindler, München
Mertens W (1992) Psychoanalyse 4. Aufl. Kohlhammer, Stuttgart
Nunberg H (1959) Allgemeine Neurosenlehre. Huber, Bern
Riemann F (1973) Grundformen der Angst. Reinhardt, München
Thomä H, Kächele H (1986) Lehrbuch der psychoanalytischen Therapie. Springer, Berlin Heidelberg New York Tokyo
Uexküll Th v (Hrsg) (1990) Psychosomatische Medizin, 5. Aufl. Urban & Schwarzenberg, München
Wesiack W (1980) Psychoanalyse und praktische Medizin. Klett, Stuttgart

Zepf S (1985) Narzißmus, Trieb und die Produktion von Subjektivität. Springer, Berlin Heidelberg New York Tokyo
Zepf S (1986) Tatort Körper – Spurensicherung. Springer, Berlin Heidelberg New York Tokyo

Basisliteratur Psychoanalyse

Anzieu D (1991) Das Haut-Ich. Suhrkamp, Frankfurt
Balint M (1970) Die Urformen der Liebe und die Technik der Psychoanalyse. Fischer, Frankfurt
Balint M (1970) Therapeutische Aspekte der Regression. Die Theorie der Grundstörung. Klett, Stuttgart
Blanck G, Blanck R (1978) Angewandte Ich-Psychologie. Klett, Stuttgart
Blanck G, Blanck R (1978) Ich-Psychologie II. Klett, Stuttgart
Broucek FJ (1991) Shame and Self. Guilford, New York
Ferenci S (1972) Schriften zur Psychoanalyse. Fischer, Frankfurt
Freud A (1964) Das Ich und die Abwehrmechanismen. Kindler, München
Freud s (1989) Studienausgabe, 11 Bände, Fischer, Frankfurt
Gedo J, Goldberg E, Goldberg J (1973) Models of the mind. A psychoanalytic theory. University of Chicago Press, Chicago
Jacobson E (1973) Das Selbst und die Welt der Objekte. Suhrkamp, Frankfurt
Kernberg OF (1978) Borderline-Störungen und pathologischer Narzißmus. Suhrkamp, Frankfurt
Kernberg OF (1989) Objektbeziehungen und Praxis der Psychoanalyse. Klett-Cotta, Stuttgart
Kernberg OF (1991) Schwere Persönlichkeitsstörungen. Theorie, Diagnose, Behandlungsstrategien, 3. Aufl. Klett-Cotta, Stuttgart
Kohut H (1973) Narzißmus. Suhrkamp, Frankfurt
Kohut H (1979) Die Heilung des Selbst. Suhrkamp, Frankfurt
Spitz R (1973) Die Entstehung der ersten Objektbeziehungen. Klett, Stuttgart
Thomä H, Kächele H (1986) Lehrbuch der psychoanalytischen Therapie. Springer, Berlin Heidelberg New York Tokyo
Winnicott DW (1973) Vom Spiel zur Kreativität. Klett, Stuttgart
Winnicott DW (1976) Reifungsprozesse und fördernde Umwelt. Klett, Stuttgart
Zepf S (1986) Narzißmus, Trieb und Subjektivität. Springer, Berlin Heidelberg New York Tokyo

Behandlungstechnik

Argelander H (1970) Das Erstinterview in der Psychotherapie. Wiss. Buchgesellschaft, Darmstadt
Blanck G, Blanck R (1978) Angewandte Ich-Psychologie. Klett, Stuttgart
Blanck G, Blanck R (1979) Ich-Psychologie II. Klett, Stuttgart
Cremerius J (1990) Vom Handwerk des Psychoanalytikers. 2. Aufl. Fromann und Holzboorg, Stuttgart
Freud S (1909–1933) Ratschläge für den Arzt bei psychoanalytischen Behandlungen. GW Bd VIII, Imago, London, 1950
Greenson RR (1973) Theorie und Praxis der Psychoanalyse. Klett, Stuttgart
Heigl F (1987) Indikation und Prognose in Psychoanlayse und Psychotherapie; 3. Aufl. Vandenhoeck & Ruprecht, Göttingen
König K (1990) Praxis der psychoanalytischen Therapie. Vandenhoeck & Ruprecht, Göttingen
Lachauer R (1992) Der Fokus in der Psychotherapie. Pfeiffer, München
Menninger K, Holzmann P (1977) Technik. Zur Dialektik der Psychoanalyse. Klett, Stuttgart
Mertens W (1992) Einführung in die psychoanalytische Therapie, Bd I–III. Kohlhammer, Stuttgart
Morgenthaler F (1978) Technik. Zur Dialektik der psychoanalytischen Praxis. Syndikat, Frankfurt

Thomä H, Kächele H (1986) Lehrbuch der psychoanalytischen Therapie. Springer, Berlin Heidelberg New York Tokyo
Wurmser L (1987) Flucht vor dem Gewissen-Über-Ich und Abwehr-Analyse schwerer Neurosen. Springer, Berlin Heidelberg New York Tokyo

Verhaltenstherapie

Bullinger M (1990) Verhaltenstherapie. In: Pöppel M, Bullinger M (Hrsg) Medizinische Psychologie. VCII Verlagsgesellschaft, Weinheim
Deutsche Gesellschaft für Verhaltenstherapie (Hrsg) (1990) Verhaltenstherapie – Theorie und Methoden. Dt. Ärzteverlag, Köln
Hand I, Wittchen HU (1992) Verhaltenstherapie in der Medizin. 2. Aufl. Springer, Berlin Heidelberg New York Tokyo
Hellhammer DH, Ehlert U (Hrsg) (1991) Verhaltensmedizin: Ergebnisse und Anwendung. Huber, Bern
Miltner W, Gerber Wd (1986) Verhaltensmedizin. Springer, Berlin Heidelberg New York Tokyo
Reinecker H (1987) Grundlagen der Verhaltenstherapie. Psychologie Verlagsunion, Weinheim
Schonecke OW, Muck-Weich C (1990) Verhaltenstherapie. In: Uexküll Th v (Hrsg) Psychosomatische Medizin, 4. Aufl. Urban & Schwarzenberg, München
Wahl R, Hautzinger M (Hrsg) (1989) Verhaltensmedizin – Konzepte, Anwendungsgebiete, Perspektiven. Dt. Ärzteverlag, Köln

Allgemeine und spezielle Neurosenlehre

Dührssen A (1972) Analytische Psychotherapie in Theorie, Praxis und Ergebnissen. Vandenhoeck & Ruprecht, Göttingen
Fenichel O (1974) Psychoanalytische Neurosenlehre. Walter, Olten
Hoffmann SO, Hochapfel G (1991) Einführung in die Neurosenlehre und Psychosomatische Medizin, 4. Aufl. Schattauer, Stuttgart
Kutter S (1989) Moderne Psychoanalyse. Eine Einführung in die Psychologie unbewußter Prozesse. Internationale Psychoanalyse, München
Loch W (1989) Die Krankheitslehre der Psychoanalyse. Hirzel, Stuttgart
Mentzos S (1988) Angstneurose. Psychodynamische und psychotherapeutische Aspekte. Kindler, München
Mentzos s (1990) Neurotische Konfliktverarbeitung. 4. Aufl. Fischer, Frankfurt
Mertens W (1992) Psychoanalyse, 4. Aufl. Kohlhammer, Stuttgart
Nunberg H (1971) Allgemeine Neurosenlehre. Huber, Bern

Psychoanalytische Entwicklungspsychologie

Bowlby J (1975) Bindung. Kindler, München
Bowlby J (1976) Trennung. Kindler, München
Freud A (1968) Wege und Irrwege der Kinderentwicklung. Klett, Stuttgart
Klein M (1962) Das Seelenleben des Kleinkindes und andere Beiträge zur Psychoanalyse. Klett, Stuttgart
Lichtenberg JD (1983) Psychoanalysis and infant research Analytic, Hillsdale
Mahler MS (1978) Die psychische Geburt des Menschen. Fischer, Frankfurt
Ohlmeier D (Hrsg) (1973) Psychoanalytische Entwicklungspsychologie. Rombach, Frankfurt
Spitz R (1965) Vom Säugling zum Kleinkind. Klett, Stuttgart
Spitz R (1970) Ja und Nein. Die Ursprünge der menschlichen Kommunikation. 2. Aufl. Klett, Stuttgart
Spitz R (1973) Die Entstehung der ersten Objektbeziehungen. Klett, Stuttgart
Stern D (1985) The interpersonal world of the infant. Basic Books, New York

Psychosomatische Medizin

Adler R, Hemmeler W (1992) Anamnese und Körperuntersuchung, 3. Aufl., G. Fischer, Stuttgart
Alexander F (1971) Psychosomatische Medizin. De Gruyter, Berlin
Bräutigam W, Christian P, Rad M v (1992) Psychosomatische Medizin. 5. Aufl. Thieme, Stuttgart
Brede C (Hrsg) (1974) Einführung in die Psychosomatische Medizin. Athenäum, Frankfurt
Hau TF (1986) Psychosomatische Medizin. Verlag für angewandte Wissenschaften, München
Heim E, Willi J (1986) Psychosoziale Medizin. Springer, Berlin Heidelberg New York Tokyo
Hoffmann SO, Hochapfel G (1991) Einführung in die Neurosenlehre und Psychosomatische Medizin, 4. Aufl. Schattauer, Stuttgart
Jores A (1976) Praktische Psychosomatik. Huber, Bern
Klußmann R (1992) Psychosomatische Medizin. 2. Aufl. Springer, Berlin Heidelberg New York Tokyo
Mitscherlich A (1976) Krankheit als Konflikt. Suhrkamp, Frankfurt
Overbeck G (1983) Krankheit als Anpassung. Fischer, Frankfurt
Overbeck G, Overbeck A (Hrsg) (1978) Seelischer Konflikt – Körperliches Leiden. Rowohlt, Reinbek
Uexküll Th v (Hrsg) (1990) Psychosomatische Medizin. Urban & Schwarzenberg, München
Uexküll Th v, Wesiack W (1988) Theorie der Humanmedizin. Urban & Schwarzenberg, München
Zepf S (1986) Tatort Körper – Spurensicherung. Springer, Berlin Heidelberg New York Tokyo

Begutachtung

Faber FR, Haarstrick R (1991) Kommentar Psychotherapie-Richtlinien in der Neufassung vom 4. 5. 1990; 2. Aufl. Jungjohann, Neckersulm
Schröder E, Glücksmann R (1993) Das Kassengutachten in der psychotherapeutischen Praxis. 2. Aufl., Glücksmann, Hamburg

Zeitschriften

Formum der Psychoanalyse. Springer, Berlin Heidelberg New York Tokyo
The International Journal of Psychoanalysis. Bailliere & Tindall for the Institute of Psychoanalysis, London
The Journal of the American Psychoanalytic Association. International University Press, New York
Psyche. Klett, Stuttgart
The Psychoanalytic Study of the Child. International University Press, New York
Zeitschrift für medizinische Psychologie, Psychosomatik und Psychotherapie. Springer, Berlin Heidelberg New York Tokyo
Zeitschrift für psychosomatische Medizin und Psychoanalyse. Vandenhoeck & Ruprecht (Verlag für Medizinische Psychologie) Göttingen
Psychotherapy and Psychosomatics. Karger, Basel

Sachverzeichnis

Abasien 94
—, Astasien 107
Abstinenzregel 183
Abwehr 104, 105, 108, 132, 134, 182, 183, 185, 204
—, Deck- 138
—, primitive 61
Abwehrformationen 82, 87, 91, 95
Abwehrfunktion 34
Abwehrhaltungen 181
Abwehrkonstellation 55
Abwehrleistung 137
Abwehrmechanismus 5, 11, 23, 30, 38, 51, 61, 64, 75, 105, 109, 111, 118, 138, 139, 144, 179, 184, 186, 198, 244, 247
—, primitiver 30
Abwehroperationen 137, 139
Abwehrorganisation 58
Abwehrprozesse 3
Abwehrstrategien 137
Abwehrstrukturen 69
Adoleszentenkrisen 216
ängstlich-aggressiv 123
ngstliche Anklammerung 140
— Erwartung 120
Äquifinalität 156
Affekt 3, 23, 40, 72, 131, 138, 148, 156, 157, 158, 161, 162, 171, 182, 198, 217, 218
—, Deck- 138
—, Signal- 157
Affektäußerungen 156
Affektbesetzung 218
Affektdifferenzierung 40
Affektkonstellation 205
Affektkontrolle 55
Affektleben 156
Affektreaktionen 158
affektiv 224
aktive Beeinträchtigung 211
— Erfahrungen 162
— Durchbrüche 109

aktive Gefühlsäußerungen 43
— Überwachung 161
aktiver Kern 159
— Selbstversorger 104
aktives Gleichgewicht 33
— berwachen 156
Affektivität 155, 239
—, primäre 155
aggresiv 36
Aggression 22–24, 28, 47, 51, 54, 87, 99, 101, 102, 122, 127, 146, 161, 179, 186
—, Enttäuschungs- 138, 140
—, neutralisierte 38
—, orale 139
Aggressionsabwehr 44
Aggressionshemmung 91
Aggressionsstreben 174
Aggressionstrieb 38, 54, 57, 158, 161
Aggressionsverhalten 44
aggressiv 8, 22, 25, 26, 27, 29, 40, 55, 56, 74, 74, 79, 84, 99, 102, 104, 132, 134, 139, 145, 175, 185, 250
—, anal- 105
—, motorisch- 88
—, Triebe 123
— -sadistisch 105
Aggressivität 8, 74, 123, 132, 135, 144
—, entneutralisierte 44
—, neutralisierte 44
Agieren 109, 110, 138, 141, 144, 148, 184, 221, 229
—, motorisches 178
Agoraphobie 115, 117, 118, 119, 229
Akne 249, 250
alexithym 170, 219
Alkohol 77
Alkoholismus 111, 136, 201
Allgemeines 143
Allmachtgefühle 8
Allmachtphantasien 26, 135, 104, 228
Allmachtsvorstellungen 59
Alter-Ego 56

Sachverzeichnis

Altruismus 25
Ambitendenz 53, 54
Ambivalenz 38, 40, 53, 159, 186, 254,
Ambivalenzkonflikte 54, 72
Amenorrhoe 8
Amnesie 136
—, hysterische 94
anaklitisch 22, 44, 74
anal 8, 21, 22, 29, 36, 38, 42, 48, 54, 74, 83, 84, 89, 125, 126, 127, 145
—, Trias 91
— -aggressiv 88, 91
— -retentiv 88
— -sadistisch 6, 36, 88
— -urethral 7
Analität 34
analytische Neutralität 232
analytische Einzeltherapie 222
analytische Gruppentherapie 222, 228, 245, 267
analytische Kurz- oder Fokaltherapie 189
analytische Kurztherapie 237
analytische Psychotherapie 187, 190, 198, 227, 237, 238, 245, 248, 252
analytische Therapie 239
Anamnese
—, biographische 271
—, erweiterte 170, 173
—, Krankheits- 250
—, psychiatrische 271
—, psychoanalytisch-diagnostische 170
Anamneseerhebung 172
Anankasmus 103
anankastisches Syndrom 103
Anfall
—, angstneurotischer 124
Angina pectoris 8
Anginen 86
Angst 3, 8–10, 21, 23–25, 33, 54, 56, 58, 59, 61, 63, 72, 73, 76, 81, 82, 84, 85, 98–101, 104, 105, 108, 112, 113, 115, 117, 119, 127, 129, 133, 144, 147, 159, 172, 173, 178, 183, 184, 194, 200, 201, 214, 217, 218, 224, 228, 246
—, 8-Monats- 38, 50, 52
—, anankastische 204
—, Ansteckungs- 122
—, apokalyptische 158
—, archaische 61

Angst, Bestrafungs- 128
—, Bindungs- 122, 136
—, Desintegrations- 124, 126, 183
—, diffuse 122
—, Erwartungs- 115, 120, 204
—, Examens- 122
—, existentielle 122
—, frei flottierende 94, 121, 136
—, Fremden- 36, 52, 53, 11
—, frühe 122
—, Gewissens- 88, 92, 121, 123, 125, 126
—, hypochondrische 132
—, Infektions- 89
—, Kastrations- 59, 88, 92, 122, 124, 125, 126, 127, 132, 146
—, Körper- 131
—, Kontakt 122, 136
—, neurotische 121, 122, 123, 204
—, normale 122
—, Pan- 136
—, phobische 204
—, Platz- 113, 114, 122
—, Primär- 116
—, psychotische 61, 123
—, Raum- 122
—, Real- 121, 123
—, Schuld- 105, 122
—, Schutz- 122
—, Sekundär- 116
—, Signal- 5, 38, 40, 122, 140, 161
—, Straf- 90
—, Todes- 125
—, Trennungs- 52, 85, 86, 136, 140
—, Über-Ich- 88, 92, 124, 125, 126
—, Verarmungs- 122
—, Vergeltungs- 90
—, Verlust- 86, 101, 145
—, Vernichtungs- 126
—, Vital- 123
— vor der Aggression 89
— vor dem Alleingelassenwerden 122
— von anderen eingenommen und verschlungen zu werden 126
— vor Blamage 122
— vor dem Endgültigen 95
— vor Endgültigkeit 126
— vor allem Festlegenden 95
— vor Festlegung 110

Angst vor Festlegung der eigenen Geschlechtsrolle 92
— vor plötzlichen Herzstillstand 113, 114
— vor der Hingabe 90
— vor Hunden 112, 113, 114
— vor Kontakt mit anderen 90
— vor Kontrollverlust 120
— vor Krankheit 122
— vor den lebendigen Impulsen 90
— vor Liebes- oder Autonomieverlust 124
— vor Liebesverlust 44, 88, 109
— vor Liebesverlust durch das Objekt 126
— vor dem eigenen Masochismus 125
— vor der Notwendigkeit 95
— vor Objektverlust 125, 126
— vor der Rache 90
— vor der Realisierung 110
— vor Schlangen 112, 113, 114
— vor Selbsthingabe 126
— vor Selbstverlust 124
— vor Selbstwerdung 126
— vor Spinnen 112, 113, 114
— vor Substanzverlust 89
— vor der eigenen Triebstärke 125, 126
— vor dem Unausweichlichen 95
— vor der eigenen Vergänglichkeit 90
— vor Verlust der eigenen Identität 126
— vor Verlust der Objekt- und damit Selbstrepräsentanz 124
— vor Vernichtung 38, 40
— vor Wandel 126
— vor dem Wechsel 90
— vor dem Wiederverschlungenwerden 126
—, Zentral- 99
Angstabwehr 108
Angstanfall 97, 121, 127
Angstäquivalente 121
Angstbewältigung 8, 111
Angsteinbrüche 226
Angsterlebnis 133
Angstformen 121, 122
Angsthysterie 97
Angstinhalte 81, 86, 90, 95
Angstkrankheit 121, 122
Angstlust 125
Angstneurose 94, 111, 115, 120, 122, 129, 227, 250
Angstniveau 34, 38

Angstreaktion 34, 52, 126
Angstreflexe, 73
Angststätte 122
Angststörungen 115, 118
Angstsyndrom 115, 116, 119, 123, 128
Angsttheorie
—, biochemische 122
Angsttheorien Freuds 122
Angsttoleranz 54, 55, 140
Angstträume 247
Angstverarbeitung 118
Angstvermeidung 137
Angstzustand 124
—, diffuser psychotischer 124
Anlagefaktoren 173
Anorexia nervosa 77, 151, 216, 221
Anorexie 8
Anthroposophie 167
Antidepressiva 100, 102, 129
Antragstellung 235
Anxiolytika 226
Appetitlosigkeit 86
Arbeitsbündnis 151, 172, 192, 202, 226, 230, 232, 244, 168
Arc de cercle 28, 107
Armlähmung
—, spastische 28
Arzt-Patienten-Beziehung 102, 110, 132, 151, 224, 226, 271, 274, 276
Assoziation 65, 178
—, freie 141, 179, 191, 192, 198
Assoziationsmaterial 254
Asthma bronchiale 10, 11, 77, 81, 151, 216, 221, 228, 246, 247
Ataxien 94
Atembeschwerden 98
Atemnot 94, 115, 120
Aufhebung 198
auslösende Konfliktsituation 238
Autismus 8, 40, 128
autistisch 34, 39, 61, 128, 159
Autoerotismus 46, 48
Autogenes Training 133, 152, 215, 216, 220, 222, 259, 262, 267
Autonomie 22, 38, 47, 74, 162
Autonomiebestrebungen 139, 140
Autonomieebene 161
Autonomiegefühl 105, 161
Autosadismus 145

Aversionstechniken 201
awareness 211

Balint
— -Arbeit 224
— -Gruppe 225, 224, 258, 260, 274, 271, 275
bedingte Reflexe 71
Besetzungsentzug 138
Besetzungsvorgänge 37
Beta-Blocker 129
Bettnässen 26
bewußt 161
Bewußtsein 5
Beziehung 157
—, dyadische 40
—, entwertende 159
—, Subjekt-Objekt- 168
—, überwertende 159
—, unsymmetrische 159
Beziehungsmotive 157
Beziehungsstörungen 161
Beziehungsstrukturen 159, 161
Bindung
Bindungsperson 157
Bindungssysteme 162
Bindungstyp 159
Bindungsneigung 156
Bioenergetik 167, 212
Biofeedback 152, 201, 214
Blähungen 120
Blindheit
—, hysterische 28
—, psychogene 107
Bluthochdruck 215
Borderline 8, 140
— -Erkrankung 61
— -Niveau 55, 137
— -Patienten 139, 141, 221
— -Persönlichkeitsstörungen 29, 30, 136
— -Störungen 162
— -Strukturen 29
— -Syndrom 97, 108, 115, 136
— -Zustände 171

Cephalgien 107
Charakter 3, 85, 174
—, analer 74
—, Angst- 97

Charakter, depressiver 97, 148
—, genitaler 74
—, hysterischer 97, 148
—, narzißtischer 74, 97
—, oraler 73
—, paranoider 97
—, phallischer 74
—, schizoider 97
—, urethraler 74
—, zwanghafter 148
—, Zwangs- 97
Charakterabwehr 147
Charakteranomalien 148
Charakterneurosen 75, 147, 148, 221, 229
Charakterpanzer 213
Charakterpathologie 137, 184
Charakterstörung 106, 136
—, hysterische 106
Charakterstruktur, neurotische 125
Charakterstrukturen 73
Charaktersymptome 77
Charakterzüge 136, 147, 148
—, pathologische 171
charakterliche Fehlhaltungen 72
charakterologisch 80
charakterologische Ausprägungen 94
Colitis ulcerosa 90, 152, 216, 221
Colon irritabile 90
Compliance 226
Container 62
— -contained 184
Coping-Mechanismen 186
Cunnilingus 145

Darmkrebs 131
Daumenlutschen 175
Deckerinnerungen 175
Depersonalisation 8, 97, 120, 136
Depersonalisationserlebnisse 10, 81, 108, 136
Depression 24, 28, 30, 42, 56, 58, 59, 61, 76, 100, 115, 119, 132, 136, 138, 161, 226
—, agitiert-ängstliche 129
—, agitierte 114
—, anaklitische 50, 125
—, anankastische 103
—, endogene 87, 97, 100
—, hysterieforme 107

Depression, larvierte 100
—, nach Hirntrauma 87
—, neurotische 87, 97, 98
—, psychotische 98
—, reaktive 87
—, schizoide 61
—, sekundäre 111
—, Signal- 161
—, somatogene 87
— bei Tumor 87
depressiv 21, 22, 25, 44, 56, 72, 74, 83–87, 98, 100, 101, 122, 125, 128, 134, 141, 144, 159, 185, 228, 251
— -zwanghaft 134
depressive Reaktionen 37
depressive Störung 120
depressive Syndrome 128
Depressivität 44
Derealisation 8, 79, 97, 108, 120
Derealisationserlebnisse 136
Derealisationserscheinungen 81
Desensibilisierung 214
—, systemische 200
Deutung 186, 188, 197
Deutungsarbeit 189
Diabetes mellitus 216
Diabetiker 123
Diagnostik 168
diagnostisch 170
diakritsche Phase 11
Diarrhoe 119, 121
dissozial 128
Dissozialität 8, 144
Dissoziation 29, 109
—, primitive 31
Distanzierung 30
Distress 158
Dreimonatskolik 50, 175
Dreimonatslächeln 49, 52
Drogenabhängigkeit 216
Drogendurchbrüche 136
Durcharbeiten 179, 212
Durchfall 90, 120
Dynamische Psychotherapie 190, 237
Dysmenorrhoe 8

Effektanz 158
Einkoten 175
Einnässen 175

Einzeltherapie 240, 245
ejaculatio praecox 90, 108
ejaculatio retarda 90
Ekzeme 11, 81
Eltern-Ich 207, 208, 210
Elternimago
—, idealisiertes 56
Emesis 175
Empathie 53, 55, 57, 138, 157, 161, 177, 203
Empathiefähigkeit 182
empathisch 162, 188
endogen 132
Enttäuschungsprophylaxe 84
Entwertungen 40
Entwicklung 156
—, frühe 155
—, psychosexuelle 36
Entwicklungsdefizite 140
Entwicklungsfaktoren 161
Entwicklungsfunktionen 155
Entwicklungsprozesse 155
Entwicklungspsychologie 7
Entwicklungsstörungen 3
Entwicklungsstufen 159
Entwicklungssystemtheorien 161
Entwicklungsverlauf 155
Epidemiologie 98, 103, 106, 111, 130
epidemiologisch 134
Epilepsie 90
—, Temporallappen- 114
epileptische Wesensveränderungen 223
epileptische Anfälle 107, 215
Erbeinflüsse 161
Erbfaktoren 155
Erbrechen 120
erektile Störungen 108
Erinnern 179
erogene Zonen 48
Erröten 94, 119, 120
Erschöpfungsreaktion 69
Erstickungsnot 94
Erstinterview 169, 170, 178
—, psychoanalytisches 172
Erwachsenen-Ich 207, 208, 209, 210
Es 5, 22, 25, 27, 38, 47, 57, 63, 69, 72, 89, 137, 184, 215
— -Impuls 26, 27, 29, 182
— -Inhalte 138

Es-Wunsch 27
— -Struktur-Modell 23
— -Widerstand 180
Eßstörungen 175
essentielle Hypertonie 152
Evolutionsbiologie 161
Exhibitionismus 41, 145, 146, 147
Exhibitionist 147
exhibitionistisch 93
Existentialismus 211
Externalisierungen 42, 55

Familientherapie 216
Feedback 214, 215
—, Atem- 215
—, inneres 162
—, soziales 162
fehlende Angsttoleranz 137
Fehlhandlungen 179
Fellatio 145
Fetischismus 30, 145
Fettsucht 86
Fixierung 4, 7, 10, 26, 41, 43, 56, 72, 108, 147, 241
Flagellantentum 145
flooding 201
Fokalkonflikte 198
Fokalsatz 191, 192
Fokaltherapie 190, 192, 237
Fokus 196, 197
fokussieren 197
Fragmentierung 126, 158, 211
freie Assoziation 64, 232
Freßsucht 8, 86, 136
Frigidität 108
frühe Störung 22, 74, 75
Frustration 33, 50, 53, 54, 57, 101, 102, 135, 139
—, existentielle 204
Frustrationstoleranz 99, 100, 186, 189
Furcht 111, 120, 124, 126, 180
—, Krankheits- 130
—, normale 124

Gangstörungen 221, 229
Geburt 175, 213
Geburtenschmerz 213
Gegenbesetzungen 5

Gegenübertragung 82, 102, 141, 142, 151, 178, 183, 187, 190, 198, 226, 240
—, komplementäre 179
—, konkordante 179
—, —, komplementär 184
—, normale 183
—, sexuelle 182
—, Borderline-Psychose 142
Gegenübertragungsgefühle 41, 133, 141, 144, 224
Gegenübertragungsgeschehen 191
Gegenübertragungsneurose 183
Gegenübertragungsphänomene 184
Gegenübertragungswiderstand 183
Gehirn 155
Geisteskrankheiten 161
Gelenkrheumatismus 90
Geltungsstreben 174
Gen-Umwelt-Interaktionen 161
Gene 155
genetische Faktoren 173, 187
genital 6, 34, 38, 42, 48, 54, 74, 92, 185
genital-ödipal 7
Geruchsstörungen 81
Gespräch 170
—, ärztliches 201
—, analytisch orientiertes 110
Gesprächspsychotherapie 167, 202
— nach Rogers 259, 262, 267
Gestalt 167
Gestalttherapie 211
Gestaltungs- und Musiktherapeut 220
Gestaltungstherapie 222
Gleichgewichtsstörungen 11, 81
globus hystericus 28, 107
Globusgefühl 107
Grandiosität 55, 99
Greifling 11
Größen-Selbst 43, 140, 146
—, pathologisches 40, 138
Größenphantasien 101, 102
Grundregel 178, 232
Grundstörung 48
Gruppe, patientenzentrierte Selbsterfahrungs- 263
Gruppenbehandlung 252–254
Gruppendynamik 241
Gruppendynamik, -psychoanalyse 225
Gruppenpsychotherapie 253, 257

Grupenselbsterfahrung 258
Gruppentherapiebehandlungen 251
Gruppenpsychotherapie 195, 261, 265, 268
—, direkt-suggestive 195
Gruppentherapie 151, 190, 220, 221, 223, 229, 240, 241, 245
—, Aktivitätspsychotherapie- 195
—, analytische 192
Gutachterverfahren 230

Haarausreißen 175
Halluzinationen 8, 42, 171
Hebephrenie 97
Hemmung 3
Herz 134
Herzangst 215
Herzbeschwerden 104
Herzerkrankung, koronare 111
Herzinfarkt 123, 216
Herzklopfen 119–121
Herzphobie 216
Herzrhythmusstörungen 98
Herzstillstand 112
Herzsymptomatik 247
Herzversagen 131
Hilflosigkeit 161
hirnorganisch 171
Hirntumor 114, 131
Homosexualität 24, 37, 46, 145
humanistische Psychologie 211
HWS-Syndrom 215
Hyper- und Hypothyreose 114
hyperkinetisch 128
Hypermotilität 50, 175
Hyperthymiker, aggressiver 50
Hypertonie 8
—, essentielle 90
Hyperventilation 123
Hyperventilationstetanie 94
hyperventilieren 213
Hypnokatharsis 218
Hypnose 217, 259, 262
Hypnotherapie 152
hypnotisch 110
—, post- Amnesie 217
Hypnotismus, wissenschaftlicher 167
Hypochonder 133
Hypochondrie 79, 97, 121, 122, 131, 136
hypochondrisch 115, 136

hypochondrisch, Entwicklung, Reaktion 130
—, Krankheitsbefürchtungen 131
—, Neigung 136
hypochondrische Beschwerden 99
Hypochondrisches Syndrom 130
Hypoglykämie 114
Hysterektomie 87
Hysterie 27, 28, 107
Hysteriker 93, 95
hysterisch 9, 21, 22, 24, 42, 74, 76, 98, 100, 126, 229,
hysterischer Abwehrstil 109
hysterische Amnesie 108
hysterische Dämmerzustände 108, 136
hysterische Neurose 109
hysterische Struktur 92
hysterische Syndrome 106, 118
hysterisch-zwanghaft 228

Ich 5, 10, 24, 25, 27, 29, 32, 33, 37, 38, 40, 41, 46, 47, 48, 57, 59, 63, 64, 69, 70 79, 80, 81, 84, 99 101, 127, 132, 137–139, 144, 161, 182, 184, 194, 215
—, archaische -Ängste 141
—, einsichtsfähiges, analysierendes 232
—, Erwachsenen- 206
—, Gruppen- 145, 194
—, infantiles 146
—, intakter -Anteil 244
—, Kind- 206
—, Körper-Ich 50
—, kontrollierte -Regression 204
—, ohne Fülle 93
—, Real- 140
—, strukturelle -Defekte 240
Ich-Anteil 145
Ich-Ausreifung 8, 9
Ich-Bewußtsein 156
Ich-Defekt 3
Ich-dyston 148
Ich-Elastizität, -Spaltung 232
Ich-Entwicklung 29, 33, 61
Ich-findung 79
Ich-Fragmentierung 139
Ich-fremd 89, 125, 136
Ich-Funktion 48, 132, 137, 161, 204
Ich-Funktionen 5, 23, 57, 92, 187
—, -syntone Symptomatik 222

Ich-Gefühl 157
Ich-Ideal 6, 31, 33, 39, 42–44, 46, 55, 70, 99, 139, 145, 161
Ich-Identifizierung 39, 53
Ich-Kern 93
Ich-Leistungen 192
Ich-Objekt-Einheit 48
Ich-Organisation 47
Ich-Psychologie 3, 23, 47, 195
Ich-Schwäche 29, 41, 55, 137, 140, 186
Ich-Stärke 47, 60, 142, 180, 232, 254
Ich-Störung 105, 137
Ich-Struktur 197
Ich-strukturell 182
Ich-strukturelle Störung 48
Ich-synton 29, 91, 136, 148
Ich-System 47, 51
Ich-Verlust 24
Ich-Werdung 85
Ich-Zerfall 25, 125
Ich-zugehörig 104
Ich-Zustände 31, 206
Ideal-Ich 6, 101, 140
Idealisierung 31, 33, 35, 43, 56, 138, 141
Idealselbst 54
Identifikation 8, 24, 31, 36, 37, 42, 85, 87, 93, 145, 147, 192
— mit dem Aggressor 161
— mit dem Angreifer 25, 42
—, partielle 24
—, präödipale 161
—, primäre der frühen Kindheit 161
—, totale 24
Identifizierung 39, 50, 53, 109, 146, 159, 184, 250
— mit dem Aggressor 75
— mit dem Angreifer 138
Identifizierungen 29, 51, 57, 64, 131, 211
Identität 34, 38, 53, 57, 58, 161
—, Geschlechts- 36, 39
Identitätsdiffusion 171
Identitätsgefühl 161
Identitätsunsicherheit 9
Identitätsbildung 34
Identitätsdiffusion 138, 140
Ideologie, neurotische 77
Ideologien 28, 134, 174
Ideologiebildung 180, 189
Impotenz 90, 215

Impulskontrolle 29
Individualpsychologie 167
Individuation 39, 40, 46, 51, 159, 186
—, bezogene 216
Individuationsprozeß 126
Individuationstendenzen 248
Inkorporation 42, 58
Instanzenmodell 4
Instinkt 4, 47
Intellektualisierung 39, 75, 82
intentional 6, 7, 21, 24, 25, 74, 79, 125, 126 145
Intentionale Phase 10
Intentionalität 8, 162
Internalisierung 33, 39, 54
Internalisierungsprozesse 34
Internalisierungen 42, 73
Intimität 186
Intoxikation, Koffein-, Drogen- 114
Introjekte 8, 138
Introjektion 29, 31, 39, 42, 57, 59, 75, 87
introjektiv 37
Introspektion 147
Introspektionsfähigkeit 180, 220, 244, 254
Introspektionsvermögen 248
invertierter Ödipuskomplex 145
inzestuös sexuell 108
Isolierung 11, 23, 27, 29, 30, 39, 75, 82, 91, 105, 250,

Juckreiz 218
Jugendpsychotherapie 267

Kanner-Syndrom 128
kaptativ 6, 7
Kastration 40
Kastrationsangst 125, 183
Kastrationsdrohungen 8
Katamnestische Untersuchung 149
Katathymes Bilderleben 204, 205, 259, 262, 267
Katharsis 213
Kinder- und Jugendlichen-Therapeut 269
Kinder- und Jugendpsychiatrie 258, 270, 277
— und -psychotherapie 274, 257, 275
Kinder- und Jugendpsychotherapie 277
Kinderpsychotherapie 267
Kindheits-Ich 207–210

kindliche Phobien 128
Klaustrophobie 122
Kleptomanie 136
klientenzentrierte Therapie 202
Kloß im Hals 119
Kloßgefühl im Hals 120
koenästhetisch 52, 132
koenästhetische Rezeptivität 38
koenästhetischer Zustand 10
Körper, psychogene -störungen 237
Körperbild 32, 131, 132
Körpergefühl 79, 217
Körperschema 219
Körper-Ich 158
Körpergefühl 91
Körperschema 54
Körperselbst 56
Körpersprache 32
kognitiv 159, 185, 203
kognitiv-behavioral 271
kognitiv-verhaltenstherapeutisch 129
Kollektive Psychologie 167
Kollusion, narzißtisch-fusionäre 194
—, ödipale 194
—, oral-abhängig 194
—, sadomasochistische 194
Komplexe 72
Kompromißbildungen 73
Konditionieren 200
—, Gegen- 201
Konditionierung 214
Konditionierungsphase 214
Konflikt 69, 70, 157, 180, 187
—, äußerer und innerer 70
—, äußerer, realer, verinnerlichter, Gewissens- 69
—, Ambivalenz- 69
—, fokaler -material 198
—, innere -Dynamik 196
—, innerer 70
—, —, neurotischer 69
—, neurotischer 69
—, —, intrapsychischer 244
—, ödipaler 109, 182
— zwischen Ich und Über-Ich 69
Konflikte 73, 74
—, frühkindliche 198
—, infantile 71
—, narzistische Ambivalenz- 58

—, neurotische 227
—, reaktivierte, unbewußte, infantile 71
—, Trieb-Abwehr- 71, 140
Konfliktabkömmlinge 187
konfliktauslösende Situation 174
Konfliktlösung 73
Konfliktreaktion 69, 76
Konfliktsituation 133, 134, 168
Konfliktverarbeitung 76
Konfliktverarbeitung, -bearbeitung 172
Konstitution 174
Kontaktstörungen 144
Konversion 27, 95, 109, 118
Konversionserscheinungen 72
Konversionsneigung 94, 95
Konversionsneurose 106
Konversionsstörung 107
Konversionssymptome 9, 72, 107
Konzentrative Bewegungstherapie 218, 222
Kopfschmerz, psychogener 90
—, Spannungs- 215
Kopfschmerzen 104, 120, 218
Koprophagie 50
Koprophilie 145
Kränkbarkeit 170, 189
Krankengymnastik 222
Krankheit 60
—, chronifizierte -sbilder 237
Krankheitsgewinn, sekundärer 77, 134, 185, 220
Krisenintervention 273
—, stationäre 142
Kur, psychoanalytische 179
Kurz- oder Fokaltherapie 269
Kurztherapie 152, 190–192, 221, 229, 245, 281
—, psychoanalytische 150, 192
Kurztherapieverfahren 267

Lähmungen 94, 218
—, schlaffe 107
Latenz 22, 74
Latenzperiode 4, 6
Leidensdruck 180
Leistung, Ich- 194
Lernpsychologie 259, 270
Lerntheorie 71, 280
Lesbiertum 145
libidinös 26, 29, 40, 46, 53, 57

libidinöse Besetzung 52
Libido 4, 11, 24, 28, 37, 38, 47, 51, 57, 63, 70, 85, 122, 161
—, narzißtische 40, 79, 81
—, Objekt- 79
Libidobesetzung 46
Libidodepots 26
libidös 132
Libidofixierung 69
Libidotheorie 3, 4
Logotherapie 203
Luftschlucken 120
Lust-Unlust-Prinzip 5
Lustmord 145
Lustprinzip 47

M. Crohn 216
Magen, Geschwüre am -ausgang 86
Magengeschwüre 215
Magersucht 8, 86, 228
Magie der Seele 167
Magnetismus, animalischer 167
Maltherapie 221
manisch-depressiv 171
Marasmus 50
Masochist 146
masochistisch 125, 141, 145
masochistische Lust 185
Masturbation 249
Melancholie 97
Migräne 90, 215
Minderwertigkeitsgefühle 56, 101
Mißtrauen 79
Moral 161
Moral, Sphinkter- 161
—, frühe -entwicklung 156, 161
—, frühe -gefühle 157
Morbus Crohn 221
Motivationseinheiten 161
Motivationsprinzipien 155
Motivationsstrukturen 162
Motivationssystem 156
motorisch-aggressiv 6, 3, 84
Musiktherapie 221, 222
Muskelverhärtungen 90
Mutterimago 37
Myokardinfarkt 152

Nägelkauen 26, 175

Narzißmus 4, 33, 38, 43, 46, 53, 140, 144
—, Pathologie des 43
—, primärer 8, 37, 39, 40, 46
—, sekundärer 29, 35, 37, 46, 93
—, Symptome des krankhaften 44
—, unmodifizierter 40
Narzißmusklassifikation 37
Narzißmuskonzept 48
Narzißmustheorie 121, 126
narzißtisch 4, 8, 22, 31, 41 57, 74, 100, 127, 138, 144, 162, 184, 192
narzißtische Befriedigung 185
narzißtische Besetzung 41, 144
narzißtische Formation 35
narzißtische Gratifikation 6
narzißtische Kränkbarkeit 101
narzißtische Kränkung 135
narzißtische Kränkungen 102
narzißtische Objektbeziehungen 44
narzißtische Regulation 101
narzißtische Stütze 48
narzißtische Störungen zur Diagnostik 43
narzißtische Persönlichkeit 40
narzißtische Persönlichkeitsstörung 56
narzißtische Verwundbarkeit 41
narzißtischer Charakter 40
narzißtischer Gewinn 28
narzißtisches Gleichgewicht 139
negative Reaktion 185
Nein, semantisches 161
Nekrophilie 145
Nervensystem, autonomes 158
Neurodermitis 10, 50
Neuroleptika 129
Neurose 7, 25, 30, 59, 74, 77, 79, 136, 143, 148, 161, 174, 180, 188
—, Brech- 107
—, depressive 7, 251
—, Hauptneurosenstrukturen 79
—, hysterische 7, 75, 99
—, Konversions- 97
—, narzißtische 226
—, Pan- 97, 136
—, paranoide, schizoide, narzistischen 97
—, Psycho- 61
—, schizoide, narzißtische 7
—, Unfallschädigungs-, Pensions-, Invalidisierungs- 133
—, zwanghafte 7

Neurose, Zwangs- 75
—, Zwangs-, Angst- 97
Neurosen 4, 69, 71, 73, 116, 122, 148, 171, 198, 260, 262, 263
—, Aktual- 122
—, —, Übertragungs-, narzißtische 72
—, Konversionsorgan- 227
—, Psycho- 122
—, —, Konversions- 75
—, Sexual- 94
Neurosendiagnostik 135
Neurosenentstehung 196
Neurosenlehre 259, 266, 275
Neurosenstrukturen 28, 75
Neurosentheorie 213
Neurotiker 147
neurotisch 24, 25, 31, 49, 142, 148, 168, 185, 196, 272
neurotische Ästhetizismus 28
neurotische Charaktere 75
neurotische Depressionen 72, 75, 227
neurotische Entwicklung 76
neurotische Erkrankung 222, 240, 243, 244
neurotische Haltung 134
neurotische Symptomatik 238
neurotische Philosophien 28
neurotische Religiosität 85
neurotische Störungen 237
neurotische Symptome 171
neurotischer Konflikt 190, 237, 245
neurotisches Niveau 137
Neutralisierung 70
Niederfrequente Therapie 190
Noncompliance 226
Nymphomanie 9, 37

Objekt 11, 30, 33, 48, 57, 60, 62, 70, 146, 161, 182, 194, 198
—, (Mutter)repräsentanzen 37
—, äußeres 123
—, angsterregendes 25
—, Außen-, Innen- 79
—, Bildung des Objektes der Libido 49
—, der Libido 50
—, Eltern- 5
—, Ersatz- 127
—, gutes 59
—, —, schlechtes 34, 51
—, homosexuell 146

Objekt, Ideal- 54, 55
—, idealisiert, verfolgend 31
—, idealisiertes 36, 39, 41–43, 140
—, —, reales 33
—, inneres 123
—, introjiziertes 24
—, Inzest- 127
—, masochistische -beziehung 85
—, narzißtische -wahl 46, 145
—, omnipotentes 39
—, Organ- 53
—, reales 42, 187
—, Sehnsucht nach dem 81
—, Selbst- 126
—, Sexual- 46
—, Subjekt-Objekt-Differenzierung 42
—, symbiotisches 141
—, Teil- 42
—, Übergangs- 52, 60
—, undifferenziertes 40
—, Vorstufe des 49
Objekte 8, 139, 192
—, äußere 29
—, böse 59
—, Phantasie- 37
Objektabhängigkeit 49, 86
Objektbilder 35
Objektbesetzung 37, 46
Objektbeziehung 3, 48, 139, 144, 188
Objektbeziehungen 32, 34, 38, 42–44, 50, 51, 55, 57, 61, 82138, 162, 182, 184, 198, 224
Objektbeziehungserfahrung 192
Objektbeziehungskonstellationen 189
objektbeziehungspsychologisch 182
Objektbeziehungstheorie 162
Objektbezug 79
Objektbilder 138
Objektbildung 50
Objektdifferenzierung 181
Objektffindung 79
Objektgefühl 37
Objektimagines 40, 141
Objektimago 36
Objektkonstanz 34–40, 60, 156
Objektlibido 37
Objektliebe 3, 40, 46, 48, 49
Objektrepräsentanz 11, 33, 36, 37, 42, 39, 140, 184

Objektstufendeutung 64
Objektverlust 10, 34, 40, 54, 58, 84, 85, 102
Objektverständnis 38
Objektvorläufer 49
Objektwahl 37, 46
Objektwelt 53, 54
Obstipation 8, 90, 98, 104, 215, 218
ödipal 22, 41, 59, 74, 108, 109, 132, 140, 145, 146, 181, 183, 250
—, prä- 41, 99
ödipal-phallisch 21
ödipale Rivalität 146
ödipale Objektbeziehungen 40
Ödipalisierung 140
Ödipus 39
Ödipuskomplex 59, 61, 92, 183
Ödipussituationen 96
Ohnmacht 28, 33
—, hysterische 94
Ohnmachten 108
Ohnmachtsanfälle 9
Oknophilie 48
Omnipotenzgefühle 49, 138
Omnipotenzphantasien 138
Onanie 26, 80, 85, 89, 145, 175, 185
operante Löschung 201
operante Methoden 201
operante Konditionierung 214
operantes Lernen 201
oral 6, 7, 21, 22, 24–26, 29, 36, 38, 42, 48, 54, 57–59, 74, 83, 86, 88, 99, 101, 109, 110, 125, 126, 138, 145
oral-aggressiv 28
oral-kaptativ 88, 135
oral-regressiv 44
oral-passiv 135
oral-sadistisch 6, 36
orale Aggression 59
orale Phase 11, 101
Oralität 8
Organisation 161

Päderastie 145
Palpitationen 115, 117, 120
Panik 158
Panikattacken 115, 117, 118
Panikstörung 115, 118, 120
Paniksyndrom 115, 117

paradoxe Intention 106, 201, 204
Parästhesien 94, 117, 119–121
Paranoia 72
paranoid 8, 61, 81, 136. 141
paranoid-schizoid 138
paranoide Projektionen 55
Parapsychologie 167
paroxysmale Tachykardie 111
Pavor nocturnus 121, 175
Penis 145. 249
Penisneid 145
Persönlichkeit 72, 109, 111, 131, 134, 136, 144, 149, 227, 239, 245
—, asthenische 148
—, Entwicklung, abnorme 76
—, Entwicklung, narzißtische 251
—, hysterische 99
—, Gesamt- 147, 169
—, Organisation, Borderline 137
—, —, neurotische 137
—, —, psychotische 137
—, paranoide, zyklothyme, schizoide 148
—, passiv-aggressive, sado-masochistische, narzißtische 137
—, Störung, antisoziale/dissoziale 148
—, —, Aspergersche 128
—, —, narzißtische 54. 161
—, Struktur, infantile 137
—, —, schizotypische 137
—, —, zwanghafte 104
—, triebhafte, antisoziale, hypomanische , paranoide 137
—, Veränderungen, hirnorganische, 222
Persönlichkeitsanteile 139
Persönlichkeitseinschränkungen 181
Persönlichkeitslehre 259, 266
Persönlichkeitsstörungen 115
Persönlichkeitsstruktur 136, 170, 173–175, 185, 202, 244
Persönlichkeitsstrukturorganisation 137
Persönlichkeitstheorien 267
Persönlichkeitsvariable 152
Personen 41
Perversion 4, 8, 26, 46, 75, 77, 80, 89, 94
phallisch 6, 7, 22, 36, 38, 74, 88, 92, 126, 127, 145, 147
phallisch-sadistisch 36
phallisch-narzißtisch 145
phallische Phase 34

Phantasien 159, 181, 211
Phase
—, autistische, symbiotische 51
— der Abwehr 58
— der oralen Aggression 58
— der Trennung 51
—, präödipale 58
—, psychosexuelle 7
—, soziale 7
—, Sub- als Übungssubphase 51, 52
—, Sub- der Differenzierung 51, 52
—, Sub- der Wiederannäherung 51, 53
—, Trennungs- und Individuations- 52
—, Übungs- 37
—, Übungssub- 53
Phasenlehre 6
Philobatie 48
Phobie 25, 97, 115, 118, 127, 132
—, Agora- 122, 127
— bei einer narzißtischen Störung 124
—, einfache, soziale 118
—, Herz- 122
—, Hunde-, Spinnen-, Schlangen- 122
—, Karzino- 122, 131
—, Klaustro-, Bakterio- 127
—, Mono- 122
—, Multiple 136
—, Pferde- 27
—, soziale 115
—, Tier- 127
Phobien 9, 94, 108, 111, 115, 121, 131, 227, 229
phobisch 72
präödipal 44, 181
präpsychotische Struktur 147
präverbal 181
primäre Angstinhalte 125
primäres Objekt 40
Primärprozeß 38
Primärprozeßhaftes Denken 40
Primärtherapie 213
Primärzustand 33, 42
—, harmonischer 33, 43
Primordialsymptomatik 76, 77, 175, 188, 247
Progression 179
progressive Muskelrelaxation nach Jacobson 259, 262, 267

Projektion 11, 25, 26, 30, 31, 39, 42, 55, 58, 59, 60, 75, 82, 87, 95, 109, 138, 182, 184, 192, 205, 250
—, Schuld- 25
Projektionsfiguren 139
Projektionsschirm 181
projektiv 37
projektive Identifikation 30, 31
projektive Identifizierung 138, 139, 182, 184
projiziert 25, 31, 79, 84, 93, 138
Prostatitis 246–248
Prostitution 8, 9
Prozeß, psychoanalytisch-diagnostischer 170
Pseudologia phantastica 9
Psychagogik 167
Psychiatrie 257, 260, 263, 266, 267, 270, 280
— und Psychotherapie 258, 271, 272, 274, 275, 277
psychiatrische Diagnostik 263
Psychoanalyse 71, 73, 102, 155, 167, 172, 177, 185–189, 211, 213, 226, 227, 231, 257, 266, 267, 269, 278, 279, 280, 283
—, klassische 161, 195
Psychoanalytiker 148, 183, 220
psychoanalytisch 129, 130, 149, 150, 161, 170, 225, 271
psychoanalytische Haltung 170
psychoanalytische Krankheitslehre 267
psychoanalytische Psychotherapie 185, 186, 189, 231
psychodiagnostisches Testverfahren 259, 271, 272
Psychodrama 167, 195, 205, 259, 262, 267
Psychodynamik 237, 240, 244, 245, 250, 259, 262, 266, 280
psychodynamisch 237, 238
Psychologie des Ich, des Selbst 167
Psychologie, Entwicklungs- 266
Psychologie, Lern- 266
psychologisches Testverfahren 275
Psychoneurosen 97, 124, 180
psychoorganische Syndrome 114
Psychopath 8, 9, 210
Psychopathie 148, 222
Psychopharmaka 226
Psychose 58, 59, 61, 81, 122, 139

Psychose, depressive 97
—, hysterische 97
—, paranoide, schizophrene 97
Psychosen 30, 71, 72, 116, 226–228, 238, 260, 262, 263, 267, 273
—, paranoide 171
—, schizophrene 114, 128, 137
psychosexuell 38
psychosexuelle Entwicklung 74
Psychosomatik 60, 167, 200, 216, 259, 262, 266, 270, 273, 275, 279, 280
psychosomatisch 32, 75, 90, 118, 168, 170, 219, 222, 226, 228, 249, 263, 267, 270–272, 275
psychosomatische Affektionen 72
psychosomatische Beschwerden 136
psychosomatische Erkrankungen 43
psychosomatische Existenz 60
psychosomatische Störungen 49, 61, 86, 260
psychosomatisches Erleben 62
Psychosomatosen 75
psychosoziale Abwehr 30
Psychotherapeut 169
Psychotherapeutische Medizin 257, 270
psychotherapeutisches Verfahren 168
Psychotherapie 226, 228, 231, 237, 257–259, 261, 262, 264, 265, 269, 275, 277–279, 283
—, analytische 198
—, körperorientierte 213
—, Notfall- 271
—, psychoanalytische 141, 177
—, supportive 271
—, tiefenpsychologisch analytische 265, 268
—, tiefenpsychologisch fundierte 177, 190, 196, 238, 245, 248, 252, 254, 257, 259, 265, 267, 268, 281
—, verhaltenstherapeutische 257
Psychotherapie-Richtlinien 195, 235, 240, 241
Psychotherapiemethoden 271
Psychotiker 24
psychotisch 30, 35, 61, 117
psychotische Affektionen 148
psychotisches Niveau 137
Pubertät 22, 45, 125, 175, 243, 249

Rationalisierung 11, 28, 75, 77, 82, 91, 135, 247
— (Ideologiebildung) 91
Rauchen 201
Reaktion
—, hypochondrische, depressive, anankastische 97
—, hysterische 97
—, paranoide 97
—, psychogene 115
Reaktionsbildung 10, 27, 29, 31, 39, 74, 75, 91, 105, 250
Realitätsprinzip 5, 47
Realitätsprüfung 30, 34, 186
Regression 11, 26, 27, 32, 33, 39, 43, 70, 82, 87, 91, 105, 109, 132, 138, 179, 187, 192, 197, 198, 240, 247
Regressionsfähigkeit, -tendenz 241
Regressionsneigung 244
Regressionstendenz 220
regressiv 127, 184, 194, 195, 237, 280
regressive Prozesse 228
regressive Tendenzen 227
Rehabilitation 237, 258, 259, 266, 270–272, 274, 280
Rehabilitationspatienten 222
REM-Schlaf 63
Rente 77, 135, 180
Rentengewährung 134
Rentenneurose 133
Rententendenz 133
Rentenverfahren 135
Rentenversicherung 134
Rentenwunschreaktion 133
Repräsentanzen, affektive 162
Repräsentanzen, Beziehungs- 181
retentiv 6
rezeptiv 7
—, oral-passiv 6
rheumatische Erkrankung 227
Rhythmus, circadianer 158
Rhythmus, Schlaf-Wach- 158
Richtlinien 237

Sadismus 58
Sadist 146
sadistisch 141, 145, 159, 194
Sadomasochismus 145, 146, 158
Säugling, moderne -forschung 167

Säuglingsforschung 155, 157, 158, 159, 160
Scham 3, 44, 56, 105, 122, 157, 158, 210
Schiefhals 215
Schielen 81
schizoaffektive Psychose 114
schizoid 21, 27, 79–83, 126, 228
schizoide Struktur 11
Schizophrenie 61, 72, 103, 115, 119, 120, 132, 171, 216
Schlaf 26, 99, 173
Schlaf-Wach-Zyklen 155
Schlafstörungen 86, 98, 104, 120, 215
Schmerz 121
Schmerzen 107, 117, 120
Schmerzbekämpfung 217
Schmerzenergie 213
Schmerztherapie 215
Schmerzzustände 94
Schuld 3, 8, 24, 27, 44, 86, 101, 122, 135, 157, 210
Schuldgefühle 8, 31, 84, 88, 89, 95, 98–100, 103, 105, 125, 128, 138, 141, 174, 249
Schuldproblematik 247
Schulphobie 128
Schwangerschaft 243
Schwangerschaftsverlauf 175
Schwindel 98, 117, 120, 121
Schwindelanfälle 94
Schwitzen 94, 115
Sekundärprozeß 38
sekundärprozeßhaft 40
Selbst 3–5, 36, 37, 47, 48, 53, 56–59, 85, 101, 126, 146, 157, 161, 162, 183, 193, 198
—, affektiver Kern des 156, 161
—, affektives 162
—, archaisches, grandioses 40
—, Besetzung des 40
—, differenziertes 40
—, falsches 44, 52, 61, 62
—, grandioses 36, 39, 42, 43
—, —, Ideal-, reales 33
—, Größen- 55, 56
—, Handlungs- 158
—, Ideal- 33
—, —, reales 42
—, idealisierte -vorstellung 136

Selbst, intersubjektives 157
—, Kern-Selbstgefühl 159
—, kohärentes 57
—, labiles -gefühl 43
—, narzißtisch 42
—, psychophysiologisches 57
—, Real-, Ideal- 55
—, soziales -wertgefühl 134
—, sprachliches 159
—, subjektives 162
—, undifferenziertes 40
—, verbales 162
—, versagendes 58
—, wahres 61, 207
—, — und falsches 60
—, werdendes 59
—, Zustands- 158
Selbst- und Objektrepräsentanzen 31, 58, 187
Selbst-Objekt-Auseinandersetzung 35
Selbst-Objekt-Differenzierung 34, 140, 182
Selbst-Objekt-Einheit 35
Selbst-Objekt-Imago 40
Selbst(wert)gefühl 43
Selbstabwertung 99
Selbstachtung 44
—, -annahme, -aktualisierung 203
Selbstaggression, -anspruch 101
Selbstanalyse 186
Selbstanklagen 86
Selbstauflösung 64
Selbstbeeinflussung 214
Selbstbejahung 72
Selbstbestimmung 155
Selbstbestrafung 105
Selbstbestrafungsbedürfnis 125
Selbstbeziehungen 3, 32
Selbstbezogenheit 55
Selbstbild 109
Selbstdarstellungen 64
Selbstdefekt 56
Selbstdifferenzierung 181
Selbsteinschätzung, -beobachtung, -erfahrung 172
Selbstempfinden 161
Selbstentfaltung 89
Selbstentwicklung 162
Selbsterfahrung 258, 260, 274
—, psychoanalytische 268

Selbsterfahrungsgruppen, patientenzentrierte 224
Selbsterkenntnis, -besinnung, -entfaltung 217
Selbsterleben 3
Selbstfragmente 42
Selbstgefühl 37, 159, 162
Selbstheilungsversuch 73
Selbstidealisierung 31
Selbstidentität 79
Selbstimagines 40, 141
Selbstkonstanz 37, 40
Selbstkontrolle 217
—, -beobachtung 201
Selbstkonzept 140
Selbstkorrektur 156
Selbstliebe, -verherrlichung, -erhaltung 74
Selbstmitleid 85
Selbstmodifikationsprogramm 263
Selbstmord 10, 43, 76, 81, 125
Selbstobjekt 42, 141
Selbstregulation 158, 161
Selbstrepräsentanz 6, 11, 32, 33, 36, 37, 42, 109, 138, 184, 192
Selbstschutz 138
Selbststeuerung 155, 161, 162
Selbstsystem 42
Selbsttäuschungen 60
Selbstunterstützung 211
Selbstverantwortlichkeit, -Identität 186
Selbstverantwortung, -annahme 211
Selbstverständnis, -bewußtsein 219
Selbstverstärkung 201
Selbstvertrauen 84
Selbstvorwürfe 98
Selbstwahrnehmung 224
—, -darstellung 73
Selbstwertgefühl 44, 46, 54, 73, 77, 84, 102, 144, 161, 186, 189, 218
—, gesundes 33
Selbstwertproblematik 128
Selbstwertprobleme 56
self-monitoring 201
self-support 211
Sensibilitätsstörungen 81
sensitiv 8
sensorisch 145
Sexual 175
Sexualinstinkte 213

Sexualmoral 250
Sexualneugier 147
Sexualstreben 144
Sexualverkehr 147
Sexualität 4, 24, 28, 128, 131, 132, 144, 174, 186
—, frühkindliche 243
—, Pan- 136
sexuell 9, 22, 25, 26, 28, 29, 56, 74, 79, 88, 92, 110, 125, 127, 132, 146, 248
—, polymorph-pervers 136
sexuelle Apathie 86
sexuelle Entwicklung 243
sexuelle Exzesse 136
sexuelle Perversionen 222
sexuelles Erleben, Empfinden 182
Sinnesorgane 81
Skriptanalyse 206
Sodomie 145
Somnambulismus 167
soziale Beziehungen 161
soziale Einpassung 161
soziales Umfeld 169
Sozialisation 169
Spaltung 11, 29–31, 34, 56, 137, 138–140
Spaltungsmechanismen 157
Spiegeln, konfrontierendes 203
Spielanalyse 206
Sporttherapie 222
Sprachentwicklung 11, 175
Spracherwerb 156, 157
Sprachstörungen 175
stationäre Psychotherapie 220, 221
Stimuluskontrolle 201
Stottern 90, 215
Strafbedürfnis 180
Strafe 101
Streß 131
Streßmanagement 201
Strukturanalyse 206
Strukturmodell 4, 5
Stuhlgang 173
Stupor 118
Stupor-Katatonie 8
Stuporzustände 100
Subjektstufendeutung 64
Sublimierung 29, 74, 91, 110, 185
Sublimierungsfähigkeit 29, 137, 140
Subphase 35

Subphase, Annäherungs- 39
— der Differenzierung 35
—, Differenzierungs- 39
—, Übungs- 35, 36, 39
Sucht 8, 22, 41, 42, 75, 77, 93, 221, 222, 228, 271, 273
Suchtgefahr 85
Suggestion 177, 217
Suggestionshypnose 167
suggestiv 213
Suizid 84, 184, 239, 271, 273
Suizidgedanken 98
Suizidgefahr 221, 228
Suizidimpulse 222
Suizidalität 99, 102
Symbiose 39–41, 52
Symbiose-Individuation, -prozeß 248
symbiotisch 34, 36, 37, 54, 59, 74, 101, 126, 159, 179, 192
symbiotische Phase 35
Symbolisierung 61
Symptombildung 60
Symptomneurosen 148
Symptomwandel 121
Synkope 121
—, psychogene 107

Tachykardie 94, 120, 121
Tagtraumtechnik 259, 262, 267
Taubheit, psychogene 107
Testverfahren, psychodiagnostische 262, 266
themenzentrierte Interaktion 215
therapeutisches Bündnis 230
Therapie, kognitive 273
Therapie, tiefenpsychologisch fundierte 239
Therapieformen 177
Tics 90, 107, 173, 201, 215, 229
Tiefenpsychologie 259
tiefenpsychologisch fundierte Psychotherapie 195, 198, 227, 237, 252, 262
Todeswunsch 139
topischer Aspekt 50
Tranquilizer 129
Transaktion, Komplementär-, Überkreuz- 208
Transaktion, verdeckte, Zweiebenen-, Duplex- 209

Transaktionsanalyse 167, 206
Transvestitentum 145
Trauer 218
Trauerarbeit 24, 139
Traum 63, 93, 249
Traum, Initial- 65, 174
Traum, Technik der -deutung 64
Träume 90, 95, 179, 211
—, Flucht- und Angst- 95
Traumanalyse 198
Traumarbeit 64
Traumdeutung 65
Traumentstehung 64
Traumgedanken, -arbeit 63
Traumtheorien 63, 280
Traumüberschwemmung 65
Tremor 107, 173, 215
Trennung 159, 186
Trennungsangst 128
Trennungserlebnisse 102
Trennungskonflikt 247
Trieb 4, 23, 34, 38, 47, 57, 64, 143, 198
—, An- 79
—, angeborener 156
—, Destruktions- 47
—, Lebens-, Todes- 4
—, orale -abfuhr 158
—, Partial- 4, 143, 144, 145, 184
—, Sexual- 4
—, sexueller, motorischer, aggressiver, -regungen 72
—, Todes- 47
—, vitaler 79
Triebabfuhr 32
Triebabkömmlinge 29
Triebabwehr 182
Triebabwehr-Abläufe 168
Triebäußerungen 145, 161
Triebangst 22, 69
Triebansprüche 127
Triebaspekt 46
Triebaufschub 70
Triebbefriedigung 26, 101
Triebbegriff 161
Triebbeherrschung 47
Triebderivate 139
Triebdurchbrüche 22
Triebelemente 122
Triebenergie 32, 182

Triebentwicklung 42, 46
Triebgefahr 127
triebhaft 89
Triebimpulse 56, 105, 138, 182, 185
Triebkontrolle 41, 186
Triebkonzept 161
Trieblehre 161
Triebmotiv 23
Triebneutralisierung 41
Trieborganisation 127
Triebpsychologie 3, 4
Triebregungen 25
Triebstau 70
Triebstruktur 40
Triebtheoretisch 182
Triebtheorie 121
Triebwünsche 25, 108
Triebziele 47, 70
Trotzphase 175
Trotzreaktionen 8
Typ-A-Verhalten 152

Über-Ich 5, 6, 22, 25–27, 34, 38–42, 54, 56, 58, 59, 64, 69, 70, 72, 84, 88, 89–93, 99, 101, 105, 109, 125, 127, 138, 139, 144, 182
—, präautonome -Schemata 161
Über-Ich-Anteile 55
Über-Ich-Bestrafung 28
Über-Ich-Bildung 99
Über-Ich-Entwicklung 34
Über-Ich-Haltungen 182
Über-Ich-Identifizierung 39
Über-Ich-Impuls 26
Über-Ich-Integration 55
Über-Ich-Introjekte 187
Über-Ich-Störungen 184
Über-Ich-Strenge 105
Über-Ich-System 33
Über-Ich-Wunsch 27
Über-Ich-Zustände 31
Überkompensation 27, 174
Übertragung 26, 41, 56, 102, 140, 142, 161, 178, 179, 181–183, 185, 186, 189–192, 196, 198, 212, 230, 232, 240
—, Alter-Ego- 43
—, —, Zwillings- 41
—, erste -vorgänge 178
—, idealisierende 41

Übertragung, idealisierende, Spiegel- 140
—, komplementäre, konkordante 192
—, multipersonales -angebot 223
—, Mutter- 194, 254
—, neurotische 181
—, — -elemente 183
—, positive 254
—, regressive -neurose 187, 189
—, Selbstobjekt- 184
—, —, Spiegel-, idealisierte ‚Zwillings- oder
—, Spiegel- 41
—, —, idealisierte 43
—, Spontan- 179
Übertragung/Gegenübertragung 170
Übertragungen, objektale 181
Übertragungen, Selbst-Selbstobjekt- 181
Übertragungen, Spiegel- 41
Übertragungsabläufe 183
Übertragungsagieren; -psychose 142
Übertragungsanalyse 177, 186, 188, 228, 237
Übertragungsdeutung 64, 141
Übertragungsfähigkeit 40
Übertragungsgefühle 181, 183
Übertragungsgeschehen 64, 191
Übertragungsgratifikation 177
Übertragungsmöglichkeiten 178
Übertragungneurose 179, 183, 197, 232, 248
—, -deutungen 187
Übertragungsphantasien 184
Übertraggungsphase 40
Übertragungspsychose 139
Übertragungsreaktionen 187, 232
Übertragungsregression, primitiv 186
Übertragungssituation 179
Übertragungsträume 95
Übertragungsverzerrungen 187
Übertragungsvorgang 180
Übertragungs, -beziehung, -aspekt 65
Ulcus duodeni 134
Ulcus pepticum 152
Ulcus ventriculi 228
Umwelt 155
Umwelteinflüsse 161
unauffällig 250
unbewußt 5, 161, 172, 178–181, 191
Unbewußte 187, 188

Unbewußte, Gegenwarts- 188
unbewuße Phantasien 184
Unfallgeschehen 133
Unfallverarbeitung 133
Ungeschehenmachen 29, 39, 75, 91, 105
urethral 6, 8
Urmißvertrauen 7, 11
Urvertrauen 7, 10, 28, 82, 186

Vaginismus 108, 215
Vagotonus 86
vegetative funktionelle Störungen 227
Verdichtung 63, 64
Verdrängung 23, 26, 29–31, 34, 39, 72, 75, 87, 91, 92, 95, 96, 109, 185, 250
Vererbung 155
Verhalten 155, 156, 161
Verhaltensänderungen 201, 223
Verhaltensanalyse 259, 267, 271
—, -lücke 200
Verhaltensdiagnostik 262
Verhaltensformen 147
Verhaltensmodifikation 200, 275
Verhaltensmuster 191
Verhaltensnormalität 44
Verhaltensstörungen 77, 128, 228
verhaltenstherapeutisch 110, 151, 152
verhaltenstherapeutische Psychotherapie 258, 262
Verhaltensweisen 79, 84, 89, 93, 162, 197, 207
—, -eigentümlichkeiten 172
Verhaltenstherapie 102, 106, 129, 130, 152, 200, 253, 259, 262, 265, 267, 273, 274, 280
—, bei Kindern, bei Jugendlichen 254
Verkehrung ins Gegenteil 33
Verlaufs- und Ergebnisforschung 149
Verleugnung 11, 30, 31, 33, 39, 43, 44, 55, 60, 75, 81, 109, 138
Verneinungsgeste 51, 53
Versagungasituation 174, 238
Verschiebung 25, 27, 29, 63, 75, 109, 182
— auf das Kleinste 27, 91
Verschmelzung 40, 41, 53, 54, 182
—, regressive 37
Verschmelzungserfahrungen 159
Verschmelzungsphantasien 33
Verschmelzungswünsche 101

Verstärkung, positive, negative 201
Versuchungssituation 134, 174, 238
Vorgänge 42
Voyeur 94
Voyeurismus 145, 146, 147

Wahn 79, 81, 132
—, Beziehungs- 25
—, hypochondrischer 97
—, sensitiver 25
Wahnbildung 25, 100
Wahnideen 171
Wahnsymptomatik 239
Wahrnehmung, amodale 159
Wahrnehmungsmöglichkeiten 157
Weichteilrheumatismus 90
Wendung gegen das Selbst 75
Widerstände 61, 65, 178, 179, 182–184, 190–192, 196, 198, 223, 240
— des Ich 185
— des Über-Ich 185
Widerstandsanalyse 178, 179, 190, 228, 237
— des Es 184
Widerstandsbearbeitung 198
Widerstandsreaktion 224
Wiederannäherung 34, 35, 40, 53
Wiederannäherungskrise 51, 53
Wiederannäherungsphase 37, 140
Wiederholen 179
Wir 215
Wir-Bedeutungen 162
Wir-Gefühl 157, 161
Witz 26

ZNS 156
Zwang 28, 76
—, Wasch- 185
—, Zähl-, Ordnungs-, Kontroll-, Vergewisserungs- 104
Zwänge 54
zwanghaft 21, 43, 74, 93, 98, 101, 126, 228, 251
zwanghaft-depressiv 108
zwanghafte Struktur 88
Zwangsbefürchtungen 103–105
Zwangscharakter 127
Zwangsgedanken 103

Zwangsgedankenimpulse 72
Zwangsgrübeln 89
Zwangshandlungen 72
Zwangsideen, -vorstellungen 89
Zwangsimpulse, handlungen 104
Zwangskrankheit 103, 128
Zwangsneurose 27, 99, 101, 103, 115, 118, 226
Zwangsneurotiker 26
zwangsneurotisch 22, 229

Zwangsrituale, Kontroll-, Wasch-, Wiedergutmachungs- 104
Zwangsstörung 118
Zwangsstrukturen 228
Zwangssymptome 8, 221, 229
Zwangssyndrom 103
Zwangsvorstellung 72, 173
Zwangs-, hirnorganisches -syndrom 103
Zweifel, Selbst- 105
Zwölffingerdarm, Geschwüre am 86